VIE ET ŒUVRES
DE J.-J. ROUSSEAU

AVEC DES NOTES EXPLICATIVES

PAR

ALBERT SCHINZ

PROFESSEUR DE LA LITTÉRATURE FRANÇAISE
SMITH COLLEGE

D. C. HEATH & CO., PUBLISHERS

BOSTON   NEW YORK   CHICAGO

PRINTED IN U. S. A.

PRÉFACE

Pleinement conscient que Rousseau a été l'objet d'attaques violentes pour sa vie ou pour ses doctrines, ou pour tout ensemble, dès le XVIIIme siècle et jusqu'au XXme, nous estimons cependant que ces polémiques doivent être autant que possible ignorées dans un livre destiné à présenter, à la jeunesse qui apprend encore, l'un des écrivains les plus influents de la France. Nous n'en parlerons dans nos Notes d'introductions aux Extraits que lorsqu'il nous paraîtra indispensable de le faire, et en termes aussi concis que possible. Nous ne voulons pas cacher ce qui est vrai; nous voulons encore moins, sous prétexte d'être ouverts à toutes les opinions, faire étalage de discussions peu édifiantes: — surtout alors que beaucoup des accusations les plus noires ne peuvent point être considérées comme prouvées.

Nous serons sympathiquement objectifs. C'est à dire que notre principale préoccupation sera de comprendre et non de juger; et, c'est à dire aussi que nous n'oublierons pas que, pour qu'un grand esprit puisse exercer le meilleur de son influence sur la postérité, il faut savoir mettre en lumière les beaux traits, et les généreuses idées — celles qui seules le rendent grand; et ne pas appuyer sur le reste. Critique signifie discernement, et non pas blâme; et le novice en littérature doit être exercé à discerner surtout du beau: sans cela, pourquoi ne pas faire étudier Pradon au lieu de Racine, Zoïle au lieu de Boileau, Marat au lieu de Rousseau?

Nous sommes loin de prétendre que Rousseau ait échappé aux errements humains. Au contraire. C'est même une des choses qui ont fasciné la postérité dans ses livres. Mais, d'abord, est-il besoin de répéter encore que de tels errements n'affecteraient en aucune manière la vérité, ou l'excellence de ses doctrines; ensuite, que les crimes qu'on lui a reprochés — particulièrement celui d'avoir refusé d'élever ses enfants — il les a commis, non pas après avoir écrit ses livres et en contradiction avec ses préceptes, mais avant qu'il y eût réfléchi et qu'il eût posé ses principes de réforme sociale: ce qui enlève le caractère hypocrite que l'on a voulu donner à ses actes. Et si on disait encore qu'un homme qui avait tant péché ne devait pas se mêler, même après, d'écrire des livres de réforme morale et religieuse, nous demandons si l'on ne devrait pas appliquer la même mesure à Rousseau qu'à nombre de très grands génies — Saint-Paul, par exemple, ou Saint-Augustin, ou Saint-François d'Assise — et l'admirer d'autant plus qu'il est sorti d'un abîme de péché plus profond. Enfin nous dirons encore que depuis un certain nombre d'années, toute une série de découvertes — quelques unes même fort sensationnelles — faites par des savants, ont montré que vraiment Rousseau avait été scandaleusement calomnié.

Nous renvoyons à ce sujet à notre article paru dans *The Nation* (New York) le 14 déc. 1918, pp. 725-727: « Jean-Jacques Rousseau ».

C'est en tenant compte de ces différentes considérations que, par exemple, en parlant de Madame de Warens, nous ferons une large part à « maman » qui a eu une si indiscutable influence sur la formation des idées de Rousseau, et nous passerons sous silence l'amante. Que nous dirons peu de chose de la querelle avec les Encyclopédistes et Madame d'Épinay — querelle qui n'a pas changé un iota aux doctrines qui ont fait proclamer Rousseau le père de la Révolution et du Romantisme. Que nous ne ferons que mentionner en passant le pénible épisode de son amitié et de sa brouille avec David Hume, épisode où Rousseau ne fut peut-être pas l'ingrat que des envieux ont dit, mais où il a surtout été la victime malheureuse d'un ébranlement nerveux résultant des persécutions cruelles et souvent mesquines que ses livres « dangereux » lui ont valu.

Dans la disposition de nos Extraits, nous n'avons pas adopté la division ordinaire, *Vie* et *Œuvres*. Chez un homme comme Rousseau, la vie et l'œuvre s'expliquent si souvent l'une par l'autre qu'on se priverait en les traitant à part, d'un des moyens les plus efficaces de comprendre. Nous avons pour cette raison encadré les extraits relatifs à la pensées de Rousseau dans ceux relatifs à sa vie. Et d'ailleurs, tour à tour les passages philosophiques reposeront les lecteurs des passages biographiques, et vice-versâ les passages biographiques reposeront des passages philosophiques.

Nous avons adopté le même système d'édition que dans nos *Selected Poems by Victor Hugo* (D. C. Heath & Co.). C'est à dire que les passages en petits caractères servent d'introduction à chaque extrait ou groupe d'extraits. Ces « Notes d'introduction » ont constitué la partie la plus importante de notre travail d'éditeur. Elles ont pour but, avant tout, de situer chaque texte dans l'œuvre de Rousseau; elles permettent de réduire le nombre des notes au bas des pages; elles permettront aussi au professeur qui les fera lire à l'étudiant, de faire omettre à volonté certains extraits sans que la continuité de la pensée de Rousseau soit sacrifiée.

Les « Notes explicatives » ont pour but d'indiquer certains problèmes d'érudition, d'éclairer des allusions à des événements que l'étudiant a le droit d'ignorer. Quant aux termes plutôt rares, nous avons adopté comme règle d'annoter ceux-là seuls qui ne se trouvent pas dans le *Dictionnaire Encyclopédique, Petit Larousse Illustré*.

Une bonne partie du travail d'érudition de cette édition a été faite au Séminaire de Littérature française de Smith College, au cours de l'année académique 1918–1919. Ont pris part à ce Séminaire: Dorothy M. Bement, A. M., Marguerite Billard, A. M., Anna A. Chenot, A. M., Elizabeth A. Foster, Ph. D., Patty Gurd, Ph. D., Adelaïde Libby, A. M., Clara Weinfield, A. M. M. Brady R. Jordan, aujourd'hui professeur à l'Université du Wisconsin, assistait aux séances et parfois collaborait aux travaux.

ALBERT SCHINZ

TABLE DES MATIÈRES

TROISIÈME PARTIE

LES GRANDES ŒUVRES

PREMIERE PARTIE

ENFANCE ET JEUNESSE DE ROUSSEAU

PREMIÈRE PARTIE

ENFANCE ET JEUNESSE DE ROUSSEAU

On a souvent dit de Rousseau qu'il était le père de l'individualisme moderne, et qu'il avait « introduit le *Moi* en littérature. » Il doit cette formule surtout à son livre des *Confessions*.

Nous empruntons la plupart des extraits suivants à cet ouvrage.

Les *Confessions* ne sont pas terminées; elles devaient comprendre 5 trois parties, et nous n'en avons que deux, allant jusqu'à l'année 1765. Comme Rousseau y parlait de beaucoup de personnes vivantes avec autant de franchise que de lui-même, il avait arrangé que le livre serait publié en 1800. Mais ses sévères recommandations ne furent pas observées. La première partie des *Confessions* 10 parut en 1782 à Genève. La deuxième en 1788 à Genève aussi.

Il les commença pendant son exil en Suisse (1762) à l'instigation de son imprimeur Rey et avec l'idée de donner le portrait d'un homme dans « toute la vérité de la nature », — du seul homme qu'il fût sûr de connaître, c'est-à-dire lui-même. Puis, sous 15 l'impression de pénibles persécutions pour ses opinions philosophiques, il récrivit après son arrivée en Angleterre (le 11 janv. 1766) — avec cette préoccupation de confondre ses ennemis — l'enfance et la jeunesse déjà rédigées; et il ajouta après son retour en France (le 21 mai 1767), la deuxième partie concernant l'âge mûr. 20 Il alla ensuite à Paris (1770), organisa dans des salons d'amis, des lectures de ces Mémoires justificatifs. Ces lectures semblent avoir été interdites après quelque temps par la police, sur la demande de Madame d'Épinay, qui avait joué un rôle important dans la vie de Rousseau et dont Rousseau parlait. Cette préoccupation 25 de justification n'altéra point le charme du récit, surtout pas dans la première partie; mais elle explique la très fameuse *Préface*.

3

Préface des *Confessions*

Je forme une entreprise qui n'eut jamais d'exemple, et qui
n'aura point d'imitateur. Je veux montrer à mes semblables
un homme dans toute la vérité de la nature; et cet homme,
ce sera moi.[1]

5   Moi seul. Je sens mon cœur, et je connais les hommes.
Je ne suis fait comme aucun de ceux que j'ai vus; j'ose
croire n'être fait comme aucun de ceux qui existent. Si je
ne vaux pas mieux, au moins je suis autre. Si la nature a
bien ou mal fait de briser le moule dans lequel elle m'a jeté,
10 c'est ce dont on ne peut juger qu'après m'avoir lu.

Que la trompette du jugement dernier sonne quand elle
voudra, je viendrai, ce livre à la main, me présenter devant
le souverain juge. Je dirai hautement: Voilà ce que j'ai
fait, ce que j'ai pensé, ce que je fus. J'ai dit le bien et le
15 mal avec la même franchise. Je n'ai rien tu de mauvais,
rien ajouté de bon; et s'il m'est arrivé d'employer quelque
ornement indifférent, ce n'a jamais été que pour remplir un
vide occasionné par mon défaut de mémoire. J'ai pu supposer
vrai ce que je savais avoir pu l'être, jamais ce que je savais
20 être faux. Je me suis montré tel que je fus; méprisable et
vil quand je l'ai été, bon, généreux, sublime, quand je l'ai
été: j'ai dévoilé mon intérieur tel que tu l'as vu toi-même,
Être éternel. Rassemble autour de moi l'innombrable foule
de mes semblables; qu'ils écoutent mes confessions, qu'ils
25 gémissent de mes indignités, qu'ils rougissent de mes misères.

---

[1] Rousseau avait expliqué dans une *Préface aux Confessions* qu'il ne
publia pas en quoi ses *Confessions* différaient d'autres autobiographies
antérieures à la sienne. Chez Montaigne il voyait un « faux sincère qui
veut tromper en disant vrai », car il ne parle que de ses « défauts aimables »; chez Cardan, il ne voit qu'un homme « vain et plein d'extra-
vagance... dont on ne peut tirer aucune instruction ». (Cf. *Annales
J.-J. Rousseau*, IV.) Quant aux *Confessions* de Saint-Augustin, elles
sont faussées par la théorie de la corruption, ou méchanceté naturelle
de l'homme qui sert de point de départ au grand théologien.

Que chacun d'eux découvre à son tour son cœur au pied de ton trône avec la même sincérité; et puis qu'un seul te dise, s'il l'ose: *Je fus meilleur que cet homme-là.*

L'ENFANT DE GENÈVE
1712–1722

Les extraits des *Confessions* sont choisis, ou bien simplement pour le charme du récit, ou bien — surtout — parce qu'ils nous 5 découvrent les traits qui expliquent Rousseau, le grand écrivain philosophique.

Les Parents de Jean-Jacques

Jean-Jacques Rousseau est né à Genève le 28 juin 1712, de descendants de Français, émigrés à l'époque des persécutions des Protestants. Ses parents, dit-il, étaient « tous deux nés tendres 10 et sensibles » et il pense avoir hérité d'eux cette disposition qui devait faire de lui le « père du Romantisme ».

Je naquis infirme et malade. Je coûtai la vie à ma mère, et ma naissance fut le premier de mes malheurs.

Je n'ai pas su comment mon père supporta cette perte, 15 mais je sais qu'il ne s'en consola jamais. Il croyait la revoir en moi, sans pouvoir oublier que je la lui avais ôtée; jamais il ne m'embrassa que je ne sentisse à ses soupirs, à ses convulsives étreintes, qu'un regret amer se mêlait à ses caresses: elles n'en étaient que plus tendres. Quand il me disait: 20 « Jean-Jacques, parlons de ta mère, je lui disais: — Eh bien! mon père, nous allons donc pleurer; » et ce mot seul lui tirait déjà des larmes. « Ah! disait-il en gémissant, rends-la-moi, console-moi d'elle, remplis le vide qu'elle a laissé dans mon âme. T'aimerais-je ainsi si tu n'étais que mon fils? » 25 Quarante ans après l'avoir perdue, il est mort dans les bras d'une seconde femme, mais le nom de la première à la bouche, et son image au fond du cœur.

Tels furent les auteurs de mes jours. De tous les dons que le ciel leur avait départis, un cœur sensible est le seul qu'ils 30

me laissèrent; mais il avait fait leur bonheur, et fit tous les
malheurs de ma vie.

J'étais né presque mourant; on espérait peu de me conserver ... Une sœur de mon père, fille aimable et sage,
5 prit si grand soin de moi, qu'elle me sauva.[1] Au moment
où j'écris ceci, elle est encore en vie, soignant, à l'âge de
quatre-vingts ans, un mari plus jeune qu'elle, mais usé par
la boisson. Chère tante, je vous pardonne de m'avoir fait
vivre.

Les Premières Lectures

10   Je sentis avant de penser: c'est le sort commun de l'humanité. Je l'éprouvai plus qu'un autre. J'ignore ce que
je fis jusqu'à cinq ou six ans. Je ne sais comment j'appris
à lire; je ne me souviens que de mes premières lectures et de
leur effet sur moi: c'est le temps d'où je date sans interrup-
15 tion la conscience de moi-même. Ma mère avait laissé des
romans,[2] nous nous mîmes à les lire après souper, mon père
et moi. Il n'était question d'abord que de m'exercer à la
lecture par des livres amusants; mais bientôt l'intérêt devint
si vif, que nous lisions tour à tour sans relâche, et passions
20 les nuits à cette occupation. Nous ne pouvions jamais
quitter qu'à la fin du volume. Quelquefois mon père, entendant le matin les hirondelles, disait tout honteux: « Allons nous coucher; je suis plus enfant que toi. »

---

[1] C'est la Tante Suson, dont il parlera plus loin encore, Mme Gon-
ceru, et à laquelle de ses maigres ressources il servit une pension de
1768 jusqu'à ce qu'elle mourût en 1774.

[2] L'éducation de sa mère, Suzanne Bernard, avait été faite par un oncle
fort cultivé, le ministre Samuel Bernard (1631–1701). Les romans dont
il s'agit étaient les romans précieux du XVIIme siècle, par Gomberville,
Gombault, Desmarets, La Calprenède, et Mlle de Scudéry. Il est fait
allusion plus bas, spécialement à Artamène, le héros du roman du même
nom (10 vol., 1649–53) par Mlle de Scudéry, à Orondate, de la *Cassandre*
de La Calprenède (10 vol., 1642–45) et à Juba, de la *Cléopâtre* du même
auteur (12 vol., 1647).

En peu de temps j'acquis, par cette dangereuse méthode, non-seulement une extrême facilité à lire et à m'entendre, mais une intelligence unique à mon âge sur les passions. Je n'avais aucune idée des choses, que tous les sentiments m'étaient déjà connus. Je n'avais rien conçu, j'avais tout 5 senti. Ces émotions confuses, que j'éprouvai coup sur coup, n'altéraient point la raison que je n'avais pas encore; mais elles m'en formèrent une d'une autre trempe, et me donnèrent de la vie humaine des notions bizarres et romanesques, dont l'expérience et la réflexion n'ont jamais bien 10 pu me guérir.

Les romans finirent avec l'été de 1719. L'hiver suivant, ce fut autre chose. La bibliothèque de ma mère épuisée, on eut recours à la portion de celle de son père qui nous était échue. Heureusement il s'y trouva de bons livres; et cela 15 ne pouvait guère être autrement, cette bibliothèque ayant été formée par un ministre,[1] à la vérité, et savant même, car c'était la mode alors, mais homme de goût et d'esprit. L'*Histoire de l'Église et de l'Empire*, par Lesueur; le *Discours* de Bossuet *sur l'histoire universelle;* les *Hommes illustres* 20 de Plutarque; l'*Histoire de Venise*, par Nani; les *Métamorphoses* d'Ovide; La Bruyère; *les Mondes* de Fontenelle; ses *Dialogues des morts*,[2] et quelques tomes de Molière, furent transportés dans le cabinet de mon père, et je les lui lisais tous les jours durant son travail. J'y pris un goût rare et 25 peut-être unique à cet âge. Plutarque surtout devint ma lecture favorite. Le plaisir que je prenais à le relire sans cesse me guérit un peu des romans; et je préférai bientôt

---

[1] Ce ministre était l'oncle, et non le père de Suzanne B. (Cf. Ritter, *Famille et Jeunesse de Rousseau*, 102.)

[2] L'ouvrage de Lesueur est de 1762; celui de Bossuet, de 1681; la traduction des *Vies des Hommes illustres*, de Plutarque, par Amyot, est de 1559; le livre de Nani, de 1662; *Les Caractères* de La Bruyère sont de 1680, 8me éd., 1694; les *Entretiens sur la Pluralité des Mondes*, de Fontenelle, sont de 1686, et les *Dialogues des Morts*, de 1683.

Agésilas, Brutus, Aristide, à Orondate, Artamène et Juba.
De ces intéressantes lectures, des entretiens qu'elles occa-
sionnaient entre mon père et moi, se forma cet esprit libre
et républicain, ce caractère indomptable et fier, impatient de
5 joug et de servitude, qui m'a tourmenté tout le temps de ma
vie dans les situations les moins propres à lui donner l'essor.
Sans cesse occupé de Rome et d'Athènes, vivant pour ainsi
dire avec leurs grands hommes, né moi-même citoyen d'une
république, et fils d'un père dont l'amour de la patrie était
10 la plus forte passion, je m'en enflammais à son exemple; je
me croyais Grec ou Romain; je devenais le personnage
dont je lisais la vie: le récit des traits de constance et d'in-
trépidité qui m'avaient frappé me rendait les yeux étince-
lants et la voix forte. Un jour que je racontais à table l'aven-
15 ture de Scœvola,[1] on fut effrayé de me voir avancer et soutenir
la main sur un réchaud pour représenter son action.

Le Foyer

L'une des théories les plus connues de Rousseau est son refus
de croire à la corruption naturelle de l'homme — au dogme du
péché originel; l'homme n'est mauvais que si la société et le
20 milieu le rendent tel. Rousseau en trouve une confirmation
dans ses souvenirs d'enfance. Il avait un frère aîné qu'on négli-
geait à cause de lui, Jean-Jacques, maladif et réclamant des soins;
ce frère finit par tourner mal et disparut. Lui au contraire,
soigné et aimé de tous ne pouvait avoir même l'idée d'être méchant.

---

[1] La légende raconte que lorsqu'en 507 le roi des Étrusques, Porsenna,
assiégeait Rome, Mucius Scœvola résolut de délivrer sa patrie en tuant
le roi. Par erreur il tua un secrétaire. Amené devant Porsenna et
menacé de la torture et de la mort, il montra qu'il ne craignait ni l'une
ni l'autre en plaçant sa main étendue sur un brasier allumé et la laissant
se consumer sans exprimer une plainte. Porsenna, en témoignage de
son admiration pour cet acte d'héroïsme, lui rendit la liberté; et effrayé
de la déclaration de Mucius, que 300 jeunes Romains avaient juré sa
mort, conclut la paix avec Rome. Mucius reçut le surnom de Scœvola
(c. à. d. main gauche) à cause de la perte de la main droite.

J'avais les défauts de mon âge; j'étais babillard, gour-
mand, quelquefois menteur. J'aurais volé des fruits, des
bonbons, de la mangeaille; mais jamais je n'ai pris plaisir à
faire du mal, du dégât, à charger les autres, à tourmenter de
pauvres animaux. 5

Comment serais-je devenu méchant, quand je n'avais
sous les yeux que des exemples de douceur, et autour de moi
que les meilleures gens du monde? Mon père, ma tante, ma
mie,[1] mes parents, nos amis, nos voisins, tout ce qui m'environnait ne m'obéissait pas à la vérité, mais m'aimait; et 10
moi je les aimais de même. Mes volontés étaient si peu
excitées et si peu contrariées, qu'il ne me venait pas dans
l'esprit d'en avoir. (Je puis jurer que[2] jusqu'à mon asservissement sous un maître je n'ai pas su ce que c'était qu'une
fantaisie.) Hors le temps que je passais à lire ou écrire auprès 15
de mon père, et celui où ma mie me menait promener, j'étais
toujours avec ma tante, à la voir broder, à l'entendre chanter,
assis ou debout à côté d'elle; et j'étais content. Son enjouement, sa douceur, sa figure agréable, m'ont laissé de si
fortes impressions, que je vois encore son air, son regard, son 20
attitude: je me souviens de ses petits propos caressants;
je dirais comment elle était vêtue et coiffée, sans oublier les
deux crochets[3] que ses cheveux noirs faisaient sur ses tempes,
selon la mode de ce temps-là.

Je suis persuadé que je lui dois le goût ou plutôt la passion 25
pour la musique[4] qui ne s'est bien développé en moi que

---

[1] Terme d'affection que les enfants emploient pour leurs bonnes.

[2] Il s'agit du « maître » Ducommun, le graveur. Cet « asservissement »
est décrit plus bas sous le titre: *Années d'Apprentissage*.

[3] Boucles de cheveux collés sur les tempes.

[4] On verra dans la suite que Rousseau a longtemps pensé que sa carrière serait dans la musique, et que les circonstances seules l'ont engagé
dans la voie des lettres. Lors de son séjour à Turin, en 1728, il apprit
à goûter la musique italienne en allant à la messe tous les matins. Lorsqu'il fut rentré chez Mme de Warens, en 1729, il se mit à étudier la mu-

longtemps après. Elle savait une quantité prodigieuse
d'airs et de chansons qu'elle chantait avec un filet de voix
fort douce. La sérénité d'âme de cette excellente fille
éloignait d'elle et de tout ce qui l'environnait la rêverie et la
5 tristesse. L'attrait que son chant avait pour moi fut tel
que, non-seulement plusieurs de ses chansons me sont toujours
restées dans la mémoire, mais qu'il m'en revient même, aujourd'hui que je l'ai perdue, qui, totalement oubliées depuis
mon enfance, se retracent à mesure que je vieillis, avec un
10 charme que je ne puis exprimer. Dirait-on que moi, vieux
radoteur,[1] rongé de soucis et de peines, je me surprends
quelquefois à pleurer comme un enfant en marmottant ces
petits airs d'une voix déjà cassée et tremblante? Il y en
a un surtout qui m'est bien revenu tout entier quant à l'air;
15 mais la seconde moitié des paroles s'est constamment refusée
à tous mes efforts pour me la rappeler, quoiqu'il m'en revienne confusément les rimes. Voici le commencement, et
ce que j'ai pu me rappeler du reste:

sique. De 1730 à 1731 il l'enseigna à Lausanne èt à Neuchâtel; et en
1733 à Chambéry. Ses premières démarches en arrivant à Paris, en 1742,
eurent pour but d'obtenir l'autorisation de lire à l'Académie des Sciences
un projet sur une nouvelle méthode pour noter la musique. A Venise, en
1743, il reprit l'étude de la musique italienne et s'en pénétra profondément.
Lorsqu'éclata la querelle sur la supériorité de la musique française ou de
la musique italienne, en 1753, Rousseau lança en novembre sa fameuse
Lettre sur la Musique Française, qui fit date dans cette polémique passionnée. De ses œuvres musicales originales, la plus connue est *Le Devin
du Village*, représenté avec un grand succès, à Fontainebleau, devant
leurs Majestés, les 18 et 25 oct. 1752, et à Paris, par l'Académie Royale
de musique, le 1er mars 1753. On a souvent contesté qu'il eût écrit la
musique de *Pygmalion;* qui fut représenté à Lyon en 1769. L'œuvre
critique la plus considérable est son *Dictionnaire de Musique*, qui parut
à Genève en 1767. Jusque dans ses derniers jours Rousseau copiait de
la musique pour gagner sa vie, et sa passion dura jusqu'à la mort.

[1] Rousseau avait, quand il écrivit cela (en Angleterre) environ 55
ans.

Tircis, je n'ose
Écouter ton chalumeau
Sous l'ormeau;
Car on en cause
Déjà dans notre hameau.

. . . .
. . . . un berger
. . . . s'engager
. . . . sans danger;
Et toujours l'épine est sous la rose.[1]

Je cherche où est le charme attendrissant que mon cœur trouve à cette chanson: c'est un caprice, auquel je ne comprends rien; mais il m'est de toute impossibilité de la chanter jusqu'à la fin sans être arrêté par mes larmes.   J'ai cent fois projeté d'écrire à Paris pour faire chercher le reste des paroles, 5 si tant est que quelqu'un les connaisse encore.   Mais je suis presque sûr que le plaisir que je prends à me rappeler cet air s'évanouirait en partie, si j'avais la preuve que d'autres que ma pauvre tante Suson l'ont chanté.

Telles furent les premières affections de mon entrée dans la 10 vie: ainsi commençait à se former ou à se montrer en moi ce cœur à la fois si fier et si tendre, ce caractère efféminé, mais pourtant indomptable, qui, flottant toujours entre la faiblesse et le courage, entre la mollesse et la vertu, m'a

[1] Voici cette chanson, avec la musique.   Elle était très connue à Paris, et se chante encore dans la classe ouvrière:

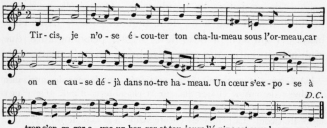

Tir-cis, je n'o-se é-cou-ter ton cha-lu-meau sous l'or-meau,car

on en cau-se dé-jà dans no-tre ha-meau. Un cœur s'ex-po-se à

D.C.

trop s'en-ga-ger a-vec un ber-ger,et tou-jours l'é-pine est sous la ro-se.

jusqu'au bout mis en contradiction avec moi-même, et a
fait que l'abstinence et la jouissance, le plaisir et la sagesse,
m'ont également échappé.

A BOSSEY

1722–1724

A la suite d'une querelle, où la police dut intervenir, le père de
5 Rousseau quitta Genève. Rousseau avait alors 8 ans, et il fut
placé sous la tutelle d'un oncle, M. Bernard. Celui-ci avait un
fils du même âge que Jean-Jacques. Les deux enfants furent mis
en pension chez un ministre protestant M. Lambercier qui vivait
avec sa sœur à Bossey, un pittoresque village près de Genève, au
10 pied du Mont Salève. C'était, dit Rousseau, « pour y apprendre,
avec le latin, tout le menu fatras dont on l'accompagne sous le
nom d'éducation ».

Tout alla bien pendant deux ans. Rousseau y goûta la simplicité de la vie champêtre qu'il célébra toute sa vie pour la faire
15 comprendre et aimer aux hommes.

Mais un jour une punition injuste lui fut infligée. Cet incident
assuma, dans son âme d'enfant, la proportion d'un drame et y
laissa une trace ineffaçable. Il dit que ce fut la première semence
dont sortirent plus tard ses protestations éloquentes contre les
20 injustices sociales.

La Première Injustice

J'étudiais un jour seul ma leçon dans la chambre contiguë
à la cuisine. La servante avait mis sécher à la plaque [1] les
peignes de mademoiselle Lambercier. Quand elle revint les
prendre, il s'en trouva un dont tout un côté de dents était
25 brisé. A qui s'en prendre de ce dégât? personne autre que
moi n'était entré dans la chambre. On m'interroge: je

---

[1] A Genève et en Savoie, niche pratiquée dans le mur des anciennes
cheminées de cuisine et ouvrant sur la chambre contiguë. On y met
en dépôt, sur des rayons, les objets qu'on veut maintenir dans une at-
mosphère tiède. La plaque est encore visible à la cure de Bossey. (Cf.
Annales J.-J. Rousseau, III, p. 54.)

nie d'avoir touché le peigne. M. et mademoiselle Lambercier se réunissent, m'exhortent, me pressent, me menacent:
je persiste avec opiniâtreté; mais la conviction était trop
forte, elle l'emporta sur toutes mes protestations, quoique
ce fût pour la première fois qu'on m'eût trouvé tant d'audace 5
à mentir. La chose fut prise au sérieux; elle méritait de
l'être. La méchanceté, le mensonge, l'obstination, parurent également dignes de punition..... Elle fut terrible.....
On ne put m'arracher l'aveu qu'on exigeait. Repris à plusieurs fois et mis dans l'état le plus affreux, je fus inébranlable. 10
J'aurais souffert la mort, et j'y étais résolu. Il fallut que la
force même cédât au diabolique entêtement d'un enfant,
car on n'appela pas autrement ma constance. Enfin, je
sortis de cette cruelle épreuve en pièces, mais triomphant.

Il y a maintenant près de cinquante ans de cette aventure, 15
et je n'ai pas peur d'être puni de rechef pour le même fait;
eh bien, je déclare à la face du ciel que j'en étais innocent,
que je n'avais ni cassé, ni touché le peigne, que je n'avais
pas approché de la plaque, et que je n'y avais pas même
songé. Qu'on ne me demande pas comment ce dégât se fit; 20
je l'ignore, et ne puis le comprendre; ce que je sais très certainement, c'est que j'en étais innocent.

Qu'on se figure un caractère timide et docile dans la vie
ordinaire, mais ardent, fier, indomptable dans les passions,
un enfant toujours gouverné par la voix de la raison, tou- 25
jours traité avec douceur, équité, complaisance, qui n'avait
pas même l'idée de l'injustice, et qui, pour la première fois,
en éprouve une si terrible de la part précisément des gens
qu'il chérit et qu'il respecte le plus: quel renversement
d'idées! quel désordre de sentiments! quel bouleversement 30
dans son cœur, dans sa cervelle, dans tout son petit être
intelligent et moral! Je dis qu'on s'imagine tout cela, s'il
est possible, car, pour moi, je ne me sens pas capable de
démêler, de suivre la moindre trace de ce qui se passait alors
en moi.

Je n'avais pas encore assez de raison pour sentir combien
les apparences me condamnaient, et pour me mettre à la
place des autres. Je me tenais à la mienne: et tout ce que
je sentais, c'était la rigueur d'un châtiment effroyable pour
5 un crime que je n'avais pas commis. La douleur du corps,
quoique vive, m'était peu sensible; je ne sentais que l'indignation, la rage, le désespoir. Mon cousin, dans un cas
à peu près semblable, et qu'on avait puni d'une faute involontaire comme d'un acte prémédité, se mettait en fureur à
10 mon exemple, et se montait, pour ainsi dire, à mon unisson.
Tous deux dans le même lit, nous nous embrassions avec des
transports convulsifs, nous étouffions; et quand nos jeunes
cœurs un peu soulagés pouvaient exhaler leur colère, nous
nous levions sur notre séant, nous nous mettions tous deux
15 à crier cent fois de toute notre force: *Carnifex! carnifex!
carnifex!* [1]

Je sens en écrivant ceci que mon pouls s'élève encore; ces
moments me seront toujours présents, quand je vivrais
cent mille ans. Ce premier sentiment de la violence et de
20 l'injustice est resté si profondément gravé dans mon âme,
que toutes les idées qui s'y rapportent me rendent ma
première émotion; et ce sentiment, relatif à moi dans son
origine, a pris une telle consistance en lui-même, et s'est
tellement détaché de tout intérêt personnel, que mon cœur
25 s'enflamme au spectacle ou au récit de toute action injuste,
quel qu'en soit l'objet et en quelque lieu qu'elle se commette, comme si l'effet en retombait sur moi. Quand je lis les
cruautés d'un tyran féroce, les subtiles noirceurs d'un fourbe
de prêtre, je partirais volontiers pour aller poignarder ces
30 misérables, dussé-je cent fois y périr. Je me suis souvent
mis en nage à poursuivre à la course ou à coups de pierre
un coq, une vache, un chien, un animal que j'en voyais tourmenter un autre, uniquement parce qu'il se sentait le plus

---

[1] C. à. d. bourreau.

fort. Ce mouvement peut m'être naturel, et je crois qu'il
l'est, mais le souvenir profond de la première injustice que
j'ai soufferte y fut trop longtemps et trop fortement lié pour
ne l'avoir pas beaucoup renforcé.

Là fut le terme de la sérénité de ma vie enfantine. Dès
ce moment, je cessai de jouir d'un bonheur pur, et je sens
aujourd'hui même que le souvenir des charmes de mon enfance s'arrête là. Nous restâmes encore à Bossey quelques
mois. . . . .

Voici un joli épisode des jours heureux de Bossey: [1]

Un Aqueduc

Ô vous, lecteurs curieux de la grande histoire du noyer
de la terrasse, écoutez l'horrible tragédie, et vous abstenez
de frémir, si vous pouvez!

Il y avait, hors la porte de la cour, une terrasse à gauche
en entrant, sur laquelle on allait souvent s'asseoir l'après-
midi, mais qui n'avait point d'ombre. Pour lui en donner,
M. Lambercier y fit planter un noyer. La plantation de cet
arbre se fit avec solennité: les deux pensionnaires en furent
les parrains; et tandis qu'on comblait le creux, nous tenions
l'arbre chacun d'une main avec des chants de triomphe.
On fit pour l'arroser une espèce de bassin tout autour du pied.
Chaque jour, ardents spectateurs de cet arrosement, nous
nous confirmions, mon cousin et moi, dans l'idée très naturelle
qu'il était plus beau de planter un arbre sur la terrasse qu'un
drapeau sur la brèche, et nous résolûmes de nous procurer
cette gloire sans la partager avec qui que ce fût.

Pour cela, nous allâmes couper une bouture d'un jeune
saule, et nous la plantâmes sur la terrasse, à huit ou dix

---

[1] On en trouvera un autre au Livre II, d'*Émile*. Rousseau y raconte
une grande frayeur qu'il eut un soir qu'il alla seul, dans l'obscurité,
chercher la bible dans l'église de Bossey. Il indique comment on peut
dissiper cette peur des ténèbres chez les enfants.

pieds de l'auguste noyer. Nous n'oubliâmes pas de faire
aussi un creux autour de notre arbre: la difficulté était d'avoir
de quoi le remplir; car l'eau venait d'assez loin, et on ne nous
laissait pas courir pour en aller prendre. Cependant il en
5 fallait absolument pour notre saule. Nous employâmes
toutes sortes de ruses pour lui en fournir durant quelques
jours; et cela nous réussit si bien, que nous le vîmes bour-
geonner et pousser de petites feuilles dont nous mesurions
l'accroissement d'heure en heure, persuadés, quoiqu'il ne fût
10 pas à un pied de terre, qu'il ne tarderait pas à nous ombrager.

Comme notre arbre, nous occupant tout entiers, nous
rendait incapables de toute application, de toute étude, que
nous étions comme en délire, et que, ne sachant à qui nous
en avions, on nous tenait plus court qu'auparavant, nous
15 vîmes l'instant fatal où l'eau nous allait manquer, et nous
nous désolions dans l'attente de voir notre arbre périr de
sécheresse. Enfin la nécessité, mère de l'industrie, nous
suggéra une invention pour garantir l'arbre et nous d'une
mort certaine; ce fut de faire par dessous terre une rigole
20 qui conduisît secrètement au saule une partie de l'eau dont
on arrosait le noyer. Cette entreprise, exécutée avec ardeur,
ne réussit pourtant pas d'abord. Nous avions si mal pris
la pente, que l'eau ne coulait point; la terre s'éboulait et
bouchait la rigole; l'entrée se remplissait d'ordures; tout
25 allait de travers. Rien ne nous rebuta: *Labor omnia vincit
improbus.* Nous creusâmes davantage la terre et notre bassin,
pour donner à l'eau son écoulement; nous coupâmes des
fonds de boîtes en petites planches étroites, dont les unes
mises à plat à la file, et d'autres posées en angles des deux
30 côtés sur celles-là, nous firent un canal triangulaire pour
notre conduit. Nous plantâmes à l'entrée de petits bouts
de bois minces et à claire-voie, qui, faisant une espèce de
grillage ou de crapaudine, retenaient le limon et les pierres
sans boucher le passage à l'eau. Nous recouvrîmes soi-
35 gneusement notre ouvrage de terre bien foulée; et le jour

où tout fut fait, nous attendîmes dans des transes d'espérance et de crainte l'heure de l'arrosement. Après des siècles
d'attente, cette heure vint enfin; M. Lambercier vint aussi
à son ordinaire assister à l'opération, durant laquelle nous
nous tenions tous deux derrière lui pour cacher notre arbre, 5
auquel très heureusement il tournait le dos.

A peine achevait-on de verser le premier seau d'eau, que
nous commençâmes d'en voir couler dans notre bassin. A cet
aspect, la prudence nous abandonna; nous nous mîmes à
pousser des cris de joie qui firent retourner M. Lambercier: 10
et ce fut dommage, car il prenait grand plaisir à voir comment
la terre du noyer était bonne et buvait avidement son eau.
Frappé de la voir se partager en deux bassins, il s'écrie à son
tour, regarde, aperçoit la friponnerie, se fait brusquement
apporter une pioche, donne un coup, fait voler deux ou trois 15
de nos planches, en criant à pleine tête: *Un aqueduc! un
aqueduc!* il frappe de toutes parts des coups impitoyables,
dont chacun portait au milieu de nos cœurs. En un moment,
les planches, le conduit, le bassin, le saule, tout fut détruit,
tout fut labouré, sans qu'il y eût, durant cette expédition 20
terrible, nul autre mot prononcé, sinon l'exclamation qu'il
répétait sans cesse. *Un aqueduc!* s'écriait-il en brisant tout,
un aqueduc! un aqueduc!

On croira que l'aventure finit mal pour les petits architectes. On se trompera: tout fut fini. M. Lambercier ne 25
nous dit pas un mot de reproche, ne nous fit pas plus mauvais
visage, et ne nous en parla plus; nous l'entendîmes même
un peu après rire auprès de sa sœur à gorge déployée, car le
rire de M. Lambercier s'entendait de loin; et ce qu'il y eut
de plus étonnant encore, c'est que, passé le premier saisis- 30
sement, nous ne fûmes pas nous-mêmes fort affligés. Nous
plantâmes ailleurs un autre arbre, et nous nous rappelions
souvent la catastrophe du premier, en répétant entre nous,
avec emphase: *Un aqueduc! un aqueduc!* Jusque-là, j'avais
eu des accès d'orgueil par intervalles quand j'étais Aristide 35

ou Brutus: ce fut ici mon premier mouvement de vanité
bien marquée. Avoir pu construire un aqueduc de nos
mains, avoir mis une bouture en concurrence avec un grand
arbre, me paraissait le suprême degré de la gloire. A dix
5 ans, j'en jugeais mieux que César à trente.

ANNÉES D'APPRENTISSAGE

1725–1728

De retour à Genève, Rousseau demeura quelques mois[1] sans
occupation régulière; il était souvent avec son cousin Bernard,
plus faible que lui et qu'il défendait contre les garçons des rues;
« Me voilà déjà redresseur de torts ». En même temps sa sen-
10 sibilité naissante cherchait à se satisfaire par deux romanesques
passions d'enfant. Cependant on discutait ce qu'il fallait faire
de lui. On le plaça d'abord au Bureau de Greffe (Secrétariat
du Procureur de la Ville) pour copier des actes; mais le métier
d'écrivassier — de « grapignan » dans le patois populaire — lui
15 pesait; il fut du reste renvoyé, comme un « âne ». Alors il fut
mis en apprentissage chez le graveur Ducommun. Rousseau
souffrit beaucoup. Il fut mal traité, et on lui suggéra, par une
excessive sévérité, l'idée du mal qu'il n'avait pas eue auparavant:

Mon maître, M. Ducommun, était un jeune homme rusé
20 et violent qui vint à bout, en très peu de temps, de ternir
tout l'éclat de mon enfance, d'abrutir mon caractère aimant
et vif, et de me réduire par l'esprit autant que par la force,
à mon véritable état d'apprenti … Rien ne m'a mieux appris
la différence qu'il y a de la dépendance filiale à l'esclavage
25 servile, que le souvenir des changements que produisit en moi
cette époque … J'appris à convoiter en silence, à me cacher,
à dissimuler, à mentir et à dérober enfin, fantaisie qui
jusqu'alors ne m'était pas venue et dont je n'ai pu depuis

---

[1] Rousseau dit « deux ou trois ans »; mais sa mémoire l'a trompé.
Il était encore à Bossey le 23 août 1724, et il entra comme apprenti chez
un graveur le 1 mai 1725. (Ritter, *Famille et Jeunesse*, p. 181; et *Annales J.-J. Rousseau*, XI, p. 17; Masson, *Religion de Rousseau*, I, p. 23.)

lors bien me guérir. La convoitise et l'impuissance mènent
toujours là. Voilà pourquoi les laquais sont fripons, et
pourquoi tous les apprentis doivent l'être...

Rousseau raconte comment un compagnon d'apprentissage
lui fit voler des asperges, et il continue... 5

J'appris ainsi qu'il n'était pas si terrible de voler que je
l'avais cru; et je tirai bientôt si bon parti de ma science, que
rien de ce que je convoitais n'était à ma portée en sûreté.
Je n'étais pas absolument mal nourri chez mon maître, et la
sobriété ne m'était pénible qu'en la lui voyant si mal garder. 10
L'usage de faire sortir de table les jeunes gens quand on y
sert ce qui les tente le plus me paraît très bien entendu pour
les rendre aussi friands que fripons. Je devins en peu de
temps l'un et l'autre; et je m'en trouvais fort bien pour
l'ordinaire, quelquefois fort mal quand j'étais surpris. 15
Un souvenir qui me fait frémir encore et rire tout à fois,
est celui d'une chasse aux pommes qui me coûta cher. Ces
pommes étaient au fond d'une dépense qui, par une jalousie
élevée, recevait du jour de la cuisine. Un jour que j'étais
seul dans la maison, je montai sur la maie pour regarder dans 20
le jardin des Hespérides ce précieux fruit dont je ne pouvais
approcher. J'allai chercher la broche pour voir si elle y
pourrait atteindre; elle était trop courte. Je l'allongeai
par une autre petite broche qui servait pour le menu gibier;
car mon maître aimait la chasse. Je piquai plusieurs fois 25
sans succès; enfin, je sentis avec transport que j'amenais
une pomme. Je tirai très doucement: déjà la pomme
touchait la jalousie: j'étais prêt à la saisir. Qui dira ma
douleur? La pomme était trop grosse, elle ne put pas passer
par le trou. Que d'inventions ne mis-je point en usage pour 30
la tirer! Il fallut trouver des supports pour tenir la broche en
état, un couteau assez long pour fendre la pomme, une latte
pour la retenir. A force d'adresse et de temps je parvins à
la partager, espérant tirer ensuite les pièces l'une après

l'autre; mais à peine furent-elles séparées, qu'elles tombèrent toutes deux dans la dépense. Lecteur pitoyable,
partagez mon affliction.

Je ne perdis point courage; mais j'avais perdu beaucoup
5 de temps. Je craignais d'être surpris; je renvoie au lendemain une tentative plus heureuse, et je me remets à l'ouvrage
tout aussi tranquillement que si je n'avais rien fait, sans
songer aux deux témoins indiscrets qui déposaient contre
moi dans la dépense.

10 Le lendemain, retrouvant l'occasion belle, je tente un
nouvel essai. Je monte sur mes tréteaux, j'allonge la broche,
je l'ajuste; j'étais prêt à piquer ... Malheureusement le dra-
gon ne dormait pas: tout à coup la porte de la dépense s'ouvre;
mon maître en sort, croise les bras, me regarde, et me dit:
15 « Courage! ... » La plume me tombe des mains ...

Bientôt, à force d'essuyer de mauvais traitements, j'y
devins moins sensible; ils me parurent enfin une sorte de
compensation du vol, qui me mettait en droit de le continuer.
Au lieu de retourner les yeux en arrière et de regarder la puni-
20 tion, je les portais en avant et je regardais la vengeance.
Je jugeais que me battre comme fripon, c'était m'autoriser
à l'être. Je trouvais que voler et être battu allaient ensemble,
et constituaient en quelque sorte un état, et qu'en remplis-
sant la partie de cet état qui dépendait de moi, je pouvais
25 laisser le soin de l'autre à mon maître. Sur cette idée, je me
mis à voler plus tranquillement qu'auparavant. Je me
disais: Qu'en arrivera-t-il enfin? Je serai battu. Soit:
je suis fait pour l'être.

LA SAVOIE ET L'ITALIE

1728-1729

Jean-Jacques quitte Genève

Pour se consoler de sa malheureuse existence Rousseau se met
30 à lire avec ardeur. Il doit le faire en cachette, car quand il est

ROUSSEAU ADOLESCENT
D'après une peinture moderne

surpris, il est battu, et on lui prend les livres que ses maigres gages
lui permettent de louer à la boutique de la mère Tribu.

J'atteignis ainsi ma seizième année, inquiet, mécontent
de tout et de moi, sans goût de mon état, sans plaisirs de
mon âge, dévoré de désirs dont j'ignorais l'objet, pleurant 5
sans sujet de larmes, soupirant sans savoir de quoi, enfin
caressant tendrement mes chimères faute de rien voir autour
de moi qui les valût. Les dimanches, mes camarades venaient
me chercher après le prêche pour aller m'ébattre avec eux.
Je leur aurais volontiers échappé si j'avais pu; mais, une fois 10
en train dans leurs jeux, j'étais plus ardent et j'allais plus
loin qu'aucun autre; difficile à ébranler et à retenir. Ce
fut là de tout temps ma disposition constante. Dans nos
promenades hors de la ville, j'allais toujours en avant sans
songer au retour, à moins que d'autres n'y songeassent pour 15
moi. J'y fus pris deux fois; les portes furent fermées avant
que je pusse arriver. Le lendemain, je fus traité comme on
s'imagine; et la seconde fois il me fut promis un tel accueil
pour la troisième, que je résolus de ne m'y pas exposer. Cette
troisième fois, si redoutée, arriva pourtant. Ma vigilance 20
fut mise en défaut par un maudit capitaine appelé M. Minu-
toli, qui fermait toujours la porte, où il était de garde, une
demi-heure avant les autres. Je revenais avec deux camarades. A une demi-lieue de la ville, j'entends sonner la
retraite, je double le pas; j'entends battre la caisse, je cours 25
à toutes jambes: j'arrive essoufflé, tout en nage; le cœur
me bat, je vois de loin les soldats à leur poste, j'accours, je
crie d'une voix étouffée. Il était trop tard. A vingt pas de
l'avancée,[1] je vois lever le premier pont. Je frémis en voyant
en l'air ces cornes terribles, sinistre et fatal augure du sort 30
inévitable que ce moment commençait pour moi.

Dans le premier transport de douleur, je me jetai sur le
glacis et mordis la terre. Mes camarades, riant de leur

---

[1] Corps de garde; petit poste en avant d'une place forte.

malheur, prirent à l'instant leur parti. Je pris aussi le mien;
mais ce fut d'une autre manière. Sur le lieu même, je jurai
de ne retourner jamais chez mon maître; et le lendemain,
quand à l'heure de la découverte [1] ils rentrèrent en ville, je
5 leur dis adieu pour jamais, les priant seulement d'avertir
en secret mon cousin Bernard [2] de la résolution que j'avais
prise et du lieu où il pourrait me voir encore une fois.

Jean-Jacques quitta Genève le lundi, 15 mars 1728. Le premier
moment d'effroi passé et après avoir pris congé de son cousin
10 (sorti de la ville pour le saluer) il s'abandonna tout entier à
l'ivresse de la liberté reconquise. C'est ici le futur grand apôtre
des aspirations individualistes, le rêveur romanesque, l'inspirateur
du romantisme qui parle:

Autant le moment où l'effroi me suggéra le projet de fuir
15 m'avait paru triste, autant celui où je l'exécutai me parut
charmant. Encore enfant, quitter mon pays, mes parents,
mes appuis, mes ressources; laisser un apprentissage à
moitié fait sans savoir mon métier assez pour en vivre; me
livrer aux horreurs de la misère sans voir aucun moyen d'en
20 sortir; dans l'âge de la faiblesse et de l'innocence, m'exposer
à toutes les tentations du vice et du désespoir; chercher au
loin les maux, les erreurs, les pièges, l'esclavage et la mort,
sous un joug bien plus inflexible que celui que je n'avais
pu souffrir: c'était là ce que j'allais faire; c'était la per-
25 spective que j'aurais dû envisager. Que celle que je me
peignais était différente! L'indépendance que je croyais
avoir acquise était le seul sentiment qui m'affectait. Libre
et maître de moi-même, je croyais pouvoir tout faire, at-

---

[1] *Découverte*, ici ouverture des portes de la ville (*découvrir = ouvrir*).
Littré dit à propos de ce passage de Rousseau: « Cet emploi n'est pas
admis, et avec raison.»

[2] Celui-ci appartenait, comme on l'a vu, à la ville haute, au quartier
aristocratique, et ses parents n'aimaient pas qu'il se mêlât aux jeux des
enfants de la ville basse, ou quartier de Saint-Gervais, où devait demeurer
alors Jean-Jacques. Ainsi les deux cousins ne se voyaient pas régulièrement.

teindre à tout: je n'avais qu'à m'élancer pour m'élever et
voler dans les airs. J'entrais avec sécurité dans le vaste
espace du monde; mon mérite allait le remplir; à chaque pas
j'allais trouver des festins, des trésors, des aventures, des
amis prêts à me servir, des maîtresses empressées à me 5
plaire: en me montrant, j'allais occuper de moi l'univers,
non pas pourtant l'univers tout entier, je l'en dispensais en
quelque sorte, il ne m'en fallait pas tant; une société charmante me suffisait sans m'embarrasser du reste. Ma modération m'inscrivait dans une sphère étroite, mais délicieuse- 10
ment choisie, où j'étais assuré de régner. Un seul château
bornait mon ambition: favori du seigneur et de la dame,
amant de la demoiselle, ami du frère et protecteur des
voisins, j'étais content; il ne m'en fallait pas davantage.

En attendant ce modeste avenir, j'errai quelques jours 15
autour de la ville, logeant chez des paysans de ma connaissance, qui tous me reçurent avec plus de bonté que
n'auraient fait des urbains. Ils m'accueillaient, me logeaient,
me nourrissaient trop bonnement pour en avoir le mérite.
Cela ne pouvait pas s'appeler faire l'aumône; ils n'y met- 20
taient pas assez l'air de la supériorité.

Madame de Warens

Rousseau ne s'éloigna donc guère de Genève; et un jour à Con-
fignon, en Savoie, à deux lieues seulement de sa ville natale, il
frappa à la porte du curé, M. de Pontverre. L'Église catholique
faisait alors de grands efforts — et surtout aux alentours de la 25
cité de Calvin — pour ramener les protestants au catholicisme.
M. de Pontverre vit en Rousseau, qui avait accepté de confiance
la religion de ses parents, une recrue possible; après avoir hébergé
le jeune garçon (qu'il connaissait peut-être déjà) il l'envoya à
Annecy, chez Madame de Warens, laquelle recevait une pension 30
de Victor Amédée II, duc de Savoie et Roi de Sardaigne, pour
s'occuper de nouveaux convertis.

Françoise Louise Eléanore de la Tour naquit près de Vevey le
31 mars 1699 de noble Jean-Baptiste de la Tour et de Susanne-

Louise Warnéry. Sa mère mourut l'année suivante, et son père
se remaria. Son éducation fut très irrégulière. Jusqu'à neuf
ans elle fut élevée par deux tantes amies du célèbre « piétiste »
Magny. En 1708 elle retourna auprès de son père remarié qui
5 mourut après un an. En 1711 elle fut mise en pension à Lausanne
jusqu'en 1713, date de son mariage; elle épousa noble Sébastien-
Isaac de Loys, seigneur de Warens, auquel elle apporta en dot
30,000 livres (aujourd'hui 180,000 francs). M. et Mme. de
Warens demeurèrent à Lausanne jusqu'en 1724 puis ils se
10 fixèrent à Vevey. Là Mme. de Warens établit une manufacture
de bas de soie et de laine. Elle finit par emprunter des sommes
considérables, les gaspilla et enfin éprouva de grandes pertes
en suite du débordement d'une rivière au printemps de 1726.
Dans la nuit du 13 juillet se passa un événement très mys-
15 térieux. Elle prit congé amicalement de son mari et s'embarqua
pour Évian (une ville d'eau de l'autre côté du Lac de Genève).
Son mari s'imaginait qu'elle allait faire une cure. Mais elle avait
emporté avec elle toute son argenterie, son linge, une partie de
l'argent emprunté pour la manufacture, des bijoux, des vêtements,
20 etc. Le 6 août elle déclara vouloir renoncer au protestantisme, et
se jetant aux pieds du Roi de Sardaigne, qui était à Évian depuis
le 1ᵉʳ juillet, demanda sa protection en disant: « In manus tuas,
domine, commendo spiritum meum.» Le lendemain, de grand
matin, elle partit pour Annecy (petite ville de la Savoie au bord
25 du lac du même nom) dans la litière du roi et sous sa protection.
A Annecy elle resta au couvent de la Visitation jusqu'au 8 septembre, fête de la Nativité de la Vierge, jour où elle abjura so-
lennellement. Le 18 septembre le roi lui accordait une pension
de 1500 livres. M. Benedetto (*Mme. de Warens*, Paris, 1914)
30 affirme d'après des documents qu'il a découverts, que cette somme
très grande d'ailleurs dans les circonstances, n'était en vérité pas
une pension, mais plutôt un salaire, et qu'enfin Mme. de Warens
combinait avec son activité religieuse ostensible une activité
politique secrète. Son activité religieuse consistait à travailler
35 à la conversion au catholicisme des protestants de Genève et de
la Savoie. C'est dans ce rôle que Rousseau la connut au printemps
de l'année 1728 le 21 mars, dimanche des Rameaux. Et depuis,
la vie de Rousseau est intimement liée à la sienne jusqu'en 1742.

Madame de Warens ne s'intéressait pas seulement à la politique et à la religion, mais à cent choses différentes; et surtout à la chimie et à la médecine; elle fabriquait volontiers des drogues et des élixirs.

En 1730, après un voyage à Paris (qui semble bien avoir été un 5 voyage politique), elle revint en Savoie, mais plus à Annecy; elle s'installa à Chambéry. Elle passa là (sauf deux ans, 1754–1756) le reste de sa vie, soit dans la ville même, soit dans une métairie des environs.

A partir de 1742 (elle s'était alors attaché un homme de con- 10 fiance, Vintzenried) ses affaires d'argent qui n'avaient jamais été brillantes, allèrent de mal en pis. Elle se lança dans plusieurs entreprises industrielles, essaya de fonder des compagnies pour exploiter des mines, s'enfonça de plus en plus dans les dettes. Elle mourut en 1762 (29 juillet) à Chambéry. Jean-Jacques était 15 alors réfugié au Val-de-Travers en Suisse. Vintzenried l'avait abandonnée. Elle fut pleurée seulement par M. de Conzié, un vieil ami des jours prospères de Chambéry.

Voici le récit de la première rencontre de Rousseau avec celle qu'il appela, par une reconnaissance qui devait durer jusqu'à la 20 mort « Maman » :

« Dieu vous appelle, me dit M. de Pontverre: allez à Annecy; vous y trouverez une bonne dame bien charitable, que les bienfaits du roi mettent en état de retirer d'autres âmes de l'erreur dont elle est sortie elle-même. » Il s'agis- 25 sait de madame de Warens, nouvelle convertie que les prêtres forçaient en effet de partager, avec la canaille qui venait vendre sa foi,[1] une pension de deux mille francs que lui donnait le roi de Sardaigne.[2] Je me sentais fort humilié d'avoir

---

[1] Allusion à l'habitude de vagabonds, qui, profitant de cette campagne de prosélytisme catholique, et sous prétexte de se convertir, se faisaient offrir logis, nourriture et argent, bref, « vendaient » leur foi aux convertisseurs.

[2] La pension du roi de Sardaigne était exactement de 1500 livres, mais Mme de Warens recevait aussi quelques subventions des évêques de la contrée; en tout environ 2000 livres.

besoin d'une bonne dame bien charitable. J'aimais fort
qu'on me donnât mon nécessaire, mais non pas qu'on me fît
la charité; et une dévote n'était pas pour moi fort attirante.
Toutefois, pressé par M. de Pontverre, par la faim qui me
5 talonnait, bien aise aussi *de faire un voyage et d'avoir un
but, je prends mon parti, quoique avec peine, et je pars pour
Annecy.   J'y pouvais être aisément en un jour; mais je ne
me pressais pas, j'en mis trois.   Je ne voyais pas un château
à droite ou à gauche sans aller chercher l'aventure que j'étais
10 sûr qui m'y attendait.   Je n'osais entrer dans le château
ni heurter, car j'étais fort timide, mais je chantais sous la
fenêtre qui avait le plus d'apparence, fort surpris, après
m'être longtemps époumoné, de ne voir paraître ni dames
ni demoiselles qu'attirât la beauté de ma voix ou le sel de mes
15 chansons, vu que j'en savais d'admirables que mes camarades
m'avaient apprises, et que je chantais admirablement.

J'arrive enfin: je vois madame de Warens.   Cette époque
de ma vie a décidé de mon caractère; je ne puis me résoudre
à la passer légèrement.   J'étais au milieu de ma seizième
20 année.   Sans être ce qu'on appelle un beau garçon, j'étais
bien pris dans ma petite taille; j'avais un joli pied, une
jambe fine, l'air dégagé, la physionomie animée, la bouche
mignonne, les sourcils et les cheveux noirs, les yeux petits
et même enfoncés, mais qui lançaient avec force le feu dont
25 mon sang était embrasé.   Malheureusement je ne savais
rien de tout cela, et de ma vie il ne m'est arrivé de songer à
ma figure que lorsqu'il n'était plus temps d'en tirer parti.
Ainsi j'avais, avec la timidité de mon âge, celle d'un naturel
très aimant, toujours troublé par la crainte de déplaire.
30 D'ailleurs, quoique j'eusse l'esprit assez orné, n'ayant jamais
vu le monde, je manquais totalement de manières; et mes
connaissances, loin d'y suppléer, ne servaient qu'à m'in-
timider davantage en me faisant sentir combien j'en manquais.

35 Craignant donc que mon abord ne prévînt pas en ma

faveur, je pris autrement mes avantages, et je fis une belle
lettre en style d'orateur, où, cousant des phrases de livres
avec des locutions d'apprenti, je déployais toute mon éloquence pour capter la bienveillance de madame de Warens.
J'enfermai la lettre de M. de Pontverre dans la mienne, et 5
je partis pour cette terrible audience. Je ne trouvai point
madame de Warens; on me dit qu'elle venait de sortir pour
aller à l'église. C'était le jour des Rameaux de l'année
1728. Je cours pour la suivre: je la vois, je l'atteins, je lui
parle ... Je dois me souvenir du lieu, je l'ai souvent depuis 10
mouillé de mes larmes et couvert de mes baisers. Que ne
puis-je entourer d'un balustre d'or cette heureuse place!
Que n'y puis-je attirer les hommages de toute la terre!
Quiconque aime à honorer les monuments du salut des hommes n'en devrait approcher qu'à genoux. 15

C'était un passage derrière sa maison, entre un ruisseau
à main droite qui la séparait du jardin, et le mur de la cour
à gauche, conduisant par une fausse porte à l'église des cor-
deliers. Prête à entrer dans cette porte, madame de Warens
se retourne à ma voix. Que devins-je à cette vue! Je 20
m'étais figuré une vieille dévote bien rechignée; la bonne
dame de M. de Pontverre ne pouvait être autre chose à mon
avis. Je vois un visage pétri de grâces, de beaux yeux bleus
pleins de douceur, un teint éblouissant, le contour d'une
gorge enchanteresse. Rien n'échappa au rapide coup d'œil 25
du jeune prosélyte; car je devins à l'instant le sien, sûr qu'une
religion prêchée par de tels missionnaires ne pouvait manquer de mener en paradis. Elle prend en souriant la lettre
que je lui présente d'une main tremblante, l'ouvre, jette un
coup d'œil sur celle de M. de Pontverre, revient à la mienne, 30
qu'elle lit tout entière, et qu'elle eût relue encore si son laquais ne l'eût avertie qu'il était temps d'entrer. « Eh! mon
enfant, me dit-elle d'un ton qui me fit tressaillir, vous voilà
courant le pays bien jeune; c'est dommage en vérité. »
Puis, sans attendre ma réponse elle ajouta: « Allez chez 35

moi m'attendre; dites qu'on vous donne à déjeuner; après
la messe j'irai causer avec vous. » . . . .

Que ceux qui nient la sympathie des âmes expliquent,
s'ils peuvent, comment, de la première entrevue, du premier
5 mot, du premier regard, madame de Warens m'inspira non-
seulement le plus vif attachement, mais une confiance parfaite et qui ne s'est jamais démentie.   Supposons que ce que
j'ai senti pour elle fût véritablement de l'amour, ce qui paraîtra tout au moins douteux à qui suivra l'histoire de nos
10 liaisons; comment cette passion fut-elle accompagnée, dès
sa naissance, des sentiments qu'elle inspire le moins, la paix
du cœur, le calme, la sérénité, la sécurité, l'assurance?   Comment, en approchant, pour la première fois d'une femme
aimable, polie, éblouissante, d'une dame d'un état supérieur
15 au mien, dont je n'avais jamais abordé la pareille, de celle
dont dépendait mon sort en quelque sorte par l'intérêt plus
ou moins grand qu'elle y prendrait; comment dis-je, avec
tout cela me trouvai-je à l'instant aussi libre, aussi à mon
aise que si j'eusse été absolument sûr de lui plaire?   Comment
20 n'eus-je pas un moment d'embarras, de timidité, de gêne?
Naturellement honteux, décontenancé, n'ayant jamais vu
le monde, comment pris-je avec elle, du premier jour, du
premier instant, les manières faciles, le langage tendre, le
ton familier que j'avais dix ans après, lorsque la plus grande
25 intimité l'eut rendu naturel?   A-t-on de l'amour, je ne dis
pas sans désirs, j'en avais; mais sans inquiétude, sans jalousie?   Ne veut-on pas au moins apprendre de l'objet
qu'on aime si l'on est aimé?   C'est une question qu'il ne
m'est pas plus venue dans l'esprit de lui faire une fois en ma
30 vie que de me demander à moi-même si je m'aimais; et
jamais elle n'a été plus curieuse avec moi.

L'Abjuration et le Baptême

Cependant cette fois ce devait être court.   Rousseau devint
un prosélyte.   Mme. de Warens qui avait pris en pitié cet

enfant, dut — malgré elle, semble-t-il — consentir à l'envoyer
à Turin. Rousseau accepta, moitié à cause de son extrême embarras, moitié pour faire ce que la bonne dame demandait. Le
voyage, qu'il fit avec deux compagnons de route, pèlerins « catholiques» comme lui, et qui dura du 24 mars au 12 avril, lui parut de 5
nouveau charmant. « Je marchais légèrement, allégé de ce poids
[l'incertitude du futur]: les jeunes désirs, l'espoir enchanteur,
les brillants projets remplissaient mon âme.»

Il y avait à Turin un hospice de Catéchumènes, administré par
la Arciconfraternità dello Ospizio de Spirito Santo, où l'on ins- 10
truisait les personnes désireuses de rentrer dans le sein de l'Église
catholique. C'était la première fois que Rousseau réfléchissait
vraiment à la religion; il assure qu'il ne fut pas aussi facilement
convaincu que les autres élèves. Mais enfin il fallait sortir une
fois. Voici la description des curieuses cérémonies de son ab- 15
juration et de son baptême:[1]

Enfin, suffisamment instruit et suffisamment disposé au
gré de mes maîtres, je fus mené processionnellement à l'église
métropolitaine de Saint-Jean pour y faire une abjuration
solennelle,[2] et recevoir les accessoires du baptême, quoiqu'on 20

[1] Les souvenirs de Rousseau ne sont pas tout à fait clairs sur ce séjour
à l'Hospice de Spirito Santo. Le registre des religieux donne les dates
suivantes: Entrée, 12 avril. Départ (pas de date). Abjuration, 21
avril. Baptême, 23 avril. Rousseau semble réunir l'abjuration, le
baptême et le départ le même jour; d'autre part il n'a pas souvenir d'un
séjour de onze jours mais d'un temps beaucoup plus long, au moins
cinq ou six semaines. On a souvent dit quatre mois, en lisant dans le
registre (assez peu clair) 23 *août* au lieu de 23 *avril*. Comme la date
du départ manque il est possible que Rousseau soit resté plus longtemps
que le 23 avril. Voir *Annales J.-J. Rousseau*, XI (1916–1917), p. 260,
le résumé de cette discussion par E. Ritter.

[2] Voici le commencement de la formule d'abjuration: « Je confesse
devant la très sainte Trinité, toute la cour céleste et les témoins ici présents que je me repens de tout mon cœur d'avoir adhéré aux erreurs et
hérésies de ceux de la Religion prétendue réformée auxquelles je renonce
entièrement, jurant sur les saintes Écritures et promettant de les avoir
désormais en horreur et en exécration moyennant la grâce de Dieu et
de n'avoir jamais autre croyance que celle dont je vais faire publiquement profession.» (Suit la Profession de foi; puis:) « Ainsi, moi . . .

ne me baptisât pas réellement; mais comme ce sont à peu
près les mêmes cérémonies, cela sert à persuader au peuple
que les protestants ne sont pas chrétiens. J'étais revêtu
d'une certaine robe grise, garnie de brandebourgs blancs,
5 et destinée pour ces sortes d'occasions. Deux hommes
portaient devant et derrière moi des bassins de cuivre, sur
lesquels ils frappaient avec une clef, et où chacun mettait
son aumône au gré de sa dévotion ou de l'intérêt qu'il prenait
au nouveau converti. Enfin, rien du faste catholique ne fut
10 omis pour rendre la solennité plus édifiante pour le public,
et plus humiliante pour moi. Il n'y eut que l'habit blanc,
qui m'eût été fort utile, et qu'on ne me donna pas comme au
Maure,[1] attendu que je n'avais pas l'honneur d'être juif.

Ce ne fut pas tout: il fallut ensuite aller à l'Inquisition [2]
15 recevoir l'absolution du crime d'hérésie, et rentrer dans le
sein de l'Église avec la même cérémonie à laquelle Henri IV [3]
fut soumis par son ambassadeur. L'air et les manières du
très révérend père inquisiteur n'étaient pas propres à dissiper
la terreur secrète qui m'avait saisi en entrant dans cette
20 maison. Après plusieurs questions sur ma foi, sur mon

---

susdit, le promets, le voue et le jure, et ainsi Dieu me veuille aider, et les
Saints Évangiles que je touche.»   (Voir Mugnier, *Mme de Warens et
J.-J. Rousseau*, p. 10-11.)

[1] Ce Maure était un compagnon fort peu intéressant de Rousseau à
l'Hospice. « Il fut baptisé en grande cérémonie, et habillé de blanc de
la tête aux pieds pour représenter la candeur de son âme régénérée.»

[2] Au siège du Tribunal de l'Inquisition de la ville.

[3] Le 25 juillet 1593, Henri IV abjura la foi protestante à Saint-Denis,
devant l'archevêque de Bourges, qui lui donna aussi l'absolution du
crime d'hérésie. Mais le pape, Clément VIII, ne reconnut pas cette
absolution donnée par l'archevêque français et Henri IV dut solliciter
celle du pape qui ne fut accordée que le 17 septembre 1595; le roi de
France avait dû envoyer un ambassadeur à Rome pour le représenter dans
une cérémonie d'absolution qui eut lieu à l'église de Saint-Pierre, à Rome,
et à laquelle on avait donné un éclat extraordinaire. Voir la description
de ces deux imposantes cérémonies dans Martin, *Histoire de France*, celle
de Saint-Denis, au chap. LX; celle de Rome, au chap. LXI.

état, sur ma famille, il me demanda brusquement si ma
mère était damnée. L'effroi me fit réprimer le premier
mouvement de mon indignation; je me contentai de répondre que je voulais espérer qu'elle ne l'était pas, et que
Dieu avait pu l'éclairer à sa dernière heure. Le moine se 5
tut, mais il fit une grimace qui ne me parut point du tout
un signe d'approbation.

Tout cela fait, au moment où je pensais être enfin placé
selon mes espérances, on me mit à la porte avec un peu plus
de vingt livres en petite monnaie qu'avait produite ma quête. 10
On me recommanda de vivre en bon chrétien, d'être fidèle
à la grâce; on me souhaita bonne fortune, on ferma sur
moi la porte, et tout disparut.

Ainsi s'éclipsèrent en un instant toutes mes grandes espérances, et il ne me resta de la démarche intéressée que je 15
venais de faire que le souvenir d'avoir été apostat et dupe
tout à la fois.[1]   Il est aisé de juger quelle brusque révolution
dut se faire dans mes idées, lorsque de mes brillants projets
de fortune je me vis tomber dans la plus complète misère,
et qu'après avoir délibéré le matin sur le choix du palais que 20
j'habiterais, je me vis le soir réduit à coucher dans la rue.
On croira que je commençai par me livrer à un désespoir
d'autant plus cruel que le regret de mes fautes devait s'irriter
en me reprochant que tout mon malheur était mon ouvrage.
Rien de tout cela. Je venais, pour la première fois de ma 25
vie, d'être enfermé pendant plus de deux mois; le premier
sentiment que je goûtai fut celui de la liberté que j'avais
recouvrée. Après un long esclavage, redevenu maître de
moi-même et de mes actions, je me voyais au milieu d'une
grande ville abondant en ressources, pleine de gens de con- 30
dition dont mes talents et mon mérite ne pouvaient manquer
de me faire accueillir sitôt que j'en serais connu. J'avais
de plus tout le temps d'attendre, et vingt livres que j'avais
dans ma poche me semblaient un trésor qui ne pouvait

[1] Rousseau rentra dans la foi protestante en 1754.

s'épuiser. J'en pouvais disposer à mon gré sans rendre
compte à personne. C'était la première fois que je m'étais
vu si riche. Loin de me livrer au découragement et aux
larmes, je ne fis que changer d'espérances, et l'amour-propre
5 n'y perdit rien. Jamais je ne me sentis tant de confiance et
de sécurité: je croyais déjà ma fortune faite, et je trouvais
beau de n'en avoir l'obligation qu'à moi seul.

La première chose que je fis fut de satisfaire ma curiosité
en parcourant toute la ville, quand ce n'eût été que pour
10 faire un acte de ma liberté. J'allai voir monter la garde;
les instruments militaires me plaisaient beaucoup. Je sui-
vis des processions; j'aimais le faux-bourdon [1] des prêtres.
J'allai voir le palais du roi: j'en approchais avec crainte;
mais voyant d'autres gens entrer, je fis comme eux; on me
15 laissa faire. Peut-être dus-je cette grâce au petit paquet
que j'avais sous le bras. Quoi qu'il en soit, je conçus une
grande opinion de moi-même en me trouvant dans ce palais;
déjà je m'en regardais presque comme un habitant. Enfin,
à force d'aller et venir, je me lassai; j'avais faim, il faisait
20 chaud: j'entrai chez une marchande de laitage; on me donna
de la « giunca »,[2] du lait caillé; et avec deux grisses [3] de
cet excellent pain de Piémont, que j'aime plus qu'aucun
autre, je fis pour mes cinq ou six sous un des bons dîners que
j'aie faits de mes jours.

Amoureux d'une Grande Dame

25 Les vingt livres ne pouvaient durer toujours. Rousseau
chercha de boutique en boutique du travail, pensant pouvoir
exercer son métier de graveur sur métal. Il eut peu de succès.

---

[1] Sorte de plain-chant où la partie basse, transportée à la partie supérieure, forme le chant principal.

[2] En français, *jonchée*, petit fromage de crème ou de lait caillé, fabri-
qué dans un panier de jonc (*junca*). En anglais, *junket*.

[3] Grisse (ou crisse), ordinairement *grissin*, sorte de pain très friable
en forme de baguette, qu'on trouve en Piémont et en Savoie. (Cf.
Annales J.-J. Rousseau, III, p. 43.)

Enfin il trouva une place chez une grande dame, Madame de Vercellis ;[1] pas comme « favori », ainsi que son imagination l'avait fait espérer, mais comme laquais. Cependant, reconnaissant son intelligence, ses maîtres le traitèrent avec des égards; ceci lui attira la jalousie des autres domestiques. Malheureusement 5 pour lui, Madame de Vercellis mourut peu de mois après, et Rousseau au commencement de l'année 1729 se trouva de nouveau sur le pavé.

Après une nouvelle période de vagabondage, et grâce au Comte de La Roque, Rousseau obtint une place chez le Comte de Gouvon, 10 Premier écuyer de la Reine, et chef de l'illustre maison de Solar. Ce fut encore pour être laquais. Citons cette scène du futur revendicateur de l'égalité sociale et du dénonciateur des privilèges de la naissance et de la richesse:

Mademoiselle de Breil était une jeune personne à peu 15 près de mon âge, bien faite, assez belle, très blanche, avec des cheveux très noirs, et, quoique brune, portant sur son visage cet air de douceur des blondes auquel mon cœur n'a jamais résisté. L'habit de cour, si favorable aux jeunes personnes, marquait sa jolie taille, dégageait sa poitrine et 20 ses épaules, et rendait son teint encore plus éblouissant par le deuil qu'on portait alors. On dira que ce n'est pas à un domestique de s'apercevoir de ces choses-là. J'avais tort, sans doute; mais je m'en apercevais toutefois, et même je n'étais pas le seul. Le maître d'hôtel et les valets de 25 chambre en parlaient quelquefois à table avec une grossièreté qui me faisait cruellement souffrir. La tête ne me tournait pourtant pas au point d'être amoureux tout de bon. Je ne m'oubliais point; je me tenais à ma place, et mes désirs mêmes ne s'émancipaient pas. J'aimais à voir mademoiselle 30 de Breil, à lui entendre dire quelques mots qui marquaient de l'esprit, du sens, de l'honnêteté: mon ambition, bornée au plaisir de la servir, n'allait point au-delà de mes droits. A table, j'étais attentif à chercher l'occasion de les faire va-

---

[1] C'est dans cette maison que Rousseau fit la connaissance de l'abbé Gaimes, le vicaire savoyard de son livre *Émile*.

loir. Si son laquais quittait un moment sa chaise, à l'instant on m'y voyait établi: hors de là je me tenais vis-à-vis
d'elle; je cherchais dans ses yeux ce qu'elle allait demander,
j'épiais le moment de changer son assiette. Que n'aurais-je
5 point fait pour qu'elle daignât m'ordonner quelque chose,
me regarder, me dire un seul mot! mais point: j'avais la
mortification d'être nul pour elle; elle ne s'apercevait pas
même que j'étais là. Cependant son frère, qui m'adressait
quelquefois la parole à table, m'ayant dit je ne sais quoi
10 de peu obligeant, je lui fis une réponse si fine et si bien tournée,
qu'elle y fit attention, et jeta les yeux sur moi. Ce coup
d'œil, qui fut court, ne laissa pas de me transporter. Le
lendemain, l'occasion se présenta d'en obtenir un second, et
j'en profitai. On donnait ce jour-là un grand dîner, où,
15 pour la première fois, je vis avec beaucoup d'étonnement
le maître d'hôtel servir l'épée au côté et le chapeau sur
la tête. Par hasard on vint à parler de la devise de la maison
de Solar, qui était sur la tapisserie avec les armoiries. *Tel
fiert qui ne tue pas.* Comme les Piémontais ne sont pas pour
20 l'ordinaire consommés dans la langue française, quelqu'un
trouva dans cette devise une faute d'orthographe, et dit
qu'au mot *fiert* il ne fallait pas de *t.*

Le vieux comte de Gouvon allait répondre; mais, ayant
jeté les yeux sur moi, il vit que je souriais sans oser rien
25 dire: il m'ordonna de parler. Alors je dis que je ne croyais
pas que le *t* fût de trop; que *fiert* était un vieux mot français
qui ne venait pas du mot *ferus,* fier, menaçant, mais du verbe
ferit, il frappe, il blesse; qu'ainsi la devise ne me paraissait
pas dire: tel menace, mais *tel frappe qui ne tue pas.*

30 Tout le monde me regardait et se regardait sans rien dire.
On ne vit de la vie un pareil étonnement. Mais ce qui me
flatta davantage fut de voir clairement sur le visage de mademoiselle de Breil un air de satisfaction. Cette personne, si
dédaigneuse, daigna me jeter un second regard qui valait
35 tout au moins le premier; puis, tournant les yeux vers son

grand-papa, elle semblait attendre avec une sorte d'impatience la louange qu'il me devait, et qu'il me donna, en effet, si pleine et entière et d'un air si content, que toute la table s'empressa de faire chorus. Ce moment fut court, mais délicieux à tous égards. Ce fut un de ces moments trop rares qui replacent les choses dans leur ordre naturel, et vengent le mérite avili des outrages de la fortune. Quelques minutes après, mademoiselle de Breil, levant de rechef les yeux sur moi, me pria, d'un ton de voix aussi timide qu'affable, de lui donner à boire. On juge que je ne la fis pas attendre; mais, en approchant, je fus saisi d'un tel tremblement, qu'ayant trop rempli le verre, je répandis une partie de l'eau sur l'assiette et même sur elle. Son frère me demanda étourdiment pourquoi je tremblais si fort. Cette question ne servit pas à me rassurer, et mademoiselle de Breil rougit jusqu'au blanc des yeux.

Ici finit le roman.....

UNE ANNÉE DE BONHEUR

« Maman »

Tout le monde était bon pour Rousseau. On avait reconnu son mérite, et il aurait pu faire sa fortune. L'abbé de Gouvon (fils du Comte) lui donnait même des leçons pour lui aider à monter dans l'échelle sociale. Mais le caractère romanesque reprit le dessus. Un jour Rousseau rencontra un ancien camarade de Genève, Bâcle, un enfant du peuple, sans éducation, mais plein de fantaisie; Rousseau bientôt ne le quitta plus. Après quelque temps, voyant son indifférence pour les bontés qu'on avait pour lui, le comte de Gouvon le renvoya. Rousseau, au lieu d'être mortifié, ne pensa qu'à la joie de la liberté retrouvée. Bâcle partait justement pour rentrer à Genève; Rousseau l'accompagnerait jusqu'à Annecy — car il pensait toujours à Madame de Warens. C'était au printemps, 1729.

Que le cœur me battit en approchant de la maison de madame de Warens! mes jambes tremblaient sous moi, mes

yeux se couvraient d'un voile, je ne voyais rien, je n'entendais
rien, je n'aurais reconnu personne; je fus contraint de m'arrêter plusieurs fois pour respirer et reprendre mes sens. . . . .

A peine parus-je à ses yeux que son air me rassura. Je
5 tressaillis au premier son de sa voix; je me précipite à ses
pieds, et dans les transports de la plus vive joie je colle ma
bouche sur sa main. Pour elle, j'ignore si elle avait su de
mes nouvelles; mais je vis peu de surprise sur son visage,
et je n'y vis aucun chagrin. « Pauvre petit, me dit-elle d'un
10 ton caressant, te revoilà donc? Je savais bien que tu étais
trop jeune pour ce voyage; je suis bien aise au moins qu'il
n'ait pas aussi mal tourné que j'avais craint. » Ensuite
elle me fit conter mon histoire qui ne fut pas longue, et que
je lui fis très fidèlement, en supprimant quelques articles,
15 mais au reste sans m'épargner ni m'excuser.

Il fut question de mon gîte. Elle consulta sa femme de
chambre. Je n'osais respirer durant cette délibération;
mais quand j'entendis que je coucherais dans la maison,
j'eus peine à me contenir, et je vis porter mon petit paquet
20 dans la chambre qui m'était destinée, à peu près comme
Saint-Preux vit remiser sa chaise chez madame de Wolmar.[1]
J'eus pour surcroît d'apprendre que cette faveur ne serait
point passagère; et dans un moment où l'on me croyait
attentif à toute autre chose, j'entendis qu'elle disait: « On
25 dira ce qu'on voudra; mais puisque la Providence me le
renvoie je suis déterminée à ne pas l'abandonner. »

Me voilà donc enfin établi chez elle. . . . .

Elle habitait une vieille maison, mais assez grande pour
avoir une belle pièce de réserve, dont elle fit sa chambre de

---

[1] Allusion à une scène de *La Nouvelle Héloïse*, roman de Rousseau
(IV, 6). Saint-Preux, après des années d'absence, visite Mme de Wolmar, la femme qu'il avait aimée et qui en avait épousé un autre. Il est
doucement ému quand il voit qu'on transporte son bagage dans la maison,
et qu'il est invité à habiter sous le même toit que celle pour laquelle il
pense n'avoir désormais qu'une « amitié pure et sainte ».

parade, et qui fut celle où l'on me logea. Cette chambre
était sur le passage dont j'ai parlé, où se fit notre première
entrevue; et au-delà du ruisseau et des jardins on découvrait
la campagne. Cet aspect n'était pas pour le jeune habitant
une chose indifférente. C'était depuis Bossey la première 5
fois que j'avais du vert devant mes fenêtres. Toujours
masqué par des murs, je n'avais eu sous les yeux que des
toits ou le gris des rues. Combien cette nouveauté me
fut sensible et douce! elle augmenta beaucoup mes dispositions à l'attendrissement. Je faisais de ce charmant paysage 10
encore un des bienfaits de ma chère patronne: il me semblait
qu'elle l'avait mis là tout exprès pour moi: je m'y plaçais
paisiblement auprès d'elle; je la voyais partout entre les
fleurs et la verdure; ses charmes et ceux du printemps se
confondaient à mes yeux. Mon cœur, jusqu'alors comprimé, 15
se trouvait plus au large dans cet espace, et mes soupirs
s'exhalaient plus librement parmi ces vergers.

On ne trouvait pas chez madame de Warens la magnificence que j'avais vue à Turin; mais on y trouvait la propreté,
la décence et une abondance patriarcale avec laquelle le faste 20
ne s'allie jamais. Elle avait un peu de vaisselle d'argent,
point de porcelaine, point de gibier dans sa cuisine, ni dans
sa cave des vins étrangers; mais l'une et l'autre étaient bien
garnies au service de tout le monde, et dans des tasses de
faïence elle donnait d'excellent café. Quiconque la venait 25
voir était invité à dîner avec elle ou chez elle; et jamais
ouvrier, messager ou passant ne sortait sans manger ou
boire. Son domestique [1] était composé d'une femme de
chambre fribourgeoise assez jolie, appelée Merceret, d'un
valet de son pays appelé Claude Anet, d'une cuisinière, et de 30
deux porteurs de louage quand elle allait en visite, ce qu'elle
faisait rarement. Voilà bien des choses pour deux mille
livres de rente; cependant son petit revenu bien ménagé
eût pu suffire à tout cela dans un pays où la terre est très

---

[1] Ici nom collectif: tous ses gens de service.

bonne et l'argent très rare. Malheureusement l'économie
ne fut jamais sa vertu favorite; elle s'endettait, elle payait;
l'argent faisait la navette, et tout allait.....

Dès le premier jour, la familiarité la plus douce s'établit
5 entre nous au même degré où elle a continué tout le reste de
sa vie. Petit fut mon nom; Maman fut le sien; et toujours
nous demeurâmes Petit et Maman, même quand le nombre
des années en eut presque effacé la différence entre nous.
Je trouve que ces deux noms rendent à merveille l'idée de
10 notre ton, la simplicité de nos manières, et surtout la relation
de nos cœurs. Elle fut pour moi la plus tendre des mères,
qui jamais ne chercha son plaisir, mais toujours mon bien.....
Je n'avais ni transports ni désirs auprès d'elle; j'étais dans
un calme ravissant, jouissant sans savoir de quoi. J'aurais
15 ainsi passé ma vie et l'éternité même sans m'ennuyer un seul
instant. Elle est la seule personne avec qui je n'ai jamais
senti cette sécheresse de conversation qui me fait un supplice
du devoir de la soutenir. Nos tête-à-tête étaient moins des
entretiens qu'un babil intarissable, qui pour finir avait besoin
20 d'être interrompu. Loin de me faire une loi de parler, il
fallait plutôt m'en faire une de me taire. A force de méditer
ses projets, elle tombait souvent dans la rêverie. Eh bien!
je la laissais rêver, je me taisais, je la contemplais, et j'étais
le plus heureux des hommes. J'avais encore un tic fort
25 singulier. Sans prétendre aux faveurs du tête-à-tête, je le
recherchais sans cesse, et j'en jouissais avec une passion qui
dégénérait en fureur quand des importuns venaient le troubler.
Sitôt que quelqu'un arrivait, homme ou femme, il n'importait
pas, je sortais en murmurant, ne pouvant souffrir de rester
30 en tiers auprès d'elle. J'allais compter les minutes dans
son antichambre, maudissant mille fois ces éternels visiteurs,
et ne pouvant concevoir ce qu'ils avaient tant à dire, parce
que j'avais à dire encore plus.

Je ne sentais toute la force de mon attachement pour
35 elle que quand je ne la voyais pas. Quand je la voyais, je

n'étais que content; mais mon inquiétude en son absence
allait au point d'être douloureuse. Le besoin de vivre avec
elle me donnait des élans d'attendrissement qui souvent allaient jusqu'aux larmes. Je me souviendrai toujours qu'un
jour de grande fête, tandis qu'elle était à vêpres, j'allai me   5
promener hors de la ville, le cœur plein de son image et du
désir ardent de passer mes jours auprès d'elle. J'avais
assez de sens pour voir que quant à présent cela n'était pas
possible, et qu'un bonheur que je goûtais si bien serait court.
Cela donnait à ma rêverie une tristesse qui pourtant n'avait 10
rien de sombre, et qu'un espoir flatteur tempérait. Le son
des cloches, qui m'a toujours singulièrement affecté, le chant
des oiseaux, la beauté du jour, la douceur du paysage, les
maisons éparses et champêtres dans lesquelles je plaçais en
idée notre commune demeure, tout cela me frappait telle- 15
ment d'une impression vive, tendre, triste et touchante, que
je me vis comme en extase transporté dans cet heureux temps
et dans cet heureux séjour où mon cœur, possédant toute
la félicité qui pouvait lui plaire, la goûtait dans des ravissements inexprimables. Je ne me souviens pas de m'être élancé 20
jamais dans l'avenir avec plus de force et d'illusion que je
fis alors; et ce qui m'a frappé le plus dans le souvenir de
cette rêverie, quand elle s'est réalisée,[1] c'est d'avoir retrouvé
des objets tels exactement que je les avais imaginés. Si
jamais rêve d'un homme éveillé eut l'air d'une vision pro- 25
phétique, ce fut assurément celui-là. Je n'ai été déçu que
dans sa durée imaginaire; car les jours et les ans, et la vie
entière, s'y passaient dans une inaltérable tranquillité; au
lieu qu'en effet tout cela n'a duré qu'un moment. Hélas!
mon plus constant bonheur fut en songe: son accomplisse- 30
ment fut presque à l'instant suivi du réveil.

Je ne finirais pas si j'entrais dans le détail de toutes les
folies que le souvenir de cette chère maman me faisait faire

---

[1] Rousseau pense ici au séjour aux Charmettes (1738–42) qu'il décrit
comme parfaitement heureux. Voir ci-dessous.

quand je n'étais plus sous ses yeux. Combien de fois j'ai
baisé mon lit en songeant qu'elle y avait couché; mes rideaux,
tous les meubles de ma chambre, en songeant qu'ils étaient
à elle, que sa belle main les avait touchés; le plancher même
5 sur lequel je me prosternais en songeant qu'elle y avait
marché!....

Je passais mon temps le plus agréablement du monde,
occupé des choses qui me plaisaient le moins. C'étaient
des projets à rédiger, des mémoires à mettre au net, des
10 recettes à transcrire; c'étaient des herbes à trier, des drogues
à piler, des alambics à gouverner. Tout à travers tout cela
venaient des foules de passants, de mendiants, de visites de
toute espèce. Il fallait entretenir tout à la fois un soldat,
un apothicaire, un chanoine, une belle dame, un frère lai.
15 Je pestais, je grommelais, je jurais, je donnais au diable
toute cette maudite cohue. Pour elle, qui prenait tout en
gaieté, mes fureurs la faisaient rire aux larmes; et ce qui
la faisait rire encore plus était de me voir d'autant plus furieux
que je ne pouvais moi-même m'empêcher de rire. Ces petits
20 intervalles où j'avais le plaisir de grogner étaient charmants;
et s'il survenait un nouvel importun durant la querelle, elle
en savait encore tirer parti pour l'amusement en prolongeant
malicieusement la visite, et me jetant des coups d'œil pour
lesquels je l'aurais volontiers battue. Elle avait peine à
25 s'abstenir d'éclater en me voyant, contraint et retenu par la
bienséance, lui faire des yeux de possédé, tandis qu'au fond
de mon cœur, et même en dépit de moi, je trouvais tout cela
très comique.

Tout cela, sans me plaire en soi, m'amusait pourtant parce
30 qu'il faisait partie d'une manière d'être qui m'était charmante. Rien de tout ce qui se faisait autour de moi, rien de
tout ce qu'on me faisait faire n'était selon mon goût, mais
tout était selon mon cœur. Je crois que je serais parvenu
à aimer la médecine, si mon dégoût pour elle n'eût fourni
35 des scènes folâtres qui nous égayaient sans cesse: c'est peut-

être la première fois que cet art a produit un pareil effet.
Je prétendais connaître à l'odeur un livre de médecine, et
ce qu'il y a de plaisant est que je m'y trompais rarement.
Elle me faisait goûter des plus détestables drogues. J'avais
beau fuir ou vouloir me défendre; malgré ma résistance 5
et mes horribles grimaces, malgré moi et mes dents, quand
je voyais ses jolis doigts barbouillés s'approcher de ma bouche
il fallait finir par l'ouvrir et sucer. Quand tout son petit
ménage était rassemblé dans la même chambre, à nous entendre courir et crier au milieu des éclats de rire, on eût cru 10
qu'on y jouait quelque farce, et non pas qu'on y faisait de
l'opiat ou de l'élixir.

Mon temps ne se passait pourtant pas tout entier à ces
polissonneries. . . . .

ANNÉE DE VAGABONDAGE

1730-1731

Rousseau lisait aussi. La bibliothèque de Madame de Warens, 15
outre des livres de piété, contenait les écrits de beaucoup d'écrivains profanes et intéressants du XVIIIme siècle. Mais cette vie
d'oisiveté ne pouvait durer. Rousseau, qui avait alors 17 ans,
devait se préparer à gagner son pain.

Après l'avoir fait catholique, on songea à le faire prêtre. Il 20
avait été placé, quelques semaines après son arrivée, dès Pâque
1729, au Séminaire catholique d'Annecy: « La triste maison
qu'un séminaire, surtout pour celui qui sort de celle d'une aimable
femme ». Inutile de dire qu'il allait fort souvent rendre visite
à « maman ». C'est au Séminaire qu'il avait rencontré l'abbé 25
Gâtier, qui, avec l'abbé Gaimes, de Turin, lui fournit les traits
du vicaire savoyard dans *Émile*. Mais il s'entendait mal avec
les autres maîtres, et on le renvoya comme « pas même assez
bon pour être prêtre » (Fin de l'été). Il avait alors voulu étudier
la musique et dans ce but avait été mis en pension chez M. Le 30
Maître, directeur de musique à la cathédrale (Octobre 1729).
Mais six mois après, un événement inattendu bouleversait de
nouveau sa vie. Son maître de chant se décidait soudainement à

quitter Annecy. C'était quelques jours avant Pâque (7 avril
cette année-là). Mme. de Warens envoya Rousseau pour l'accompagner jusqu'à Lyon. A son retour, à la fin du mois, Rousseau trouva la maison de « maman » vide. On pense que Mme.
5 de Warens était partie pour une mission secrète pour le roi de
Sardaigne dont elle était la pensionnaire.

Rousseau attend quelque temps, vivant en bohème, partageant
la chambre d'un jeune aventurier, Venture, un amateur de musique
qu'il avait connu chez M. Le Maître.

10 Durant cette période d'attente se place un des plus célèbres
épisodes du livre des *Confessions*.

Les Cerises

(Samedi le 1er juillet 1730) [1]

L'aurore un matin me parut si belle, que m'étant habillé
précipitamment je me hâtai de gagner la campagne pour voir
lever le soleil. Je goûtai ce plaisir dans tout son charme;
15 c'était la semaine après la Saint-Jean. La terre, dans sa plus
grande parure, était couverte d'herbes et de fleurs; les rossi-
gnols, presque à la fin de leur ramage, semblaient se plaire à
le renforcer; tous les oiseaux, faisant en concert leurs adieux
au printemps, chantaient la naissance d'un beau jour d'été,
20 d'un de ces beaux jours qu'on ne voit plus à mon âge.

Je m'étais insensiblement éloigné de la ville, la chaleur
augmentait, et je me promenais sous des ombrages dans un
vallon le long d'un ruisseau. J'entends derrière moi des pas
de chevaux et des voix de filles qui semblaient embarrassées,
25 mais qui n'en riaient pas de moins bon cœur. Je me retourne; on m'appelle par mon nom; j'approche, je trouve
deux jeunes personnes de ma connaissance, mademoiselle de
Graffenried et mademoiselle Galley,[2] qui, n'étant pas d'ex-
cellentes cavalières, ne savaient comment forcer leurs che-

---

[1] Sur cet épisode, très souvent pris comme sujet de gravures par les artistes, voir F. et J. Serand, *L'Idylle des Cerises* (Annecy, 1912; 39 pages).

[2] Rousseau resta un certain temps en correspondance avec elles après
avoir quitté Chambéry. Il se souvient d'elles, pour dessiner les héroïnes
de son roman *La Nouvelle Héloïse*.

vaux à passer le ruisseau. Mademoiselle de Graffenried était
une jeune Bernoise fort aimable, qui, par quelque folie de son
âge, ayant été jetée hors de son pays, avait imité madame de
Warens, chez qui je l'avais vue quelquefois; mais, n'ayant
pas eu une pension comme elle, elle avait été trop heureuse 5
de s'attacher à mademoiselle Galley, qui, l'ayant prise en
amitié, avait engagé sa mère à la lui donner pour compagne
jusqu'à ce qu'on la pût placer de quelque façon. Mademoiselle Galley, d'un an plus jeune qu'elle, était encore plus
jolie; elle avait je ne sais quoi de plus délicat, de plus fin; 10
elle était en même temps très mignonne et très formée, ce
qui est pour une fille le plus beau moment. Toutes deux
s'aimaient tendrement, et leur bon caractère à l'une et à
l'autre ne pouvait qu'entretenir longtemps cette union, si
quelque amant ne venait pas la déranger. Elles me dirent 15
qu'elles allaient à Toune, vieux château appartenant à
madame Galley; elles implorèrent mon secours pour faire
passer leurs chevaux, n'en pouvant venir à bout elles seules.
Je voulus fouetter les chevaux; mais elles craignaient pour
moi les ruades et pour elles les haut-le-corps. J'eus recours 20
à un autre expédient; je pris par la bride le cheval de mademoiselle Galley, puis le tirant après moi, je traversai le
ruisseau, ayant de l'eau jusqu'à mi-jambe, et l'autre cheval
suivit sans difficulté. Cela fait, je voulus saluer ces demoiselles, et m'en aller comme un benêt; elles se dirent 25
quelques mots tout bas; et mademoiselle de Graffenried
s'adressant à moi: « Non pas, non pas, me dit-elle, on ne
m'échappe pas comme cela. Vous vous êtes mouillé pour
notre service, et nous devons en conscience avoir soin de
vous sécher: il faut, s'il vous plaît, venir avec nous; nous 30
vous arrêtons prisonnier. » Le cœur me battait, je regardais
mademoiselle Galley. « Oui, oui, ajouta-t-elle en riant de
ma mine effarée, prisonnier de guerre; montez en croupe
derrière elle; nous voulons rendre compte de vous. » [1]

---

[1] *rendre compte de*, ici: tenir compte de, dédommager (sens rare; Littré).

« Mais, mademoiselle, je n'ai point l'honneur d'être connu
de madame votre mère: que dira-t-elle en me voyant arriver? » « Sa mère, reprit mademoiselle de Graffenried, n'est
pas à Toune, nous sommes seules, nous revenons ce soir,
5 et vous reviendrez avec nous. »

L'effet de l'électricité n'est pas plus prompt que celui que
ces mots firent sur moi. En m'élançant sur le cheval de
mademoiselle de Graffenried, je tremblais de joie; et quand
il fallut l'embrasser pour me tenir, le cœur me battait si fort
10 qu'elle s'en aperçut: elle me dit que le sien lui battait aussi,
par la frayeur de tomber; c'était presque, dans ma posture,
une invitation de vérifier la chose: je n'osai jamais; et durant
tout le trajet mes deux bras lui servirent de ceinture, très
serrée à la vérité, mais sans se déplacer un moment. Telle
15 femme qui lira ceci me souffletterait volontiers, et n'aurait
pas tort.

La gaieté du voyage et le babil de ces filles aiguisèrent
tellement le mien, que jusqu'au soir, et tant que nous fûmes
ensemble, nous ne déparlâmes[1] pas un moment. Elles
20 m'avaient mis si bien à mon aise, que ma langue parlait
autant que mes yeux, quoiqu'elle ne dît pas les mêmes choses.
Quelques instants seulement, quand je me trouvais tête-à-
tête avec l'une ou l'autre, l'entretien s'embarrassait un peu;
mais l'absente revenait bien vite, et ne nous laissait pas le
25 temps d'éclaircir cet embarras.

Arrivés à Toune, et moi bien séché, nous déjeunâmes.
Ensuite il fallut procéder à l'importante affaire de préparer
le dîner. Les deux demoiselles, tout en cuisinant, baisaient
de temps en temps les enfants de la grangère;[2] et le pauvre
30 marmiton regardait faire en rongeant son frein. On avait
envoyé des provisions de la ville, et il y avait de quoi faire
un très bon dîner, surtout en friandises: mais malheureuse-

---

[1] *déparlâmes*, mot créé par Rousseau.
[2] *grangère*, mot local, pour « fermière ». (Cf. *Annales J.-J. Rousseau*,
III, p. 43.)

ment on avait oublié du vin. Cet oubli n'était pas étonnant
pour des filles qui n'en buvaient guère; mais j'en fus fâché,
car j'avais un peu compté sur ce secours pour m'enhardir.
Elles en furent fâchées aussi, par la même raison peut-être,
mais je n'en crois rien. Leur gaieté vive et charmante était 5
l'innocence même; et d'ailleurs qu'eussent-elles fait de moi
entre elles deux? Elles envoyèrent chercher du vin partout aux environs: on n'en trouva point, tant les paysans de
ce canton sont sobres et pauvres. Comme elles m'en marquaient leur chagrin, je leur dis de n'en pas être si fort en 10
peine, et qu'elles n'avaient pas besoin de vin pour m'enivrer.
Ce fut la seule galanterie que j'osai leur dire de la journée;
mais je crois de reste que les friponnes voyaient que cette
galanterie était une vérité.

Nous dînâmes dans la cuisine de la grangère, les deux 15
amies assises sur des bancs aux deux côtés de la longue table,
et leur hôte entre elles deux sur une escabelle à trois pieds.
Quel dîner! quel souvenir plein de charmes! Comment, pouvant à si peu de frais goûter des plaisirs si purs et si vrais,
vouloir en rechercher d'autres? Jamais souper des petites 20
maisons de Paris n'approcha de ce repas . . .

Après le dîner nous fîmes une économie: au lieu de prendre
le café qui nous restait du déjeuner, nous le gardâmes pour
le goûter avec de la crême et des gâteaux qu'elles avaient
apportés; et pour tenir notre appétit en haleine, nous allâmes 25
dans le verger achever notre dessert avec des cerises. Je
montai sur l'arbre, et je leur en jetais des bouquets dont
elles me rendaient les noyaux à travers les branches. Une
fois mademoiselle Galley, avançant son tablier et reculant la
tête, se présentait si bien et je visai si juste, que je lui fis 30
tomber un bouquet dans le sein; et de rire. Je me disais
en moi-même: Que mes lèvres ne sont-elles des cerises! comme
je les leur jetterais ainsi de bon cœur!

La journée se passa de cette sorte à folâtrer avec la plus
grande liberté, et toujours avec la plus grande décence. Pas 35

un seul mot équivoque, pas une seule plaisanterie hasardée:
et cette décence, nous ne nous l'imposions point du tout,
elle venait toute seule, nous prenions le ton que nous donnaient nos cœurs. Enfin ma modestie, d'autres diront ma
5 sottise, fut telle, que la plus grande privauté qui m'échappa
fut de baiser une seule fois la main de mademoiselle Galley.
Il est vrai que la circonstance donnait du prix à cette légère
faveur. Nous étions seuls, je respirais avec embarras, elle
avait les yeux baissés. Ma bouche, au lieu de trouver des
10 paroles, s'avisa de se coller sur sa main, qu'elle retira doucement après qu'elle fut baisée, en me regardant d'un air qui
n'était point irrité. Je ne sais ce que j'aurais pu lui dire:
son amie entra, et me parut laide en ce moment.

Enfin elles se souvinrent qu'il ne fallait pas attendre la nuit
15 pour rentrer en ville. Il ne nous restait que le temps qu'il
fallait pour y arriver de jour, et nous nous hâtâmes de partir en nous distribuant comme nous étions venus. Si j'avais
osé, j'aurais transposé cet ordre; car le regard de mademoiselle
Galley m'avait vivement ému le cœur, mais je n'osais rien
20 dire, et ce n'était pas à elle de le proposer. En marchant
nous disions que la journée avait tort de finir; mais, loin de
nous plaindre qu'elle eût été courte, nous trouvâmes que
nous avions eu le secret de la faire longue, par tous les amusements dont nous avions su la remplir.

25 Je les quittai à peu près au même endroit où elles m'avaient
pris. Avec quel regret nous nous séparâmes! Avec quel
plaisir nous projetâmes de nous revoir! Douze heures
passées ensemble nous valaient des siècles de familiarité.
Le doux souvenir de cette journée ne coûtait rien à ces ai-
30 mables filles; la tendre union qui régnait entre nous trois
valait des plaisirs plus vifs, et n'eût pu subsister avec eux:
nous nous aimions sans mystère et sans honte, et nous voulions
nous aimer toujours ainsi. L'innocence des mœurs a sa
volupté, qui vaut bien l'autre, parce qu'elle n'a point d'in-
35 tervalle et qu'elle agit continuellement. Pour moi, je sais

que la mémoire d'un si beau jour me touche plus, me charme
plus, me revient plus au cœur que celle d'aucuns plaisirs que
j'aie goûtés en ma vie. Je ne savais pas trop bien ce que je
voulais à ces deux charmantes personnes, mais elles m'in-
téressaient beaucoup toutes deux. Je ne dis pas que si 5
j'eusse été le maître de mes arrangements, mon cœur se serait
partagé; j'y sentais un peu de préférence. J'aurais fait
mon bonheur d'avoir pour maîtresse mademoiselle de Graffenried; mais à choix, je crois que je l'aurais mieux aimée
pour confidente. Quoi qu'il en soit, il me semblait en les 10
quittant que je ne pourrais plus vivre sans l'une et sans
l'autre. Qui m'eût dit que je ne les reverrais de ma vie,
et que là finiraient nos éphémères amours?

Un Concert

Quelques jours après, Madame de Warens ne revenant pas,
Mademoiselle Merceret, une femme de charge de celle-ci, décide 15
de retourner chez elle, à Fribourg. Rousseau décide de l'accompagner. Ils arrivent à destination vers le milieu de juillet.
Lorsqu'il se retrouva seul, Rousseau ne sachant que faire va à
la ville la plus proche, à Lausanne, où il arrive vers le 20. Il
essaye de mettre à profit ses connaissances de musique pour 20
gagner quelque argent. Il réussit bien mal. C'est à Lausanne
que lui arriva cette pitoyable aventure:

J'ai déjà noté des moments de délire inconcevables où je
n'étais plus moi-même. En voici encore un des plus marqués. Pour comprendre à quel point la tête me tournait 25
alors, à quel point je m'étais pour ainsi dire[1] venturisé, il
ne faut que voir combien tout à la fois j'accumulai d'extrava-
gances. Me voilà maître à chanter sans savoir déchiffrer

[1] Venture de Villeneuve était un aventurier que Rousseau avait connu
chez M. Le Maître et qui l'avait fasciné. Venture se vantait impudem-
ment de tant de choses qui n'étaient pas vraies, qu'on fut fort étonné
de constater qu'il savait fort bien la musique, chose dont il ne s'était pas
vanté. Rousseau fait un portrait fort amusant de ce type au Livre III
des *Confessions*.

un air; car quand les six mois que j'avais passés avec Le
Maître m'auraient profité, jamais ils n'auraient pu suffire:
mais outre cela j'apprenais d'un maître: c'en était assez
pour apprendre mal. Parisien de Genève, et catholique en
5 pays protestant, je crus devoir changer mon nom ainsi que
ma religion et ma patrie.   Je m'approchais toujours de mon
grand modèle autant qu'il m'était possible.   Il s'était appelé
Venture de Villeneuve, moi, je fis l'anagramme du nom de
Rousseau dans celui de Vaussore, et je m'appelai Vaussore
10 de Villeneuve.   Venture savait la composition, quoiqu'il
n'en eût rien dit; moi, sans la savoir, je m'en vantai à tout
le monde, et, sans pouvoir noter le moindre vaudeville,[1] je
me donnai pour compositeur.   Ce n'est pas tout: ayant
été présenté à M. de Treytorens, professeur en droit, qui
15 aimait la musique et faisait des concerts chez lui, je voulus
lui donner un échantillon de mon talent, et je me mis à composer une pièce pour son concert, aussi effrontément que
si j'avais su comment m'y prendre.   J'eus la constance de
travailler pendant quinze jours à ce bel ouvrage, de le mettre
20 au net, d'en tirer les parties, et de les distribuer avec autant
d'assurance que si c'eût été un chef-d'œuvre d'harmonie.
Enfin, ce qu'on aura peine à croire, et qui est très vrai, pour
couronner dignement cette sublime production, je mis à la
fin un joli menuet qui courait les rues, et que tout le monde
25 se rappelle peut-être encore, sur ces paroles jadis si connues:

> Quel caprice!
> Quelle injustice!
> Quoi! ta Clarisse
> Trahirait tes feux! etc.

Venture m'avait appris cet air avec la basse sur d'autres
paroles, à l'aide desquelles je l'avais retenu.   Je mis donc à la
fin de ma composition ce menuet et sa basse, en supprimant
les paroles, et je le donnai pour être de moi, tout aussi

---

[1] *vaudeville*, ici chanson de circonstance qui court les rues et dont
l'air est facile à retenir.

résolument que si j'avais parlé à des habitants de la lune.

On s'assemble pour exécuter ma pièce. J'explique à chacun le genre du mouvement, le goût de l'exécution, les renvois des parties; j'étais fort affairé. On s'accorde pendant cinq ou six minutes, qui furent pour moi cinq ou six siècles. 5 Enfin, tout étant prêt, je frappe avec un beau rouleau de papier sur mon pupitre magistral les cinq ou six coups du *Prenez garde à vous*. On fait silence. Je me mets gravement à battre la mesure; on commence... Non, depuis qu'il existe des opéras français, de la vie on n'ouït un semblable 10 charivari. Quoi qu'on eût pu penser de mon prétendu talent, l'effet fut pire que tout ce qu'on semblait attendre. Les musiciens étouffaient de rire; les auditeurs ouvraient de grands yeux et auraient bien voulu fermer les oreilles; mais il n'y avait plus moyen. Mes bourreaux de symphonistes, 15 qui voulaient s'égayer, raclaient à percer le tympan d'un quinze-vingt.[1] J'eus la constance d'aller toujours mon train, suant, il est vrai, à grosses gouttes, mais retenu par la honte, n'osant m'enfuir et tout planter là. Pour ma consolation, j'entendais autour de moi les assistants se dire à leur oreille, 20 ou plutôt à la mienne, l'un: Il n'y a rien là de supportable; un autre: Quelle musique enragée! un autre: Quel diable de sabbat! Pauvre Jean-Jacques, dans ce cruel moment tu n'espérais guère qu'un jour, devant le roi de France et toute sa cour, tes sons exciteraient des murmures de surprise 25 et d'applaudissement, et que, dans toutes les loges autour de toi, les plus aimables femmes se diraient à demi-voix: « Quels sons charmants! quelle musique enchanteresse! tous ces chants-là vont au cœur. »[2]

---

[1] Un aveugle. Les quinze-vingt étaient les 300 ($15 \times 20 = 300$) aveugles recueillis par Saint-Louis (XIIIme siècle) dans un hôpital qu'on appela « des Quinze-Vingt ». Rousseau a donc fait une confusion; il voulait parler de sourds et non d'aveugles.

[2] Allusion à son opéra *Le Devin du Village*, représenté avec grand succès à Fontainebleau, devant le roi et sa cour, les 18 et 25 octobre 1752.

Mais ce qui mit tout le monde de bonne humeur fut le menuet. A peine en eut-on joué quelques mesures, que j'entendis partir de toutes parts les éclats de rire. Chacun me félicitait sur mon joli goût de chant; on m'assurait que 5 ce menuet ferait parler de moi, et que je méritais d'être chanté partout. Je n'ai pas besoin de dépeindre mon angoisse ni d'avouer que je la méritais bien.

Le Faux Archimandrite

Sa réputation ainsi compromise, il alla à Neuchâtel, où il passa l'hiver de 1730 à 1731, et essaya encore d'enseigner la musique. 10 Il ne fit pas fortune; il eut même faim. Un jour, en avril 1731, errant dans la campagne il rencontra dans une auberge un homme qui lui offrit de le prendre à son service comme interprète. Cet homme se disait archimandrite (titre que l'on donne aux Lamas supérieurs dans les monastères grecs), et prétendait quêter pour 15 la restauration du Saint-Sépulcre à Jérusalem. Jean-Jacques ne soupçonna rien; il vit du pain assuré, et il accepta.

Les dimanches et les jours où j'étais libre, j'allais courir les campagnes et les bois des environs, toujours errant, rêvant, soupirant; et quand j'étais une fois sorti de la ville, je n'y 20 rentrais plus que le soir. Un jour, étant à Boudry,[1] j'entrai pour dîner dans un cabaret: j'y vis un homme à grande barbe avec un habit violet à la grecque, un bonnet fourré, l'équipage et l'air assez noble, et qui souvent avait peine à se faire entendre, ne parlant qu'un jargon presque indéchiffrable, mais 25 plus ressemblant à l'italien qu'à nulle autre langue. J'entendais presque tout ce qu'il disait, et j'étais le seul; il ne pouvait s'énoncer que par signes avec l'hôte et les gens du pays. Je lui dis quelques mots en italien qu'il entendit parfaitement: il se leva, et vint m'embrasser avec transport. 30 La liaison fut bientôt faite, et dès ce moment je lui servis de truchement. Son dîner était bon, le mien était moins que

---

[1] *Boudry*, petite bourgade pittoresque, à 11 kilomètres à l'ouest de Neuchâtel.

médiocre; il m'invita de prendre part au sien, je fis peu de
façons. En buvant et baragouinant, nous achevâmes de
nous familiariser, et dès la fin du repas nous devînmes inséparables. Il me conta qu'il était prélat grec et archimandrite de Jérusalem, qu'il était chargé de faire une quête 5
en Europe pour le rétablissement du Saint-Sépulcre. Il
me montra de belles patentes de la czarine et de l'empereur;
il en avait de beaucoup d'autres souverains. Il était assez
content de ce qu'il avait amassé jusqu'alors; mais il avait
eu des peines incroyables en Allemagne, n'entendant pas 10
un mot d'allemand, de latin ni de français, et réduit à son
grec, au turc et à la langue franque [1] pour toute ressource;
ce qui ne lui en procurait pas beaucoup dans le pays où il
s'était enfourné. Il me proposa de l'accompagner pour
lui servir de secrétaire et d'interprète. Malgré mon petit 15
habit violet, nouvellement acheté, et qui ne cadrait pas mal
avec mon nouveau poste, j'avais l'air si peu étoffé qu'il ne
me crut pas difficile à gagner, et il ne se trompa point. Notre
accord fut bientôt fait; je ne demandais rien, et il promettait
beaucoup. Sans caution, sans sûreté, sans connaissance, 20
je me livre à sa conduite, et dès le lendemain me voilà parti
pour Jérusalem.

Nous commençâmes notre tournée par le canton de Fribourg, où il ne fit pas grand'chose. La dignité épiscopale
ne permettait pas de faire le mendiant, et de quêter aux 25
particuliers; mais nous présentâmes sa commission au Sénat,
qui lui donna une petite somme.[2] De là nous fûmes à Berne.
Nous logeâmes au Faucon, bonne auberge alors, où l'on

---

[1] Mélange de français, d'italien, d'espagnol, parfois de portugais,
etc. parlé par les populations mixtes des ports du Levant. On y fait
allusion assez souvent en littérature; par exemple, Cervantès dans son
Don Quichotte (I, 41), et Molière qui l'emploie dans une des scènes du
Bourgeois Gentilhomme (IV, 10 et 11).

[2] *Fribourg*, ville de la Suisse française, entre Neuchâtel et Lausanne,
chef-lieu du canton de ce nom. Le sénat était le corps de magistrats de
la petite république. Rousseau y fut du 16 au 20 avril.

trouvait bonne compagnie. La table était nombreuse et bien servie. Il y avait longtemps que je faisais mauvaise chère; j'avais grand besoin de me refaire, j'en avais l'occasion, et j'en profitai. Monseigneur l'archimandrite était lui-même un homme de bonne compagnie, aimant assez à tenir table, gai, parlant bien pour ceux qui l'entendaient, ne manquant pas de certaines connaissances, et plaçant son érudition grecque avec assez d'agrément. Un jour, cassant au dessert des noisettes, il se coupa le doigt fort avant; et comme le sang sortait avec abondance, il montra son doigt à la compagnie, et dit en riant: *Mirate, signori; questo è sangue pelasgo.*[1]

A Berne mes fonctions ne lui furent pas inutiles, et je ne m'en tirai pas aussi mal que j'avais craint. J'étais bien plus hardi et mieux parlant que je n'aurais été pour moi-même. Les choses ne se passèrent pas aussi simplement qu'à Fribourg: il fallut de longues et fréquentes conférences avec les premiers de l'État, et l'examen de ses titres ne fut pas l'affaire d'un jour. Enfin, tout étant en règle, il fut admis à l'audience du Sénat. J'entrai avec lui comme son interprète, et l'on me dit de parler. Je ne m'attendais à rien moins, et il ne m'était pas venu dans l'esprit qu'après avoir longtemps conféré avec les membres, il fallût s'adresser au corps comme si rien n'eût été dit. Qu'on juge de mon embarras! Pour un homme aussi honteux, parler non seulement en public mais devant le Sénat de Berne, et parler impromptu sans avoir une seule minute pour me préparer, il y avait là de quoi m'anéantir. Je ne fus pas même intimidé. J'exposai succinctement et nettement la commission de l'archimandrite. Je louai la piété des princes qui avaient contribué à la collecte qu'il était venu faire. Piquant d'émulation celle de Leurs Excellences, je dis qu'il n'y avait pas moins à espérer de leur munificence accoutumée; et puis, tâchant de prouver que cette bonne œuvre en était

[1] Regardez bien, messieurs, c'est ici du sang grec.

également une pour tous les chrétiens sans distinction de
secte, je finis par promettre les bénédictions du ciel à ceux
qui voudraient y prendre part. Je ne dirai pas que mon
discours fit effet; mais il est sûr qu'il fut goûté, et qu'au
sortir de l'audience l'archimandrite reçut un présent fort 5
honnête, et de plus, sur l'esprit de son secrétaire des compliments dont j'eus l'agréable emploi d'être le truchement,
mais que je n'osai lui rendre à la lettre. Voilà la seule fois
de ma vie que j'aie parlé en public et devant un souverain,[1]
et la seule fois aussi peut-être que j'aie parlé hardiment 10
et bien. Quelle différence dans les dispositions du même
homme! Il y a trois ans qu'étant allé voir à Yverdon mon
vieil ami M. Roguin,[2] je reçus une députation pour me remercier de quelques livres que j'avais donnés à la bibliothèque
de cette ville. Les Suisses sont grands harangueurs; ces 15
messieurs me haranguèrent.

Je me crus obligé de répondre; mais je m'embarrassai
tellement dans ma réponse, et ma tête se brouilla si bien
que je restai court, et me fis moquer de moi. Quoique timide
naturellement, j'ai été hardi quelquefois dans ma jeunesse, 20
jamais dans mon âge avancé. Plus j'ai vu le monde, moins
j'ai pu me faire à son ton.

Partis de Berne, nous allâmes à Soleure;[3] car le dessein
de l'archimandrite était de reprendre la route d'Allemagne,

[1] Rousseau parut devant le sénat de Berne environ 20 kilomètres de
Fribourg le 25 avril. Il avait, quand il écrivit ceci, déjà publié son livre
Du Contrat Social (1762), et le mot « souverain » signifie pour lui, *le* ou
les membres du gouvernement, roi ou sénat, prince ou conseil.

[2] Voir fin du Livre XI des *Confessions*, la relation d'une visite de Rousseau à M. Roguin à Yverdon (27 kilomètres au nord-ouest de Lausanne)
en 1762. C'est peut-être alors qu'il s'embarrassa dans sa harangue.

[3] *Soleure*, environ à 20 kilomètres au nord-est de Berne; petite ville
fort pittoresque, chef-lieu du canton de ce nom. Les ambassadeurs
accrédités auprès de la Confédération Suisse avaient choisi Soleure pour
leur résidence, ce qui fut pour la ville une cause de prospérité. Aujour-
d'hui tous les ambassadeurs en Suisse séjournent à Berne.

et de s'en retourner par la Hongrie ou par la Pologne, ce
qui faisait une route immense: mais comme chemin faisant
sa bourse s'emplissait plus qu'elle ne se vidait, il craignait
peu les détours. Pour moi, qui me plaisais presque autant
5 à cheval qu'à pied, je n'aurais pas mieux demandé que de
voyager ainsi toute ma vie: mais il était écrit que je n'irais
pas si loin.

La première chose que nous fîmes en arrivant à Soleure
fut d'aller saluer M. l'ambassadeur de France. Malheureu-
10 sement pour mon évêque, cet ambassadeur était le marquis de Bonac, qui avait été ambassadeur à la Porte, et qui
devait être au fait de tout ce qui regardait le Saint-Sépulcre.
L'archimandrite eut une audience d'un quart d'heure, où
je ne fus pas admis, parce que M. l'ambassadeur entendait
15 la langue franque, et parlait l'italien au moins aussi bien
que moi. A la sortie de mon Grec, je voulus le suivre; on
me retint, ce fut mon tour. M'étant donné pour Parisien,
j'étais comme tel sous la juridiction de Son Excellence. Elle
me demanda qui j'étais, m'exhorta de lui dire la vérité; je
20 le lui promis en lui demandant une audience particulière
qui me fut accordée. M. l'ambassadeur m'emmena dans
son cabinet, dont il ferma sur nous la porte; et là, me jetant
à ses pieds, je lui tins parole. . . . .

C'était le 27 avril 1731. L'archimandrite fut arrêté comme
25 imposteur. Quant à Rousseau, reconnu innocent, il gagna par
son intelligence et son charme, les bonnes grâces d'un protecteur.
L'ambassadeur lui donna cent francs et une lettre de recommandation pour M. Godard, colonel suisse au service de la France, à
Paris, et qui cherchait un précepteur. Rousseau allait essayer
30 de mettre à profit les choses qu'il avait apprises chez M. Lambercier, chez l'abbé Gouvon, et au séminaire d'Annecy.

Le Paysan d'avant la Révolution

Il arriva à Paris en juin 1731 (après avoir encore passé quelques
semaines à Neuchâtel). L'affaire du préceptorat manqua. Une

dame bienveillante à laquelle Rousseau avait été recommandé
s'informa de Madame de Warens, et un jour put annoncer à son
protégé que sa bienfaitrice était rentrée en Savoie. Une grande
nostalgie s'empara de lui, et vers la fin de l'été il partit à pied,
sans trop d'argent et, souvent, couchant à la belle étoile.   5

L'aventure suivante nous montre Rousseau apprenant à connaître les souffrances du peuple de France à la fin du XVIIIme
siècle. Il s'en souviendra quand il écrira le livre révolutionnaire
Du Contrat Social.

Un jour, m'étant à dessein détourné pour voir de près   10
un lieu qui me parut admirable, je m'y plus si fort et j'y fis
tant de tours que je me perdis enfin tout à fait. Après plusieurs heures de course inutile, las et mourant de soif et de
faim, j'entrai chez un paysan dont la maison n'avait pas
belle apparence, mais c'était la seule que je visse aux environs. 15
Je croyais que c'était comme à Genève ou en Suisse,[1] où tous
les habitants à leur aise sont en état d'exercer l'hospitalité.
Je priai celui-ci de me donner à dîner en payant. Il m'offrit du lait écrêmé et de gros pain d'orge, en me disant que
c'était tout ce qu'il avait. Je buvais ce lait avec délices, et 20
je mangeais ce pain, paille et tout; mais cela n'était pas fort
restaurant pour un homme épuisé de fatigue. Ce paysan,
qui m'examinait, jugea de la vérité de mon histoire par celle
de mon appétit. Tout de suite, après avoir dit qu'il voyait
bien que j'étais un bon jeune honnête homme qui n'était pas 25
là pour le vendre, il ouvrit une petite trappe à côté de sa
cuisine, descendit, et revint un moment après avec un bon
pain bis de pur froment, un jambon très appétisant, quoique
entamé, et une bouteille de vin dont l'aspect me réjouit le
cœur plus que tout le reste: on joignit à cela une omelette 30
assez épaisse, et je fis un dîner tel qu'autre qu'un piéton n'en
connut jamais. Quand ce vint à payer, voilà son inquiétude

---

[1] Genève ne fut reçu dans la Confédération helvétique qu'en 1814,
n'était donc pas en Suisse encore à l'époque de Rousseau. Genève était
allié de Berne, mais république indépendante.

et ses craintes qui le reprennent; il ne voulait point de mon
argent, il le repoussait avec un trouble extraordinaire, et
ce qu'il y avait de plaisant était que je ne pouvais imaginer
de quoi il avait peur.   Enfin, il prononça en frémissant ces
5 mots terribles de commis et de rats de cave.[1] Il me fit entendre qu'il cachait son vin à cause des aides,[2] qu'il cachait
son pain à cause de la taille,[3] et qu'il serait un homme perdu
si l'on pouvait se douter qu'il ne mourût pas de faim.   Tout
ce qu'il me dit à ce sujet, et dont je n'avais pas la moindre
10 idée, me fit une impression qui ne s'effacera jamais.   Ce
fut là le germe de cette haine inextinguible qui se développa
depuis dans mon cœur contre les vexations qu'éprouve le
malheureux peuple et contre ses oppresseurs.   Cet homme,
quoique aisé, n'osait manger le pain qu'il avait gagné à la
15 sueur de son front, et ne pouvait éviter sa ruine qu'en montrant la même misère qui régnait autour de lui.   Je sortis de
sa maison aussi indigné qu'attendri, et déplorant le sort de
ces belles contrées à qui la nature n'a prodigué ses dons que
pour en faire la proie des barbares publicains.[4]

[1] *Commis*, personne préposée par les fermiers des impôts à la percep-
tion des droits en diverses marchandises — mal famés à cause de leurs
exigences terribles et leur inhumanité; *rats de cave*, nom donné à ceux
des employés de contributions ou impôts indirects (*excise men*) qui visi-
taient les caves contenant des boissons spiritueuses.

[2] Impôts prélevés surtout sur les boissons; dont l'origine remonte à
1356. Il atteignait tous les sujets indistinctement. Jean le Bon, ne
pouvant suffire aux dépenses de la guerre avec l'Angleterre, demanda
« une aide » à son peuple, et pour l'obtenir, il convoqua les États Généraux.

[3] Nom d'un impôt qui existait en France avant la Révolution, très
inégalement réparti, et variant selon les besoins du trésor royal — contribua, à cause de l'arbitraire avec lequel il était perçu, à exaspérer plus
que tout autre le peuple français et à précipiter la Révolution.

[4] Aucun progrès n'avait été fait pour améliorer la position des paysans
depuis le système du servage du moyen-âge. Richelieu encore disait:
« Il les (les paysans) faut comparer aux mulets qui, étant accoutumés
à la charge, se gâtent par un long repos ». Un rapport adressé à Louis
XIV en 1687 sur la condition des paysans, parlait ainsi: « Les paysans

CHAMBÉRY ET LES CHARMETTES

1731-1742

En passant par Lyon, Rousseau avait appris par une autre amie de Madame de Warens que celle-ci n'était pas retournée à Annecy, mais s'était établie à Chambéry, la capitale de la Savoie.[1] Après avoir traversé le beau pays du Dauphiné qu'il décrit d'une façon charmante, Rousseau arrive chez elle en automne 1731. 5 L'accueil fut cordial. Justement le roi Victor-Amédée voulait faire établir le cadastre de ses états, et cherchait des géomètres et des secrétaires. Rousseau fut employé à ce travail: « C'est ainsi qu'après quatre ou cinq ans de courses, de folies, de souffrances depuis ma sortie de Genève, je commençai pour la pre- 10 mière fois de gagner mon pain avec honneur ». Il logeait chez Madame de Warens. Il occupait ses loisirs à étudier, d'abord les mathématiques, utiles pour son travail; puis l'histoire;[2] surtout

---

vivent de pain fait avec du blé noir; d'autres qui n'ont pas même de blé noir, vivent de racines de fougère bouillies avec de la farine d'orge ou d'avoine et du sel. On les trouve couchés sur la paille; point d'habits que ceux qu'ils portent, point de meubles, point de provisions pour la vie ». La Bruyère fut le premier (en 1688) à protester avec autorité contre cette injustice, dans son fameux passage des *Caractères* (chap. De l'Homme, 128). « L'on voit certains animaux farouches, des mâles et des femelles, répandus par la campagne, noirs, livides et tout brûlés du soleil, attachés à la terre qu'ils fouillent et qu'ils remuent avec une opiniâtreté invincible; ils ont comme une voix inarticulée, et quand ils se lèvent sur leurs pieds, ils montrent une face humaine; et en effet ils sont des hommes. Ils se retirent la nuit dans des tanières, où ils vivent de pain noir, d'eau et de racines; ils épargnent aux autres hommes la peine de semer, de labourer et de recueillir pour vivre, et méritent ainsi de ne pas manquer de ce pain qu'ils ont semé.»

[1] La cause de ce changement de domicile de Madame de Warens fut probablement l'activité politique secrète pour le roi de Sardaigne. Voir Benedetto, *Madame de Warens* (1914).

[2] A l'époque de la Guerre de Succession de Pologne, 1733-35 (l'Autriche et la Russie soutenant la candidature d'Auguste III, de la Maison de Saxe, tandis que la France, l'Espagne et la Sardaigne soutenaient Stanislas, beau-père de Louis XV), Rousséau s'enthousiasma pour la cause soutenue par la France.

la musique. Il finit même, en 1733, par arracher à Madame de
Warens son consentement au grand désir qu'il avait d'abandonner
l'emploi au cadastre. Il voulait gagner sa vie en donnant des
leçons de musique.

5   La santé de Rousseau fut chancelante depuis cette époque, et
pendant une assez longue période. Il fit deux maladies sérieuses,
une première pendant l'hiver de 1734–35. Les soins de « maman »
le sauvèrent. Deux années plus tard, à la fin de l'été 1737, il alla
à Montpellier pour suivre un traitement, mais revint après cinq
10 mois environ. Au printemps de l'année 1738 il lui fallait, à cause
de cette mauvaise santé, quitter la ville. Il refusa cependant
d'aller sans sa bienfaitrice. On loua une jolie maison, Les Charmettes, aux environs de Chambéry. Cette maison, qui existe
encore, est une des lieux de pèlerinages littéraires les plus fa-
15 meux de l'Europe, comme Stratford en Angleterre, ou Weimar en
Allemagne. C'est le berceau du Romantisme français. Rousseau dit y avoir connu le bonheur parfait.[1]

Après avoir un peu cherché, nous nous fixâmes aux Charmettes, une terre de M. de Conzié,[2] à la porte de Chambéry,
20 mais retirée et solitaire comme si l'on était à cent lieues.
Entre deux coteaux assez élevés est un petit vallon nord et
sud au fond duquel coule une rigole entre des cailloux et
des arbres. Le long de ce vallon, à mi-côte, sont quelques
maisons éparses, fort agréables pour quiconque aime un asile
25 un peu sauvage et retiré. Après avoir essayé deux ou trois
de ces maisons, nous choisîmes enfin la plus jolie, appartenant
à un gentilhomme qui était au service, appelé M. Noiret.
La maison était très logeable. Au-devant était un jardin en
terrasse, une vigne au-dessus, un verger au-dessous, vis-à-vis
30 un petit bois de châtaigniers, une fontaine à portée; plus

---

[1] Toute la chronologie de ces années de 1733 à 1742 est extrêmement
confuse et difficile à établir. Les patients et érudits travaux de MM. Du-
four, Ritter, Mugnier, Benedetto et autres, n'ont pas encore réussi à
faire la lumière complète.

[2] Un bon ami de Mme de Warens et de Rousseau dont il est souvent
question dans les *Confessions*.

1. Les Charmettes
Vue générale

2. Les Charmettes
Façade avec Glycines

haut, dans la montagne, des prés pour l'entretien du bétail;
enfin, tout ce qu'il fallait pour le petit ménage champêtre
que nous y voulions établir. Autant que je puis me rappeler
les temps et les dates, nous en prîmes possession vers la fin
de l'été de 1736.[1] J'étais transporté le premier jour que
nous y couchâmes. « Ô maman! dis-je à cette chère amie en
l'embrassant et l'inondant de larmes d'attendrissement et
de joie, ce séjour est celui du bonheur et de l'innocence. Si
nous ne les trouvons pas ici l'un avec l'autre, il ne les faut
chercher nulle part. »

> Hoc erat in votis: modus agri non ita magnus,
> Hortus ubi et tecto vicinus jugis aquæ fons,
> Et paullum sylvæ super his foret . . .[2]

Je ne puis ajouter,

                              Auctius atque
    Di melius fecere;

mais n'importe, il ne m'en fallait pas davantage, il ne m'en
fallait pas même la propriété, c'était assez pour moi de la
jouissance, et il y a longtemps que j'ai dit et senti que le
propriétaire et le possesseur sont souvent deux personnes
très différentes. . . . .

Ici commence le court bonheur de ma vie; ici viennent les
paisibles mais rapides moments qui m'ont donné le droit de
dire que j'ai vécu. Moments précieux et si regrettés, ah!
recommencez pour moi votre aimable cours, coulez plus
lentement dans mon souvenir, s'il est possible, que vous ne
fîtes réellement dans votre fugitive succession! Comment
ferai-je pour prolonger à mon gré ce récit si touchant et si

[1] Cette date est sûrement fausse, et doit être remplacée par: 24 juin, 1738.
[2] (Horace, Sat. II, 6.) « Voilà ce que j'avais toujours désiré: une terre d'une étendue médiocre, où il y eût un petit jardin, une source d'eau vive à côté du logis, avec un bois de quelques arpents. Les dieux ont fait plus pour moi et mieux; mes désirs sont remplis (bene est). Je ne leur demande plus rien ».

simple, pour redire toujours les mêmes choses, et n'ennuyer
pas plus mes lecteurs en les répétant que je ne m'ennuyais
moi-même en les recommençant sans cesse? Encore si tout
cela consistait en faits, en actions, en paroles, je pourrais le
5 décrire et le rendre en quelque façon: mais comment dire ce
qui n'était ni dit, ni fait, ni pensé même, mais goûté, mais
senti, sans que je puisse énoncer d'autre objet de mon bonheur que ce sentiment même? Je me levais avec le soleil,
et j'étais heureux; je me promenais, et j'étais heureux; je
10 voyais maman, et j'étais heureux; je la quittais, et j'étais
heureux; je parcourais les bois, les coteaux, j'errais dans les
vallons, je lisais, j'étais oisif; je travaillais au jardin, je
cueillais les fruits, j'aidais au ménage, et le bonheur me
suivait partout: il n'était dans aucune chose assignable, il
15 était tout en moi-même, il ne pouvait me quitter un seul
instant.

Rien de tout ce qui m'est arrivé durant cette époque chérie,
rien de ce que j'ai fait, dit et pensé tout le temps qu'elle a
duré, n'est échappé de ma mémoire. Les temps qui pré-
20 cèdent et qui suivent me reviennent par intervalles; je me
les rappelle inégalement et confusément; mais je me rappelle
celui-là tout entier comme s'il durait encore. Mon imagination, qui dans ma jeunesse allait toujours en avant est maintenant rétrograde, compense par ces doux souvenirs l'espoir
25 que j'ai pour jamais perdu. Je ne vois plus rien dans l'avenir
qui me tente; les seuls retours du passé peuvent me flatter,
et ces retours si vifs et si vrais dans l'époque dont je parle
me font souvent vivre heureux malgré mes malheurs.

Pendant toutes ces années Rousseau continuait à étudier les
30 sciences (surtout l'astronomie et la chimie), la médecine, la musique
et les arts; il lut aussi beaucoup de philosophie et réfléchit.

Mais les affaires de Madame de Warens allaient mal. Elle
essayait de faire face aux dépenses par des entreprises où son
imagination et la malhonnêteté de ses associés lui jouèrent de
35 mauvais tours. Claude Anet, un fidèle serviteur, était mort en

1734. Rousseau était, aussi peu qu'elle, entendu aux affaires. Elle finit par confier sa fortune à un jeune homme qui l'avait éblouie par ses airs de conquérant et qui acheva la ruine.

Rousseau un jour (20 avril 1740) quitta Chambéry et les Charmettes pour accepter une place de précepteur à Lyon, chez M. de Mably, et alors se présentèrent à son esprit certaines idées qu'il devait développer dans son livre sur l'éducation, *Émile*. Il revint après « une année ou davantage », d'un essai en somme assez malheureux. Mais il se convainquit de rechef que sa place n'était plus auprès de Madame de Warens.

Il partit alors pour Paris. Il avait inventé un système de notation musicale (par chiffres), et espérait, grâce à des lettres de recommandation, présenter son projet à l'Académie des Sciences, faire une carrière musicale, et ramener la prospérité dans la maison de Chambéry. C'était en été 1742. (Les *Confessions* disent 1741, mais Rousseau fait, ici encore, une erreur de mémoire.)

DEUXIÈME PARTIE

LES PREMIERS ÉCRITS

DEUXIÈME PARTIE

LES PREMIERS ÉCRITS

Rousseau s'arrêta à Lyon. Grâce entre autres à M. de Mably chez qui il avait été précepteur, il obtint des lettres de recommandation pour des personnes influentes de Paris. Il arriva dans cette ville à la fin de l'été.

Quelque temps s'écoula avant qu'il pût lire son rapport à 5 l'Académie des Sciences (22 août 1742).[1] On lui fit des compliments: mais sa tentative n'aboutit à rien de pratique. Les quinze louis qu'il avait apportés s'épuisaient[2]... Un abbé vint à son secours, lui fit faire la connaissance de grandes dames. Cette fois on ne relégua pas Rousseau à l'office. On finit par lui 10 trouver une place de secrétaire chez l'Ambassadeur de France, à Venise. Il partit en été 1743. Mais cela non plus ne dura pas. Après un séjour de quatorze mois, pendant lequel il avait beaucoup réfléchi aux problèmes sociaux, Rousseau revint à Paris en été 1744. Reçu de nouveau dans le grand monde, avec des 15 hommes de lettres qui avaient reconnu sa valeur, il logeait dans un pauvre hôtel non loin du Luxembourg (Hôtel Saint-Quentin). C'est là qu'il fit la connaissance de Thérèse Levasseur, une servante de l'hôtel, qui depuis lors partagea sa fortune; elle devait le soigner dans ses maladies, elle l'accompagna dans ses pérégrina- 20 tions, elle était là au jour de sa mort. Ils eurent des enfants, mais n'ayant pas de quoi les élever, ils les mirent — comme cela se faisait fréquemment alors dans le milieu bohème où ils vivaient — à l'hospice des Enfants Trouvés. Rousseau regretta plus tard amèrement cette action. Il gagnait un peu d'argent comme 25

[1] *Le Projet concernant de nouveaux Signes pour la Musique* est imprimé dans Œuvres, éd. Hachette, VI, 253–260.

[2] M. Benedetto pense que Rousseau est retourné quelque temps à Chambéry après le 22 août (*Mme de Warens*, p. 241–2).

secrétaire de Mme. Dupin (une de ses protectrices) et de M. de
Francueil, le fils de celle-ci.

Il croyait toujours que la musique était sa véritable vocation
et composa même des opéras. Mais c'est comme écrivain qu'il
5 devait acquérir sa grande célébrité. Il avait été bien accueilli
dans le groupe d'écrivains qu'on appelait « les philosophes », et
qui préparait alors la grande œuvre collective *L'Encyclopédie*.
Le principal directeur de ce travail, Diderot, se lia beaucoup avec
Rousseau et confia à celui-ci la rédaction d'articles sur la musique
10 et sur l'économie politique.

Cette vie décousue nous amène jusqu'en 1749.

DISCOURS SUR LES SCIENCES ET LES ARTS
1749 [1]

La préparation de *L'Encyclopédie* fut interrompue par l'empri-
sonnement momentané de Diderot au donjon de Vincennes,
à cause d'un écrit audacieux, *La Lettre sur les Aveugles*. Rousseau,
15 qui avait un engouement très fort pour Diderot, allait souvent
le visiter; il faisait, à cause de sa pauvreté, le voyage à pied.
C'est pendant une de ces courses qu'il eut l'idée du petit écrit qui
commença sa célébrité.

Voici le récit de cette inspiration: [2]

[1] Voir sur ce qui concerne spécialement les circonstances de composition de ce *Discours*, outre les biographies de Rousseau, *Annales J.-J.
Rousseau*, XI, pp. 64–71, un article de E. Ritter.

[2] Nous avons combiné dans ces pages les deux récits que fait Rousseau de cet épisode de sa vie, *Confessions* VIII, et *Lettre à M. de Malesherbes*,
12 janvier 1762. Une grande discussion s'est élevée au sujet de l'origi-
nalité de Rousseau dans son « paradoxe ». Après la brouille de Diderot
et de R., vers 1755, les ennemis de R. (tels que Marmontel, Morellet,
Volney, Laharpe) ont attribué à Diderot la première idée du « paradoxe »;
on pouvait s'appuyer pour cela sur des vues analogues à celles du *Discours*
exprimées dans les écrits de Diderot et des Encyclopédistes. Cependant
Diderot, *Vie de Sénèque* (p. 61–68), détruit lui-même cette théorie; en
accusant Rousseau d'avoir montré dans cette circonstance son esprit
de contradiction, il lui restitue son bien, et se défendrait plutôt d'avoir
eu cette idée. Sans attribuer l'idée maîtresse du premier *Discours* à
Diderot, certains savants ont signalé des précurseurs de Rousseau; dès

Cette année 1749, l'été fut d'une chaleur excessive. On compte deux lieues de Paris à Vincennes. Peu en état de payer des fiacres, à deux heures après-midi j'allais à pied quand j'étais seul, et j'allais vite pour arriver plus tôt. Les arbres de la route, toujours élagués à la mode du pays, ne [5] donnaient presque aucune ombre; et souvent, rendu de chaleur et de fatigue, je m'étendais par terre, n'en pouvant plus. Je m'avisai, pour modérer mon pas, de prendre quelque livre. Je pris un jour le *Mercure de France*, et tout en marchant et le parcourant, je tombai sur cette question proposée [10] par l'Académie de Dijon pour le prix de l'année suivante: « Si le progrès des sciences et des arts a contribué à corrompre ou à épurer les mœurs? » ... Si jamais quelque chose a ressemblé à une inspiration subite, c'est le mouvement qui se fit en moi à cette lecture: tout à coup je me sentis [15] l'esprit ébloui de mille lumières, des foules d'idées vives s'y présentent à la fois avec une force et une confusion qui me jeta dans un trouble inexprimable; je sens ma tête prise par un étourdissement semblable à l'ivresse. Une violente palpitation m'oppresse, soulève ma poitrine; ne pouvant [20] plus respirer en marchant, je me laisse tomber sous un arbre de l'avenue et j'y passe une demi-heure dans une telle agitation qu'en me relevant j'aperçus tout le devant de ma veste mouillé de mes larmes, sans avoir senti que j'en répandais ... Si j'avais pu écrire le quart de ce que j'ai vu et senti sous [25] cet arbre, avec quelle clarté j'aurais fait voir toutes les contradictions du système social! avec quelle force j'aurais exposé tous les abus de nos institutions! avec quelle simplicité

---

le XVIIIme siècle Don Cajo, un jésuite, dans un volume souvent cité, *Les Plagiats de J.-J. R. de Genève sur l'Éducation*, surtout p. 357-76, traite ce problème; et plus récemment, Delaruelle, en fait autant dans *Rev. d'Hist. Litt. de la France*, 1912 (XXIX, 245-271). Signalons aussi une étude psychologique de *La Crise de Vincennes*, par Gran, *Annales J.-J. Rousseau*, VII, p. 1-17, étude reproduite dans le livre du même auteur sur Rousseau.

j'aurais démontré que l'homme est bon naturellement et que c'est par ces institutions seules que les hommes deviennent méchants! . . . .

En arrivant à Vincennes j'étais dans une agitation qui tenait du délire. Diderot l'aperçut; je lui en dis la cause, et je lui lus la *Prosopopée de Fabricius,* écrite au crayon sous un chêne. Il m'exhorta de donner essor à mes idées, et de concourir au prix. Je le fis, et dès cet instant je fus perdu. Tout le reste de ma vie et de mes malheurs fut l'effet inévitable de cet instant d'égarement.

Exactement, la question posée par l'Académie de Dijon était celle-ci: « Si le rétablissement des Sciences et des Arts a contribué à épurer les mœurs.» Rousseau a répondu non. Mais il a voulu davantage. Il a élargi le problème en modifiant le titre. Il a re-posé la question ainsi: « Le *progrès* des Sciences et des Arts a-t-il contribué *à corrompre* ou à épurer les Mœurs ? » Il a donc ajouté deux mots nouveaux et il en a changé un. En ajoutant à côté des mots « à épurer » les mots « à corrompre » il a introduit dans son discours la possibilité de traiter le problème beaucoup plus fondamentalement: non seulement les sciences et les arts n'épurent pas, mais elles corrompent positivement les mœurs. Et en substituant au mot « rétablissement » le mot « progrès », il a écarté la question de la Renaissance du XVIe siècle, qu'avait surtout visée l'Académie de Dijon, et il a posé le problème pour l'histoire de tous les temps: les sciences et les arts n'ont pas seulement corrompu les mœurs à l'époque de la renaissance, mais cela a toujours été ainsi et cela sera toujours ainsi:

. . . L'effet est certain, [c'est] la dépravation réelle; et nos âmes se sont corrompues à mesure que nos sciences et nos arts se sont avancés à la perfection. Dira-t-on que c'est un malheur particulier à notre âge? Non, messieurs; les maux causés par notre vaine curiosité sont aussi vieux que le monde. L'élévation et l'abaissement journaliers des eaux de l'Océan n'ont pas été plus régulièrement assu-jettis au cours de l'astre qui nous éclaire durant la nuit, que le sort des mœurs et de la probité au progrès des sciences et des arts. On a vu la vertu s'enfuir à mesure que leur lumière s'élevait sur notre horizon, et le même phénomène s'est observé dans tous les temps et dans tous les lieux.

Il donne les exemples de l'Égypte, de la Grèce, de Rome: 5 partout les peuples policés montrent — « les apparences de toutes les vertus sans en avoir aucune ». Le plus éloquent passage est:

La Prosopopée de Fabricius [1]

Ô Fabricius! [2] qu'eût pensé votre grande âme, si, pour votre malheur, rappelé à la vie, vous eussiez vu la face pompeuse de cette Rome sauvée par votre bras,[3] et que votre nom 10 respectable avait plus illustrée que toutes ses conquêtes? « Dieux! eussiez-vous dit, que sont devenus ces toits de chaume et ces foyers rustiques qu'habitaient jadis la modération et la vertu? Quelle splendeur funeste a succédé à la simplicité romaine? quel est ce langage étranger? quelles 15

---

[1] Rappelons ici le petit écrit de Montesquieu, *Considérations sur les Causes de la Grandeur et de la Décadence des Romains* (1734).

[2] Caius Fabricius Luscinus, appartenant à la période de la grandeur romaine. En 282, étant consul, il défit les Samnites, les Lucaniens, les Bruttiens, débloqua Thurium, prit beaucoup de villes, pénétra jusqu'au détroit de Rhégium. Rome lui accorde le Triomphe à son retour. En 280, il est à la défaite d'Héraclée, lorsque employant des éléphants qui jettent la confusion dans les rangs de l'ennemi, Pyrrhus, roi d'Épire remporte une victoire sur les Romains. Fabricius fut envoyé par le sénat pour traiter avec Pyrrhus pour le rachat des prisonniers; Pyrrhus essaye de le corrompre et de l'attacher à son service; ce fut en vain. En 278 le médecin de Pyrrhus offrit à Fabricius d'empoisonner son roi; Fabricius loin d'accepter, livre le traître à Pyrrhus. A cette réputation d'incorruptibilité, s'ajoute celle de désintéressement; des immenses quantités de butin amenées à Rome par ses victoires, Fabricius ne prit rien pour lui-même, et le sénat dut doter ses filles car elles étaient pauvres. Sa grande austérité le fit élire censeur en 275, et il fit de grands efforts pour réprimer le luxe. Rousseau a conçu son Fabricius d'après Plutarque, *Vie de Pyrrhus*.

[3] Pyrrhus battit les Romains à Héraclée, mais il dit: « Encore une victoire comme celle-ci, et nous sommes perdus ».

sont ces mœurs efféminées? que signifient ces statues, ces
tableaux, ces édifices? Insensés, qu'avez-vous fait? Vous,
les maîtres des nations, vous vous êtes rendus les esclaves
des hommes frivoles que vous avez vaincus![1] Ce sont des
5 rhéteurs, qui vous gouvernent! C'est pour enrichir des
architectes, des peintres, des statuaires et des histrions, que
vous avez arrosé de votre sang la Grèce et l'Asie! Les dé-
pouilles de Carthage[2] sont la proie d'un joueur de flûte![3]
Romains, hâtez-vous de renverser ces amphithéâtres; brisez
10 ces marbres, brûlez ces tableaux, chassez ces esclaves qui
vous subjuguent, et dont les funestes arts vous corrompent.
Que d'autres mains s'illustrent par de vains talents; le seul
talent digne de Rome est celui de conquérir le monde, et
d'y faire régner la vertu. Quand Cynéas prit notre sénat
15 pour une assemblée de rois,[4] il ne fut ébloui ni par une pompe
vaine, ni par une élégance recherchée; il n'y entendit point
cette éloquence frivole,[5] l'étude et le charme des hommes
futiles. Que vit donc Cynéas de si majestueux? O citoyens!
il vit un spectacle que ne donneront jamais vos richesses ni
20 tous vos arts, le plus beau spectacle qui ait jamais paru sous
le ciel: l'assemblée de deux cents hommes vertueux, dignes
de commander à Rome, et de gouverner la terre. »

[1] Les Grecs, représentant pour Rousseau la civilisation raffinée de
l'antiquité, celle qui développe tous les arts, au dépens des mœurs.

[2] Caton avait fait détruire Carthage, car il craignait l'influence de la
mollesse orientale pour la vertu romaine; maintenant cependant les dé-
pouilles sont là.   [3] L'empereur Néron.

[4] Cynéas fut envoyé par Pyrrhus pour négocier la paix avec Rome,
après la victoire d'Héraclée. Il n'obtint pas ce qu'il désirait, la liberté
pour les grecs d'Italie. Il avait été frappé de la majesté du sénat romain
qu'il avait comparé à une assemblée de rois.

[5] Allusion probable à Carnéade, un sophiste grec qui était venu à
Rome en mission d'Athènes. Pendant que les négociations allaient leur
train, Carnéade faisait valoir son talent de rhéteur, parlant un jour
sur un sujet et convainquant ses auditeurs, et le lendemain leur démon-
trant avec autant de succès la thèse contraire. Caton vit dans cet art
subtil un grand danger et fit renvoyer l'ambassade.

L'oisiveté, dans les pays très fertiles comme l'Égypte, a conduit à la curiosité, et aux sciences qui trompent, à l'art qui favorise la vanité, au luxe qui amollit.

Le Luxe [1]

Né comme eux de l'oisiveté et de la vanité des hommes, le luxe va rarement sans les sciences et les arts, et jamais ils 5 ne vont sans lui. Je sais que notre philosophie, toujours féconde en maximes singulières, prétend, contre l'expérience de tous les siècles, que le luxe fait la splendeur des États: mais après avoir oublié la nécessité des lois somptuaires,[2] osera-t-elle nier encore que les bonnes mœurs soient essen- 10 tielles à la durée des empires, et que le luxe ne soit diamétralement opposé aux bonnes mœurs? Que le luxe soit un signe certain des richesses; qu'il serve même, si l'on veut, à les multiplier: que faudra-t-il conclure de ce paradoxe digne d'être né de nos jours? et que deviendra la vertu quand 15 il faudra s'enrichir à quelque prix que ce soit? Les anciens politiques parlaient sans cesse de mœurs et de vertu; les nôtres ne parlent que de commerce et d'argent. L'un vous dira qu'un homme vaut en telle contrée la somme qu'on le vendait à Alger; un autre, en suivant ce calcul, trouvera 20 des pays où un homme ne vaut rien, et d'autres où il vaut moins que rien. Ils évaluent les hommes comme des troupeaux de bétail. Selon eux, un homme ne vaut à l'État que la consommation qu'il y fait; ainsi un Sybarite [3] aurait bien valu trente Lacédémoniens. Qu'on devine donc laquelle 25 des deux républiques, de Sparte ou de Sybaris, fut subjuguée par une poignée de paysans, et laquelle fit trembler l'Asie.

---

[1] Ducros mentionne un opuscule inachevé de Rousseau: *Discours sur la Richesse*, composé probablement entre 1749 et 1756 (*Jean-Jacques Rousseau*, vol. I, p. 246).

[2] *Lois somptuaires* qui ont pour but de restreindre la dépense et le luxe: lois somptuaires de Lacédémone ou Sparte.

[3] *Sybaris*, une colonie grecque de Lucanie, au sud de l'Italie, célèbre pour la vie molle et voluptueuse de ses habitants.

La monarchie de Cyrus [1] a été conquise avec trente mille hommes par un prince plus pauvre que le moindre des satrapes de Perse; et les Scythes,[2] le plus misérable de tous les peuples, ont résisté aux plus puissants monarques de l'univers.   Deux fameuses républiques se disputèrent l'empire du monde: L'une était très riche, l'autre n'avait rien, et ce fut celle-ci qui détruisit l'autre.   L'empire romain, à son tour, après avoir englouti toutes les richesses de l'univers, fut la proie des gens qui ne savaient pas même ce que c'était que la richesse.   Les Francs conquirent les Gaules, les Saxons l'Angleterre, sans autre trésor que leur bravoure et leur pauvreté.   Une troupe de pauvres montagnards,[3] dont toute l'avidité se bornait à quelques peaux de moutons, après avoir dompté la fierté autrichienne, écrasa cette opulente et redoutable maison de Bourgogne qui faisait trembler les potentats de l'Europe.   Enfin toute la puissance et toute la sagesse de l'héritier de Charles-Quint, soutenue de tous les trésors des Indes, vinrent se briser contre une poignée de pêcheurs de harengs.[4]   Que nos politiques daignent suspendre leurs calculs pour réfléchir à ces exemples, et qu'ils apprennent une fois pour toutes, qu'on a de tout avec de l'argent, hormis des mœurs et des citoyens.

De quoi s'agit-il donc précisément dans cette question du luxe?   De savoir lequel importe le plus aux empires, d'être brillants et momentanés, ou vertueux et durables? Je dis brillants, mais de quel éclat?   Le goût du faste ne s'associe guère dans les mêmes âmes avec celui de l'honnête. Non, il n'est pas possible que des esprits dégradés par une multitude de soins futiles s'élèvent jamais à rien de grand; et, quand ils en auraient la force, le courage leur manquerait.

---

[1] La puissance Perse, établie par Cyrus au VIme siècle avant J.-C. ne put venir à bout de la résistance des Grecs dans les guerres Médiques (Vme siècle), et fut vaincue par Alexandre le Grand, au IVme siècle.

[2] Peuples nomades et barbares des régions du Pont-Euxin.

[3] Les Suisses.   [4] Les Hollandais.

A la fin de son *Discours*, Rousseau met en garde contre de fausses interprétations: « Ce n'est point la science que je maltraite; c'est la vertu que je défends ». [1]

Note sur la Question du Luxe au XVIIIme siècle

On a dit faussement que Rousseau avait lancé un « paradoxe » chez ses contemporains; c'était au contraire lui qui représentait la tradition de l'immoralité du luxe, contre la valeur sociale et même morale de la richesse, la nouveauté d'alors. Rousseau lui-même dit bien qu'il attaque « ce paradoxe, si digne d'être né de nos jours ».

Une science nouvelle se formait, l'économie politique, et elle énonçait cette théorie si choquante pour la morale chrétienne traditionnelle: le luxe est utile, car il suppose la richesse qui apporte du confort pour l'ouvrier, et qui est une source de prestige politique vis à vis de l'étranger. Les plus célèbres écrits exposant cette nouveauté sont: Saint-Évremont, *Sur les Plaisirs* (1705) — cet auteur déjà prétend que « l'abstention des plaisirs est un grand péché »; Mandeville, *Fable des Abeilles*, — qui parut pour la première fois en anglais, en 1706, et en traduction française en 1740; Melon, *Essai politique sur le Commerce* (1734); Voltaire, *Le Mondain* (1735) mettant en vers les théories de Melon. Ce spirituel poème fit tellement scandale que l'auteur dut momentanément fuir de Cirey où il séjournait alors. Il écrivit encore une *Défense du Mondain*. Il s'y moque du Paradis Terrestre, le

> . . . jardin de ce premier bonhomme,
> Jardin fameux par le Diable et sa pomme.

Et il loue hautement le luxe:

> Le superflu, chose si nécessaire.

Voici quelques-uns de ces vers célèbres:

---

[1] Le mot « vertu » est pris dans différents sens dans l'œuvre de Rousseau; et il n'est pas superflu de le constater. Dans ce premier *Discours*, on parle surtout de vertu romaine, ou stoïque, ou calviniste de renoncement; dans le second *Discours*, on parlera plutôt de vertu d'innocence ou d'ignorance, propre à l'homme simple de la nature; et dans les grands ouvrages, on parlera surtout de la vertu de modération (du philosophe, comme Socrate ou Aristote). Voir dans le *Mercure de France*, 1er juin 1912, l'article « La Notion de Vertu dans le Premier Discours de J.-J. Rousseau », par Albert Schinz.

Regrettera qui veut le bon vieux Temps,
Et l'âge d'or et le règne d'Astrée,
Et les beaux jours de Saturne et de Rhée,[1]
Et le jardin de nos premiers parents;
Moi, je rends grâce à la nature sage
Qui pour mon bien m'a fait naître en cet âge
Tant décrié par nos pauvres docteurs:
Le temps profane est tout fait pour mes mœurs.
J'aime le luxe et même la mollesse,
Tous les plaisirs, les arts de toute espèce,
La propreté, le goût, les ornements:
Tout honnête homme a de tels sentiments.

. . . .

Était-ce vertu [chez l'homme de nature] ? C'était pure ignorance.
Quel idiot, s'il avait eu pour lors,
Quelque bon lit, aurait couché dehors !

Sur ce sujet, voir André Morize, *L'Apologie du luxe au XVIIIme siècle et Le Mondain de Voltaire* (Paris 1909), montrant comment « des dernières années du XVIIme siècle jusqu'aux alentours de 1750 (date du *Discours* de Rousseau) on assista à une transformation de l'opinion morale, au profit du luxe et aux dépens de la morale traditionnelle ».

Le *Discours sur les Sciences et les Arts* fit dès qu'il parut en 1750 (chez l'imprimeur Pissot) un bruit énorme, et souleva une formidable polémique: « une dispute littéraire à laquelle toute la France a paru prendre quelque part », dit l'abbé de La Porte.
5 Un savant (M. Reynolds, *Revue de Fribourg*, juillet 1904) signale 68 articles dirigés contre le premier *Discours* de Rousseau tôt après son apparition. Rousseau ne répondit publiquement qu'à quatre de ses contradicteurs: l'abbé Raynal, M. Gautier, professeur de mathématique et d'histoire à Nancy, le Roi de Pologne,
10 et M. Bordes, un de ses amis de Lyon. Le *Discours* fut aussi remarqué en Allemagne par le célèbre critique Lessing, qui discuta le nouvel écrivain dans la *Vossische Zeitung*, en avril 1752. (Voir, Ducros, *J.-J. Rousseau*, Vol. I, p. 190.)

Malgré tout ce bruit, le *Discours* ne rendit pas Rousseau riche.
15 Il ne reçut pas un sou de l'imprimeur. Il avait eu une augmentation de gages chez M. de Francueil; il avait été fait trésorier; mais le souci de cet argent le rendit malade. Il résolut de conformer sa vie aux idées de son *Discours;* il cessa d'aller « dans le monde », et il se tourna encore une fois vers la musique pour lui
20 demander du pain. Il se fit copiste de musique.

[1] Les premiers parents des dieux de la mythologie païenne.

Sitôt que ma résolution fut bien prise et bien confirmée, j'écrivis un billet à M. de Francueil pour lui en faire part, pour le remercier ainsi que Madame Dupin (sa belle-mère) de toutes leurs bontés, et pour leur demander leur pratique. Francueil, ne comprenant rien à ce billet, et me croyant 5 encore dans le transport de la fièvre, accourut chez moi; mais il trouva ma résolution si bien prise qu'il ne put parvenir à l'ébranler. Il alla dire à Madame Dupin, et à tout le monde que j'étais devenu fou. Je laissai dire et allai mon train. Je commençai ma réforme par ma parure; je 10 quittai la dorure et les bas blancs; je pris ma perruque ronde; [1] je posai l'épée; je vendis ma montre en me disant avec une joie incroyable: « Grâce au ciel, je n'aurai plus besoin de savoir l'heure qu'il est ».

A cause de sa célébrité, Rousseau eut bientôt une clientèle im- 15 portante.

Vers la même époque, il eut un succès musical sérieux avec son opéra champêtre *Le Devin du Village;* et un autre moins grand avec une comédie *Narcisse.* Dans ces deux œuvres d'imagination, il célèbre la simplicité des sentiments naturels en les opposant à 20 l'artificialité des sentiments mondains.

DISCOURS SUR L'ORIGINE DE L'INÉGALITÉ PARMI LES HOMMES

Cependant une nouvelle occasion s'offrit à Rousseau de développer ses idées de réforme sociale, et par là d'attirer l'attention sur son nom. Il n'y résista pas.

En 1753, la même Académie de Dijon qui avait couronné son 25 *Discours* de 1749 proposa un nouveau sujet de concours: « Quelle est l'origine de l'inégalité parmi les hommes, et si elle est autorisée par la loi naturelle ? » Cette fois Rousseau ne devait pas obtenir

---

[1] *Perruque ronde* = simple, par opposition aux perruques compliquées du temps, perruques au front de fer, au pied de pie, à la rhinocéros, au cabriolet, à l'inconstant, à la comète, à la lunatique . . . ou perruques pour le négligé, pour le conseil, perruque à bonnes fortunes, perruque à rendez-vous.

le prix;[1] mais pour les idées qu'il contient, son *Second Discours*,
publié en 1755, est au moins aussi important que le premier. Il
y oppose non plus seulement de petites républiques vertueuses
à de grandes puissances politiques corrompues moralement, mais
5 le bonheur d'un âge d'or de l'humanité aux ères de civilisation
modernes.

Rousseau médita son *Discours* dans la Forêt de Saint-Germain:

Pour méditer à mon aise ce grand sujet, je fis à Saint-
Germain un voyage de sept ou huit jours, avec Thérèse,
10 notre hôtesse, qui était une bonne femme, et une de ses amies.
Je compte cette promenade pour une des plus agréables de
ma vie. Il faisait très beau; ces bonnes femmes se chargè-
rent des soins et de la dépense; Thérèse s'amusait avec elles;
et moi, sans souci de rien, je venais m'égayer sans gêne aux
15 heures du repas. Tout le reste du jour, enfoncé dans la
forêt, j'y cherchais, j'y trouvais l'image des premiers temps
dont je retraçais fièrement l'histoire; je faisais main basse
sur les petits mensonges des hommes; j'osais dévoiler à nu
leur nature, suivre le progrès du temps et des choses qui
20 l'ont défigurée, et comparant l'homme de l'homme avec
l'homme naturel, leur montrer dans leur perfectionnement
prétendu, la véritable source de ses misères. Mon âme
exaltée par ces contemplations sublimes, s'élevait auprès de
la Divinité; et voyant de là mes semblables suivre, dans
25 l'aveugle route de leurs préjugés, celle de leurs erreurs, de
leurs malheurs, de leurs crimes, je leur criais d'une voix
faible qu'ils ne pouvaient entendre: « Insensés, qui vous
plaignez sans cesse de la nature, apprenez que tous vos
maux viennent de vous! »

30 L'âge d'or ne doit pas être identifié avec un état de la nature
chez Rousseau, ainsi qu'on le fait souvent. L'âge d'or de Rousseau est une période intermédiaire qu'il imagine avoir pu exister
entre un état de nature primordial, et l'état de la société civilisée.
Il y a donc pour Rousseau: (1) Un premier état de nature — où

---

[1] Il fut décerné à l'abbé Talbert (1754, — 35 pages).

l'homme n'est ni bon, ni méchant, ni heureux, ni malheureux; (2) un deuxième état de nature — où l'homme n'est pas méchant, est même bon, et heureux; et (3) l'état de la société civilisée — où l'homme est méchant et malheureux.

Voici des extraits montrant ce passage [1] d'une humanité inno-   5
cente et non-malheureuse (premier état de nature) à une humanité mauvaise et misérable.

LE PREMIER ÉTAT DE NATURE

A l'origine, l'homme comme les animaux, ne s'occupait que de ses besoins matériels.   Sa raison lui servait seulement à compenser son infériorité physique vis à vis de bêtes plus grandes et 10
plus fortes.   Il inventa la massue, l'arc et les flèches.   Mais ensuite les conditions changèrent; les hommes étaient devenus plus nombreux à la surface de la terre; ils se répandirent forcément dans des pays moins fertiles, et la raison dut s'employer à seconder la nature dans la production des choses nécessaires à la vie.   On 15
vit alors

La Naissance de l'Industrie

A mesure que le genre humain s'étendit, les peines se multiplièrent avec les hommes.   La différence des terrains, des climats, des saisons, put les forcer à en mettre dans leur manière de vivre.   Des années stériles, des hivers longs et 20
rudes, des étés brûlants, qui consument tout, exigèrent d'eux une nouvelle industrie.   Le long de la mer et des rivières, ils inventèrent la ligne et l'hameçon, et devinrent pêcheurs et ichthyophages.   Dans les forêts, ils se firent des arcs et des flèches, et devinrent chasseurs et guerriers.   Dans les 25
pays froids, ils se couvrirent des peaux des bêtes qu'ils avaient tuées.   Le tonnerre, un volcan, ou quelque heureux hasard, leur fit connaître le feu, nouvelle ressource contre la rigueur de l'hiver: ils apprirent à conserver cet élément, puis à le reproduire, et enfin à en préparer les viandes qu'auparavant 30
ils dévoraient crues.

---

[1] Les passages très intéressants où Rousseau parle du rôle du langage dans cette évolution. ont été omis ici.

Ces premiers progrès mirent enfin l'homme à portée d'en faire de plus rapides. Plus l'esprit s'éclairait, et plus l'industrie se perfectionna. Bientôt, cessant de s'endormir sous le premier arbre, ou de se retirer dans des cavernes, on
5 trouva quelques sortes de haches, de pierres dures et tranchantes qui servirent à couper du bois, creuser la terre, et faire des huttes de branchages, qu'on s'avisa ensuite d'enduire d'argile et de boue. Ce fut là l'époque d'une première révolution, qui forma l'établissement et la distinction des
10 familles, et qui introduisit une sorte de propriété, d'où peut-être naquirent déjà bien des querelles et des combats. Cependant comme les plus forts furent vraisemblablement les premiers à se faire des logements qu'ils se sentaient capables de défendre, il est à croire que les faibles trouvèrent plus
15 court et plus sûr de les imiter que de tenter de les déloger: et quant à ceux qui avaient déjà des cabanes, aucun d'eux ne dut chercher à s'approprier celle de son voisin, moins parce qu'elle ne lui appartenait pas, que parce qu'elle lui était inutile, et qu'il ne pouvait s'en emparer sans s'exposer à un
20 combat très-vif avec la famille qui l'occupait.

Pour Rousseau, ce ne fut donc pas le développement intellectuel et industriel qui fut le résultat du développement psychique et moral, mais au contraire le développement intellectuel et industriel eut lieu d'abord et entraîna à sa suite le développement
25 psychique et moral.

La Famille, les Premiers Luxes, et les Premiers Arts

Les premiers développements du cœur furent l'effet d'une situation nouvelle qui réunissait dans une habitation commune les maris et les femmes, les pères et les enfants. L'habitude de vivre ensemble fit naître les plus doux senti-
30 ments qui soient connus des hommes: l'amour conjugal et l'amour paternel. Chaque famille devint une petite société d'autant mieux unie que l'attachement réciproque et la liberté en étaient les seuls liens; et ce fut alors que

s'établit la première différence dans la manière de vivre des
deux sexes, qui jusqu'alors n'en avaient eu qu'une. Les
femmes devinrent plus sédentaires, et s'accoutumèrent à
garder la cabane et les enfants, tandis que l'homme allait
chercher la subsistance commune. Les deux sexes com- 5
mencèrent aussi, par une vie un peu plus molle, à perdre
quelque chose de leur férocité et de leur vigueur. Mais si
chacun séparément devint moins propre à combattre les
bêtes sauvages, en revanche, il fut plus aisé de s'assembler
pour leur résister en commun.....   10

  Tout commence à changer de face. Les hommes errant
jusqu'ici dans les bois, ayant pris une assiette plus fixe, se
rapprochent lentement, se réunissent en diverses troupes, et
forment enfin dans chaque contrée une nation particulière,
unie de mœurs et de caractères, non par des règlements et 15
des lois, mais par le même genre de vie et d'aliments, et par
l'influence commune du climat. Un voisinage permanent
ne peut manquer d'engendrer enfin quelque liaison entre
diverses familles. Des jeunes gens de différents sexes habitent des cabanes voisines; le commerce passager que de- 20
mande la nature en amène un autre non moins doux, et plus
permanent par la fréquentation mutuelle. On s'accoutume
à considérer différents objets et à faire des comparaisons;
on acquiert insensiblement des idées de mérite et de beauté
qui produisent des sentiments de préférence. A force de se 25
voir, on ne peut plus se passer de se voir encore. Un sentiment tendre et doux s'insinue dans l'âme, et par la moindre
opposition devient une fureur impétueuse: la jalousie s'éveille
avec l'amour; la discorde triomphe, et la plus douce des
passions reçoit des sacrifices de sang humain.   30

  A mesure que les idées et les sentiments se succèdent, que
l'esprit et le cœur s'exercent, le genre humain continue à
s'apprivoiser, les liaisons s'étendent et les liens se resserrent.
On s'accoutuma à s'assembler devant les cabanes ou autour
d'un grand arbre: le chant et la danse, vrais enfants de 35

l'amour et du loisir, devinrent l'amusement ou plutôt l'occupation des hommes et des femmes oisifs et attroupés.
Chacun commença à regarder les autres et à vouloir être
regardé soi-même, et l'estime publique eut un prix. Celui
5 qui chantait ou dansait le mieux, le plus beau, le plus fort,
le plus adroit, ou le plus éloquent, devint le plus considéré;
et ce fut le premier pas vers l'inégalité, et vers le vice en
même temps: de ces premières préférences naquirent d'un
côté la vanité et le mépris; de l'autre, la honte et l'envie;
10 et la fermentation causée par ces nouveaux levains produisit
enfin des composés funestes au bonheur et à l'innocence.

Le Deuxième État de Nature ou l'Âge d'Or

Mais il faut remarquer que la société commencée et les
relations déjà établies exigeaient en eux des qualités différentes de celles qu'ils tenaient de leur constitution primitive;
15 que la moralité commençant à s'introduire dans les actions
humaines, et chacun, avant les lois, étant seul juge et vengeur
des offenses qu'il avait reçues, la bonté convenable au pur
état de nature n'était plus celle qui convenait à la société
naissante: qu'il fallait que les punitions devinssent plus
20 sévères à mesure que les occasions d'offenser devenaient plus
fréquentes, et que c'était à la terreur des vengeances de
tenir lieu du frein des lois. Ainsi, quoique les hommes fussent devenus moins endurants, et que la pitié naturelle eût
déjà souffert quelque altération, cette période du dévelop-
25 pement des facultés humaines, tenant un juste milieu entre
l'indolence de l'état primitif et la pétulante activité de notre
amour-propre, dut être l'époque la plus heureuse et la plus
durable. Plus on y réfléchit, plus on trouve que cet état
était le moins sujet aux révolutions, le meilleur à l'homme,
30 et qu'il n'en a dû sortir que par quelque funeste hasard, qui,
pour l'utilité commune, eût dû ne jamais arriver. L'exemple des sauvages, qu'on a presque tous trouvés à ce point,

semble confirmer que le genre humain était fait pour y rester
toujours, que cet état est la véritable jeunesse du monde, et
que tous les progrès ultérieurs ont été, en apparence, autant
de pas vers la perfection de l'individu, et, en effet, vers la
décrépitude de l'espèce.   5

Tant que les hommes se contentèrent de leurs cabanes
rustiques, tant qu'ils se bornèrent à coudre leurs habits de
peaux avec des épines ou des arêtes, à se parer de plumes et
de coquillages, à se peindre le corps de diverses couleurs, à
perfectionner ou embellir leurs arcs et leurs flèches, à tailler 10
avec des pierres tranchantes quelques canots de pêcheurs ou
quelques grossiers instruments de musique; en un mot, tant
qu'ils ne s'appliquèrent qu'à des ouvrages qu'un seul pouvait
faire, et qu'à des arts qui n'avaient pas besoin du concours
de plusieurs mains, ils vécurent libres, sains, bons et heureux 15
autant qu'ils pouvaient l'être par leur nature, et conti-
nuèrent à jouir entre eux des douceurs d'un commerce indépendant: mais dès l'instant qu'un homme eut besoin du
secours d'un autre, dès qu'on s'aperçut qu'il était utile à un
seul d'avoir des provisions pour deux, l'égalité disparut, la 20
propriété s'introduisit, le travail devint nécessaire, et les
vastes forêts se changèrent en des campagnes riantes, qu'il
fallut arroser de la sueur des hommes, et dans lesquelles on
vit bientôt l'esclavage et la misère germer et croître avec
les moissons.   25

La métallurgie et l'agriculture furent les deux arts dont
l'invention produisit cette grande révolution.

L'État Social Civilisé ou la Dégénérescence du Genre Humain

Le « funeste hasard qui pour l'utilité commune eût dû ne
jamais arriver » est la découverte de l'emploi du feu pour forger
des instruments aratoires (qui, en permettant l'accumulation des 30
produits, favoriseront l'accumulation de richesses, le luxe, et la
vanité et la jalousie) et des armes perfectionnées (qui favorise-

ront les guerres fratricides). Une complexe organisation sociale, source de frictions constantes, devait naître.

Dès qu'il fallut des hommes pour fondre et forger le fer, il fallut d'autres hommes pour nourrir ceux-là. Plus le
5 nombre des ouvriers vint à se multiplier, moins il y eut de mains employées à la subsistance commune, sans qu'il y eut moins de bouches pour la consommer; et comme il fallut aux uns des denrées en échange de leur fer, les autres trouvèrent enfin le secret d'employer le fer à la multiplication des
10 denrées. De là naquirent d'un côté le labourage et l'agriculture, et de l'autre l'art de travailler les métaux et d'en multiplier les usages...

Voilà donc toutes nos facultés développées, la mémoire et l'imagination en jeu, l'amour-propre intéressé, la raison
15 rendue active, et l'esprit arrivé presque au terme de la perfection dont il est susceptible. Voilà toutes les qualités naturelles mises en action, le rang et le sort de chaque homme établis, non-seulement sur la quantité des biens et le pouvoir de servir ou de nuire, mais sur l'esprit, la beauté, la force ou
20 l'adresse, sur le mérite ou les talents; et ces qualités étant les seules qui pouvaient attirer de la considération, il fallut bientôt les avoir ou les affecter. Il fallut, pour son avantage, se montrer autre que ce qu'on était en effet. Être et paraître devinrent deux choses tout à fait différentes; et de
25 cette distinction sortirent le faste imposant, la ruse trompeuse, et tous les vices qui en sont le cortège. D'un autre côté, de libre et indépendant qu'était auparavant l'homme, le voilà, par une multitude de nouveaux besoins, assujetti pour ainsi dire à toute la nature, et surtout à ses semblables,
30 dont il devient l'esclave en un sens, même en devenant leur maître: riche, il a besoin de leurs services; pauvre, il a besoin de leurs secours, et la médiocrité ne le met point en état de se passer d'eux. Il faut donc qu'il cherche sans cesse à les intéresser à son sort, et à leur faire trouver, en effet ou en
35 apparence, leur profit à travailler pour le sien: ce qui le rend

fourbe et artificieux avec les uns, impérieux et dur avec les autres, et le met dans la nécessité d'abuser tous ceux dont il a besoin quand il ne peut s'en faire craindre, et qu'il ne trouve pas son intérêt à les servir utilement. Enfin l'ambition dévorante, l'ardeur d'élever sa fortune relative, moins par un véritable besoin que pour se mettre au-dessus des autres, inspire à tous les hommes un noir penchant à se nuire mutuellement, une jalousie secrète, d'autant plus dangereuse que, pour faire son coup plus en sûreté, elle prend souvent le masque de la bienveillance; en un mot, concurrence et rivalité d'une part, de l'autre oppositions d'intérêts, et toujours le désir caché de faire son profit aux dépens d'autrui: tous ces maux sont le premier effet de la propriété, et le cortège inséparable de l'inégalité naissante.

Avant qu'on eût inventé les signes représentatifs des richesses, elles ne pouvaient guère consister qu'en terres et en bestiaux, les seuls biens réels que les hommes puissent posséder. Or, quand les héritages se furent accrus en nombre et en étendue au point de couvrir le sol entier et de se toucher tous, les uns ne purent plus s'agrandir qu'aux dépens des autres, et les surnuméraires que la faiblesse ou l'indolence avaient empêchés d'en acquérir à leur tour, devenus pauvres sans avoir rien perdu, parce que, tout changeant autour d'eux, eux seuls n'avaient point changé, furent obligés de recevoir ou de ravir leur subsistance de la main des riches; et de là commencèrent à naître, selon les divers caractères des uns et des autres, la domination et la servitude, ou la violence et les rapines. Les riches, de leur côté, connurent à peine le plaisir de dominer, qu'ils dédaignèrent bientôt tous les autres; et, se servant de leurs anciens esclaves pour en soumettre de nouveaux, ils ne songèrent qu'à subjuguer et asservir leurs voisins: semblables à ces loups affamés qui, ayant une fois goûté de la chair humaine, rebutent toute autre nourriture, et ne veulent plus que dévorer des hommes.

C'est ainsi que, les plus puissants ou les plus misérables, se faisant de leurs forces ou de leurs besoins une sorte de droit au bien d'autrui, équivalant, selon eux, à celui de propriété, l'égalité rompue fut suivie du plus affreux désordre; 5 c'est ainsi que les usurpations des riches, les brigandages des pauvres, les passions effrénées de tous, étouffant la pitié naturelle et la voix encore faible de la justice, rendirent les hommes avares, ambitieux et méchants. Il s'élevait entre le droit du plus fort et le droit du premier occupant un con- 10 flit perpétuel qui ne se terminait que par des combats et des meurtres. La société naissante fit place au plus horrible état de guerre: le genre humain, avili et désolé, ne pouvant plus retourner sur ses pas, ni renoncer aux acquisitions malheureuses qu'il avait faites, et ne travaillant qu'à sa honte, 15 par l'abus des facultés qui l'honorent, se mit lui-même à la veille de sa ruine.

> Attonitus novitate mali, divesque, miserque,
> Effugere optat opes, et quæ modo voverat odit.[1]

Il n'est pas possible que les hommes n'aient fait enfin des réflexions sur une situation aussi misérable et sur les calamités dont ils étaient accablés. Les riches surtout durent bientôt 20 sentir combien leur était désavantageuse une guerre perpétuelle, dont ils faisaient seuls tous les frais, et dans laquelle le risque de la vie était commun, et celui des biens particulier. D'ailleurs, quelque couleur qu'ils pussent donner à leurs usurpations, ils sentaient assez qu'elles n'étaient établies que 25 sur un droit précaire et abusif, et que, n'ayant été acquises que par la force, la force pouvait les leur ôter sans qu'ils eussent raison de s'en plaindre. Ceux mêmes que la seule industrie avait enrichis ne pouvaient guère fonder leurs propriétés

---

[1] Surpris de ce mal nouveau, riche et indigent à la fois, il désire fuir sa richesse, et prend en horreur l'objet de ses vœux. (Ovide, *Métamorph.* XI, 127–28).

sur de meilleurs titres. Ils avaient beau dire: C'est moi
qui ai bâti ce mur; j'ai gagné ce terrain par mon travail.
Qui vous a donné les alignements, leur pouvait-on répondre;
et en vertu de quoi prétendez-vous être payés à nos dépens
d'un travail que nous ne vous avons point imposé? Ignorez- 5
vous qu'une multitude de vos frères périt ou souffre du besoin
de ce que vous avez de trop, et qu'il vous fallait un consentement exprès ou unanime du genre humain pour vous approprier sur la subsistance commune tout ce qui allait au
delà de la vôtre? Destitué de raisons valables pour se 10
justifier et de forces suffisantes pour se défendre; écrasant
facilement un particulier, mais écrasé lui-même par des
troupes de bandits; seul contre tous, et ne pouvant, à cause
des jalousies mutuelles, s'unir avec ses égaux contre des
ennemis unis par l'espoir commun du pillage, le riche, pressé 15
par la nécessité, conçut enfin le projet le plus réfléchi qui
soit jamais entré dans l'esprit humain: ce fut d'employer
en sa faveur les forces mêmes de ceux qui l'attaquaient,
de faire ses défenseurs de ses adversaires, de leur inspirer
d'autres maximes, et de leur donner d'autres institutions qui 20
lui fussent aussi favorables que le droit naturel lui était
contraire.

Dans cette vue, après avoir exposé à ses voisins l'horreur
d'une situation qui les armait tous les uns contre les autres,
qui leur rendait leurs possessions aussi onéreuses que leurs 25
besoins, et où nul ne trouvait sa sûreté ni dans la pauvreté
ni dans la richesse, il inventa aisément des raisons spécieuses
pour les amener à son but. « Unissons-nous, leur dit-il,
pour garantir de l'oppression les faibles, contenir les ambitieux, et assurer à chacun la possession de ce qui lui appar- 30
tient: instituons des règlements de justice et de paix auxquels
tous soient obligés de se conformer, qui ne fassent acception
de personnes, et qui réparent en quelque sorte les caprices
de la fortune, en soumettant également le puissant et le
faible à des devoirs mutuels. En un mot, au lieu de tourner 35

nos forces contre nous-mêmes, rassemblons-les en un pouvoir
suprême qui nous gouverne selon de sages lois, qui protège
et défende tous les membres de l'association, repousse les
ennemis communs, et nous maintienne dans une concorde
5 éternelle. »

Il en fallut beaucoup moins que l'équivalent de ce discours
pour entraîner des hommes grossiers, faciles à séduire, qui
d'ailleurs avaient trop d'affaires à démêler entre eux pour
pouvoir se passer d'arbitres, et trop d'avarice et d'ambition
10 pour pouvoir longtemps se passer de maîtres. Tous couru-
rent au-devant de leurs fers, croyant assurer leur liberté:
car avec assez de raison pour sentir les avantages d'un
établissement politique, ils n'avaient pas assez d'expérience
pour en prévoir les dangers: les plus capables de pressentir
15 les abus étaient précisément ceux qui comptaient en profiter;
et les sages mêmes virent qu'il fallait se résoudre à sacrifier
une partie de leur liberté à la conservation de l'autre, comme
un blessé se fait couper le bras pour sauver le reste du
corps.

20 Telle fut ou dut être l'origine de la société et des lois, qui
donnèrent de nouvelles forces au riche, détruisirent sans
retour la liberté naturelle, fixèrent pour jamais la loi de la
propriété et de l'inégalité, d'une adroite usurpation firent
une loi irrévocable, et, pour le profit de quelques ambitieux,
25 assujettirent désormais tout le genre humain au travail, à
la servitude et à la misère. On voit aisément comment
l'établissement d'une seule société rendit indispensable
celui de toutes les autres, et comment, pour faire tête à des
forces unies, il fallut s'unir à son tour.

La Propriété

30 Le sujet propre du *Discours* est l'origine de l'inégalité: Selon
Rousseau c'est la propriété. Voici le passage célèbre dont la
Révolution fit son profit:

Le premier qui, ayant enclos un terrain, s'avisa de dire: *Ceci est à moi*, et trouva des gens assez simples pour le croire, fut le vrai fondateur de la société civile. Que de crimes, de guerres, de meurtres, que de misères et d'horreurs n'eût point épargnés au genre humain celui qui, arrachant les pieux et comblant le fossé, eût crié à ses semblables: « Gardez-vous d'écouter cet imposteur; vous êtes perdu si vous oubliez que les fruits sont à tous, et que la terre n'est à personne! » Mais il y a grande apparence qu'alors les choses en étaient déjà venues au point de ne pouvoir plus durer comme elles étaient: car cette idée de propriété, dépendant de beaucoup d'idées antérieures qui n'ont pu naître que successivement, ne se forma pas tout d'un coup dans l'esprit humain: il fallut faire bien des progrès, acquérir bien de l'industrie et des lumières, les transmettre et les augmenter d'âge en âge, avant d'arriver à ce dernier terme de l'état de nature.

Rousseau a discuté plus tard de nouveau l'idée de la propriété. Il n'a jamais refusé de la reconnaître; et il reconnaît ce « droit », mais il le soumettra à un code de loi qui empêchera quelques individus forts ou privilégiés d'accaparer toute la terre aux dépens de la multitude des individus faibles. (Voir: fin du *Discours*, article sur l'*Économie politique* (*Encyclopédie*), *Contrat Social*, 1, 9, *Émile* 5). Dans le *Contrat Social*, la thèse se ramène à ceci: L'État a toujours le droit de réclamer le « domaine » en cas de besoin (« Du Domaine réel »).[1]

---

[1] Sur ce sujet particulier de « la Propriété » chez Rousseau, voir l'excellente Note de C. E. Vaughan, Du Contrat Social, éd. *Mod. Lang. Series*, Manchester Univ. Press (1918), pp. 132-135.

Sur les idées et les précurseurs de Rousseau en ce qui concerne le *Second Discours*, voir: Les Notes de Rousseau lui-même; J. Morel, *Annales J.-J. Rousseau*, V, pp. 119-198, « Recherches sur les sources du Discours sur l'Inégalité »; G. Chinard, *Publ. Mod. Lang. Ass. of Am.*, Sept. 1911, « Influence des Récits de Voyageurs sur la Philosophie de R.»; Albert Schinz, *Rev. du XVIIIme siècle*, 1913, pp. 436-447, « Théorie de la Bonté naturelle chez Rousseau ».

Note sur la Théorie de l'Âge d'Or avant Rousseau

Les théories relatives à un âge d'or sont légion avant Rousseau. Sans parler de la Bible, rappelons Homère (*Iliade* 13), Hésiode (*Travaux et Jours*), Pindare (*Hymnes olympiques*, 2), Arétos, chez les Grecs; chez les Latins, Lucrèce (*De Natura Rerum*, 5) et Sénèque (*Épitre*, 90) — les plus comparables à Rousseau —, Virgile (*Géorgique*, 1, *Énéide*, 7 et 8; et *Églogue* 4 qui place l'âge d'or dans le futur), Horace (*Épode* 16, qui le représente dans quelque île éloignée, mais à l'époque contemporaine), Tacite (*Annales* 3). Chez Juvénal (*Satires*, 1, 6, 13), Tibulle (1, 3) et Properce (3, 13) ce n'est pas tant un âge de bonheur qu'un âge de vertu qui est opposé à la corruption de l'époque.

En France citons particulièrement Montaigne, *Des Cannibales* (*Essais* I, 31) et Fénelon, *Télémaque* (VII). L'Âge d'or de Rousseau est plus philosophiquement conçu que celui de ces deux grands prédécesseurs. Montaigne oppose la moralité des sauvages, très douce et rationnelle dans leur communisme, à la morale d'envie et de haine des sociétés dites civilisées, et le cannibalisme innocent inspiré par le seul honneur du guerrier, aux actes de sauvagerie inspirés par le fanatisme religieux et politique des Européens du XVIme siècle; Fénelon oppose à l'âge brillant, mais malheureux de la fin du règne de Louis XIV, un rêve de poète, et possible seulement avec des mœurs plus simples. Dans l'âge d'or de Rousseau, d'abord, ce sont les possibilités du bonheur plus que des réalités qui sont discutées: les hommes étaient plus susceptibles de bonheur avant qu'après, mais Rousseau n'affirme pas qu'ils aient vraiment réalisé ce bonheur même. Ensuite, chez Rousseau, cet âge d'or est nécessairement transitoire; car, c'est dans la nature psychologique de l'homme d'évoluer; son intelligence lui suggère des buts qu'il veut réaliser; il aura toujours au cœur la curiosité naturelle décrite dans l'histoire de nos premiers parents; et comme il ne sait pas si l'état auquel il aspire ne sera pas plus heureux que son état d'alors, il veut essayer. Rousseau ne demandera donc jamais que l'homme revienne en arrière — ce serait inutile — ni qu'il redevienne sain; mais seulement qu'il tâche d'être aussi peu malade que possible. On a souvent mal compris Rousseau; ainsi le premier, Voltaire dans la fameuse lettre, qui commence par ces mots: « J'ai reçu, monsieur, votre nouveau livre contre le genre humain ... On ne peut peindre avec des couleurs plus fortes les horreurs de la société humaine dont notre ignorance et notre faiblesse se promettent tant de douceurs. On n'a jamais employé tant d'esprit à nous rendre bêtes; il prend envie de marcher à quatre pattes quand on lit votre ouvrage ... » (*Lettre* du 30 août, 1756.)

L'Ermitage de Montmorency

(9 Avril 1756 — 15 décembre 1757)

En 1754 Rousseau fit un voyage à Genève, « Gauffecourt (un de ses amis) avec lequel j'étais extrêmement lié, se voyant obligé d'aller à Genève pour son emploi, me proposa ce voyage; j'y consentis ... Nous partîmes le 1er juin 1754. » Ses concitoyens reçoivent avec de grands honneurs l'enfant de Genève devenu 5 célèbre. Rousseau qui avait appris à apprécier la petite république « vertueuse » durant son séjour dans le grand Paris mondain, profita de l'occasion pour réclamer son titre de Citoyen de Genève.[1] Cependant, à cette époque, il ne pouvait jouir de ses droits de citoyen sans rentrer dans l'Église protestante. Il abjura donc 10 le Catholicisme et reprit la religion de ses pères.

Cependant, le *Discours sur l'Inégalité* n'avait pas été publié; Rousseau avait écrit une *Dédicace* « A la République de Genève », qu'il signa « Chambéry, 12 juin, 1754 », où il s'était arrêté pour revoir Madame de Warens. Il décrivait un pays idéal — assez 15 petit pour qu'il n'y ait pas de querelle, où les fortunes ne soient pas trop inégales, où les mêmes lois, qui auraient été sanctionnées par une longue expérience, régiraient tout le monde, où la configuration géographique du pays empêche toute pensée d'ambitions et de conquêtes, un pays aussi qui serait charmant de paysage — 20 et il disait: « Ce pays idéal existe, c'est Genève, ma patrie. »[2]

Rousseau rentra à Paris, fin septembre. On s'était quitté espérant se revoir. Mais lorsque parut enfin le *Second Discours* (à Amsterdam, juin 1755, sous le titre de *Discours sur l'Origine et les Fondements de l'Inégalité parmi les Hommes*) les Genevois 25

[1] Ce titre de Citoyen de Genève est souvent mal compris. Citoyen signifiait à Genève: membre de la classe de bourgeois qui votait, par opposition à la classe du peuple qui ne votait pas; donc c'était un titre honorifique, presque aristocratique. Plus tard, quand la Révolution eut éclaté en France, le terme citoyen désignait les gens du peuple qui jusque là n'avaient pas voté, par opposition aux nobles; et le titre que Rousseau se donnait, de citoyen de Genève, fut interprété comme une proclamation anticipée des droits du peuple.

[2] M. Masson pense que, quoique daté d'avant, ceci fut écrit après le charmant accueil des Genevois (*Religion de J.-J. Rousseau*, I, p. 196).

de la Haute Ville, les « Magnifiques, Très Honorés et Souverains Seigneurs » à qui la *Dédicace* était adressée, furent choqués des idées démocratiques de l'auteur (par exemple, sur la propriété). Le peuple au contraire l'acclamait.[1] L'offre fut cependant faite 5 à Rousseau de rentrer à Genève pour y occuper la position de Bibliothécaire.[2] Rousseau déclina. D'autre part, il ne voulait plus rester dans la grande ville. Il accepta alors l'offre de Madame d'Épinay,[3] une de ses amies et protectrices de Paris. Voici ce charmant épisode — qui devait mal aboutir.

10 Ce mauvais succès ne m'aurait pourtant pas détourné d'exécuter ma retraite à Genève, si des motifs plus puissants sur mon cœur n'y avaient concouru. M. d'Épinay, voulant ajouter une aile qui manquait au château de Chevrette, faisait une dépense immense pour l'achever. Étant allé 15 voir un jour, avec madame d'Épinay ces ouvrages, nous poussâmes notre promenade un quart de lieue plus loin, jusqu'au réservoir des eaux du parc, qui touchait la forêt de Montmorency, et où était un joli potager, avec une petite loge fort délabrée, qu'on appelait l'Ermitage. Ce lieu solitaire 20 et très agréable m'avait frappé, quand je le vis pour la première fois, avant mon voyage à Genève. Il m'était échappé de dire dans mon transport: « Ah! madame, quelle habitation délicieuse! Voilà un asile tout fait pour moi. » Madame d'Épinay ne releva pas beaucoup mon discours;

[1] En dehors de Genève, le succès du *Second Discours* fut moins bruyant que celui du premier. Il fut cependant réel; il y eut une 2me éd. en 1759, et une 3me en 1762, — sans compter les nombreuses éd. piratées. Il fut peut-être moins abondamment discuté que le premier, mais par des hommes plus importants, Fréron, Grimm. C'est à son propos que Voltaire écrivit la lettre déjà citée. Ch. Bonnet, le savant Genevois, sous le nom de Philopolis, adressa un article au *Mercure de France*, 25 août 1755, auquel Rousseau répondit.

[2] Une première fois en février 1756, une seconde en février 1757.

[3] Femme du fermier général. M. de Francueil lui avait présenté Rousseau. Le goût de la musique les avait rapprochés. Son château de La Chevrette était dans la charmante Vallée de Montmorency, à quelques lieues de Paris.

mais, à ce second voyage, je fus tout surpris de trouver, au lieu de la vieille masure, une petite maison presque entièrement neuve, fort bien distribuée, et très logeable pour un petit ménage de trois personnes. Madame d'Épinay avait fait faire cet ouvrage en silence et à très peu de frais, en détachant quelques matériaux et quelques ouvriers de ceux du château. Au second voyage, elle me dit en voyant ma surprise: « Mon ours, voilà votre asile; c'est vous qui l'avez choisi, c'est l'amitié qui vous l'offre; j'espère qu'elle vous ôtera la cruelle idée de vous éloigner de moi. » Je ne crois pas avoir été de mes jours plus vivement, plus délicieusement ému: je mouillai de pleurs la main bienfaisante de mon amie; et si je ne fus pas vaincu dès cet instant même, je fus extrêmement ébranlé. Madame d'Épinay, qui ne voulait pas en avoir le démenti, devint si pressante, employa tant de moyens, tant de gens pour me circonvenir, jusqu'à gagner pour cela madame Le Vasseur et sa fille, qu'enfin elle triompha de mes résolutions. Renonçant au séjour de ma patrie, je résolus, je promis d'habiter l'Ermitage; et en attendant que le bâtiment fût sec, elle prit soin d'en préparer les meubles, en sorte que tout fut prêt pour y entrer le printemps suivant. . . . . .

Ce fut le 9 avril 1756, que je quittai la ville pour n'y plus habiter,[1] car je ne compte pas pour habitation quelques courts séjours que j'ai faits depuis, tant à Paris qu'à Londres et dans d'autres villes, mais toujours de passage, ou toujours malgré moi. Madame d'Épinay vint nous prendre tous trois dans son carrosse; son fermier vint charger mon petit bagage, et je fus installé dès le même jour. Je trouvai ma petite retraite arrangée et meublée simplement, mais proprement et même avec goût. La main qui avait donné ses soins à cet ameublement le rendait à mes yeux d'un prix inestimable, et je trouvais délicieux d'être l'hôte de mon

---

[1] Rousseau fit cependant un séjour prolongé à Paris de 1770-1778, mais il écrivait cela aux années précédant la première dade.

amie, dans une maison de mon choix, qu'elle avait bâtie
exprès pour moi.

Quoiqu'il fît froid et qu'il y eût même encore de la neige,
la terre commençait à végéter; on voyait des violettes et des
5 primevères; les bourgeons des arbres commençaient à poindre,
et la nuit même de mon arrivée fut marquée par le premier
chant du rossignol, qui se fit entendre presque à ma fenêtre, dans un bois qui touchait la maison. Après un léger
sommeil, oubliant à mon réveil ma transplantation, je me
10 croyais encore dans la rue de Grenelle,[1] quand tout à coup
ce ramage me fit tressaillir, et je m'écriai dans mon transport:
« Enfin, tous mes vœux sont accomplis! » Mon premier
soin fut de me livrer à l'impression des objets champêtres
dont j'étais entouré. Au lieu de commencer à m'arranger
15 dans mon logement, je commençai par m'arranger pour
mes promenades, et il n'y eut pas un sentier, pas un taillis,
pas un bosquet, pas un réduit autour de ma demeure, que
je n'eusse parcouru dès le lendemain. Plus j'examinais
cette charmante retraite, plus je la sentais faite pour moi.
20 Ce lieu solitaire, plutôt que sauvage, me transportait en
idée au bout du monde. Il avait de ces beautés touchantes
qu'on ne trouve guère auprès des villes; et jamais, en s'y
trouvant transporté tout d'un coup, on n'eût pu se croire à
quatre lieues de Paris.

25 Après quelques jours livrés à mon délire champêtre, je
songeai à ranger mes paperasses et à régler mes occupations.
Je destinai, comme j'avais toujours fait, mes matinées à la
copie [2] et mes après-dînées à la promenade, muni de mon
petit livret blanc et de mon crayon: car, n'ayant jamais pu
30 écrire et penser à mon aise que *sub dio*,[3] je n'étais pas tenté
de changer de méthode, et je comptais bien que la forêt
de Montmorency, qui était presque à ma porte, serait

---

[1] Où il avait habité à Paris.

[2] A la copie de musique, qu'il faisait pour vivre.

[3] Ou *sub Jove*, sous le ciel ouvert.

désormais mon cabinet de travail. J'avais plusieurs écrits commencés; j'en fis la revue. J'étais assez magnifique en projets.

Rousseau cependant ne vécut — avec Thérèse Levasseur et la mère de celle-ci — qu'un an et demi à l'Ermitage. Il y eut 5 brouille entre les deux amis; et cette affaire est très complexe. Il y avait une querelle personnelle: Grimm, l'ami de Diderot et de Rousseau, était jaloux des bontés de Madame d'Épinay pour Rousseau. Il y avait aussi une querelle philosophique: Rousseau avait cessé de faire cause commune avec le groupe des écrivains 10 « encyclopédistes » auquel appartenaient les mêmes Diderot et Grimm, D'Alembert, etc., et même il combattait maintenant leurs doctrines extrêmement libres ... Enfin la crise se produisit en suite de l'amour passionné que Rousseau éprouvait pour Madame d'Houdetot, belle-sœur de Madame d'Épinay. Le 15 cœur de Madame d'Houdetot n'était pas libre, et Rousseau dut se contenter de son amitié; mais il crut avoir des preuves que Madame d'Épinay avait été indiscrète dans cette affaire. Les malentendus se multipliant, Rousseau quitta l'Ermitage soudainement et en plein hiver, 15 déc. 1757.[1]

20

LETTRE A D'ALEMBERT SUR LES SPECTACLES

Rousseau alla habiter — cette fois seul avec Thérèse — une petite maison qu'on lui loua dans le village de Montmorency. Elle était située dans un beau jardin, sur la colline de Mont-Louis. Il s'y installa dès le 15 décembre, le jour où il quitta l'Ermitage, et il y demeura jusqu'au moment où il dut s'enfuir en Suisse, le 25 9 juin 1762.

[1] Cet épisode de la vie de Rousseau a été discuté avec plus de passion que nul autre. Les principaux livres à consulter sont: Rousseau, *Les Confessions;* Mme d'Épinay, *Mémoires* (publiés 1818); puis, Perey et Maugras, *Voltaire et J.-J. Rousseau* (1883); Brunel, *Nouvelle Héloïse et Mme d'Houdetot* (1888); Rey, *J.-J. Rousseau dans la Vallée de Montmorency* (1909); Mme Macdonald, *J.-J. Rousseau, A New Criticism* (1906); E. Ritter, *Annales J.-J. Rousseau,* 1906. Un aperçu de cette affaire a été donné dans *The Nation* (N. Y.) 14 déc. 1918, par Albert Schinz.

C'est là qu'il composa, presque dès son arrivée, la fameuse
Lettre à M. d'Alembert sur les Spectacles.   En voici les circonstances, rapportées par Rousseau lui-même:

Dans la dernière visite que Diderot m'avait faite à l'Ermitage, il m'avait parlé de l'article Genève, que d'Alembert
avait mis dans l'*Encyclopédie;* il m'avait appris que cet
article, concerté avec les Genevois du haut étage, avait pour
but l'établissement de la comédie [1] à Genève; qu'en conséquence les mesures étaient prises, et que cet établissement
ne tarderait pas d'avoir lieu.   Comme Diderot paraissait
trouver tout cela fort bien, qu'il ne doutait pas du succès,
et que j'avais avec lui trop d'autres débats pour disputer
encore sur cet article, je ne lui dis rien; mais, indigné de
tout ce manège de séduction dans ma patrie, j'attendais
avec impatience le volume de l'*Encyclopédie* où était cet
article, pour voir s'il n'y aurait pas moyen d'y faire quelque
réponse qui pût parer ce malheureux coup.   Je reçus le
volume peu après mon établissement à Mont-Louis, et je
trouvai l'article fait avec beaucoup d'adresse et d'art, et
digne de la plume dont il était parti.   Cela ne me détourna
pourtant pas de vouloir y répondre; et, malgré l'abattement
où j'étais, malgré mes chagrins et mes maux, la rigueur de la
saison et l'incommodité de ma nouvelle demeure, dans laquelle
je n'avais pas encore eu le temps de m'arranger, je me mis à
l'ouvrage avec un zèle qui surmonta tout.

Pendant un hiver assez rude, au mois de février, et dans
l'état que j'ai décrit ci-devant, j'allais tous les jours passer
deux heures le matin, et autant l'après-dînée, dans un donjon tout ouvert, que j'avais au bout du jardin où était mon
habitation.   Ce donjon, qui terminait une allée en terrasse,
donnait sur la vallée et l'étang de Montmorency, et m'offrait, pour terme du point de vue, le simple, mais
respectable château de Saint-Gratien, retraite du vertueux

---

[1] Le mot « comédie » avait à l'époque le sens très général de **théâtre**.

Catinat.[1]   Ce fut dans ce lieu, pour lors glacé, que, sans
abri contre le vent et la neige, et sans autre feu que celui de
mon cœur, je composai, dans l'espace de trois semaines,
ma *Lettre à d'Alembert sur les spectacles*.

Ce qui indigna Rousseau dans cet article, c'est que d'Alembert, 5
après avoir fait l'éloge de la petite République, ajoutait que
l'établissement d'un théâtre dans la ville ne pourrait que contribuer
à former le goût des citoyens et ne nuirait en rien à la pureté des
mœurs.   Voici les premières lignes de ce passage:

On ne souffre point à Genève de comédie; ce n'est pas qu'on y 10
désapprouve les spectacles en eux-mêmes, mais on craint, dit-on,
le goût de parure, de dissipation et de libertinage que les troupes de
comédiens répandent parmi la jeunesse.   Cependant ne serait-il pas
possible de remédier à cet inconvénient, par des lois sévères et bien
exécutées sur la conduite des comédiens?   Par ce moyen Genève 15
aurait des spectacles et des mœurs, et jouirait de l'avantage des uns
et des autres: les représentations théâtrales formeraient le goût des
citoyens, et leur donneraient une finesse de tact, une délicatesse de
sentiment qu'il est très difficile d'acquérir sans ce secours.   La lit-
térature en profiterait, sans que le libertinage fît des progrès, et Genève 20
réunirait à la sagesse de Lacédémone la politesse d'Athènes. . . . .

Il est certain qu'il faut voir, dans l'article de l'Encyclopédie,
la main de Voltaire qui voyait dans le théâtre son plus cher
divertissement; d'Alembert était venu le voir quelque temps
auparavant.   C'est toute une longue histoire,[2] et qu'il faut résu- 25
mer en quelques mots.

Voltaire s'était installé à Genève en 1755, après sa rupture
avec Frédéric II, roi de Prusse.   Il avait voulu faire jouer des
comédies dans sa maison de Saint-Jean, aux Délices.   Le Consistoire (conseil d'église calviniste) s'y était opposé (31 juillet 30
1755).   Alors, l'hiver suivant, il avait fait jouer à Lausanne,

[1] Maréchal de France, l'un des meilleurs capitaines de Louis XIV
(1637-1712).   Ailleurs Rousseau dit: « Les deux plus grands, les deux
plus vertueux des modernes, Catinat, Fénelon » (*Nouv. Héloïse*, II, 18).

[2] Elle est résumée ici d'après L. Brunel, édition de *La Lettre sur les*
Spectacles (Hachette), Introduction, chap. II.

Zaïre et *L'Orphelin de la Chine*, deux de ses pièces, par une « troupe
de société ». Le succès obtenu l'avait encouragé; et, en 1758,
pendant l'été, il attirait à Carouge, en Savoie, mais aux portes
même de Genève, une troupe de comédiens de Dijon. Nombre
5 de Genevois allèrent aux représentations. Or c'est en automne
(2 oct.) que parut la *Lettre sur les Spectacles* de Rousseau; et
l'effet produit fut assez grand pour forcer Voltaire à renoncer à
ses plans pour le moment du moins.

    L'affaire ne finit pas là cependant. Voltaire ne voulut pas
10 s'avouer battu. Il décida de quitter le territoire de Genève et
acheta le château de Ferney, à quelques kilomètres seulement au
nord-ouest de Genève, mais sur territoire français (1759). Personne ne pouvait l'empêcher dès lors de jouer la comédie chez lui,
et pendant dix ans des représentations auront lieu. Cependant
15 Voltaire rêve toujours l'établissement d'un théâtre à Genève
même. En 1760 il tente un coup d'audace et fait jouer *L'Orphelin
de la Chine* aux Délices; mais il est rappelé à l'ordre par le Magnifique Conseil. En 1761 il lance un nouveau défi en établissant
comme une ceinture de théâtres autour de Genève: un, chez lui,
20 à Ferney; un, à Carouge; et un troisième, à Châtelaine. Enfin
en 1766, le théâtre est établi à Genève à la demande du Président
de Beauteville, représentant de la France à Genève pendant les
troubles de la République. Mais en 1768 le théâtre est incendié
par des Genevois, fanatiques partisans des idées de Rousseau.
25 La venue du grand acteur Lekain chez Voltaire contribue grande-
ment à avancer la cause du théâtre dans l'esprit des Genevois;
et en 1782, les « puissances garantes » ayant dû de nouveau intervenir dans les affaires politiques de Genève, l'on construisit une
nouvelle salle de théâtre permanente . . .

30   Le petit livre de Rousseau est intitulé ainsi:

    *J.-J. Rousseau, Citoyen de Genève, à M. D'Alembert, de l'Académie
françoise, de l'Académie royale des sciences de Paris, (etc.); Sur son
article* GENÈVE, *dans le septième volume de l'Encyclopédie, et particulièrement sur le projet d'établir un théâtre de comédie en cette ville.*

35   *Di meliora piis, erroremque hostibus illum.*[1]
                           (Virg., *Géorg.*, III, v. 513)

---

[1] Dieux, donnez des choses meilleures aux gens pieux, et réservez cette
erreur (le théâtre) aux méchants!

L'Immoralité du Théâtre

Cette discussion entre D'Alembert et Rousseau n'est qu'un épisode brillant d'une discussion longue et passionnée sur la « moralité du théâtre » — discussion dont on trouvera un bref résumé dans l'Introduction de L. Brunel à son édition de la *Lettre sur les Spectacles* (Hachette), et une étude plus approfondie par L. Bourquin, 5 « La Controverse sur la Comédie au XVIIIme siècle », dans *Revue d'Hist. Litt. de la France*, 1919.

Parmi les grands noms qui ont été mêlés à ces débats, rappelons seulement ceux de Racine, dans sa querelle avec les Jansénistes, Molière, à propos de *Tartufe* et de *Don Juan*, et Bossuet, 10 dans ses *Maximes et Réflexions sur la Comédie*.

Rousseau examine les théories selon lesquelles le théâtre aurait une influence moralisatrice: (A) Pour la Tragédie la théorie d'Aristote, selon laquelle le théâtre « purge les passions »;[1] c'est à dire que la tragédie en particulier, tout en éveillant en nous de 15 la pitié pour les victimes des passions humaines représentées sur la scène, nous porte à purger, ou purifier nos propres passions pour éviter de telles souffrances à nos semblables et à nous mêmes. (B) Pour la Comédie la théorie du « castigat ridendo mores »; c'est à dire que la comédie corrige les mœurs en 20 riant. Rousseau rejette avec vigueur ces théories. Un auteur ne réussit selon lui, au théâtre, que s'il plaît au public; or, pour être agréable au public, il faut flatter ses passions et ses défauts, et non pas les lui reprocher.

La scène, en général, est un tableau des passions humaines, 25 dont l'original est dans tous les cœurs: mais si le peintre n'avait soin de flatter ces passions, les spectateurs seraient bientôt rebutés, et ne voudraient plus se voir sous un aspect qui les fît mépriser d'eux-mêmes. Que s'il donne à quelques-unes des couleurs odieuses, c'est seulement à celles qui ne sont 30 point générales, et qu'on hait naturellement. Ainsi l'auteur

---

[1] Rappelons le texte d'Aristote, dans sa *Poétique:* « La tragédie est l'imitation d'une action grave et complète ayant une certaine étendue ... se développant avec des personnages qui agissent ... et opérant par la pitié et la terreur, la purgation des passions de la même nature ».

ne fait encore en cela que suivre le sentiment du public; et alors ces passions de rebut sont toujours employées à en faire valoir d'autres, sinon plus légitimes, du moins plus au gré des spectateurs. Il n'y a que la raison qui ne soit bonne à
5 rien sur la scène. Un homme sans passions, ou qui les dominerait toujours, n'y saurait intéresser personne; et l'on a déjà remarqué qu'un stoïcien, dans la tragédie, serait un personnage insupportable: dans la comédie, il ferait rire tout au plus.

10 Qu'on n'attribue donc pas au théâtre le pouvoir de changer des sentiments ni des mœurs qu'il ne peut que suivre et embellir. Un auteur qui voudrait heurter le goût général composerait bientôt pour lui seul. Quand Molière corrigea la scène comique, il attaqua des modes, des ridicules; mais il
15 ne choqua pas pour cela le goût du public, il le suivit ou le développa, comme fit aussi Corneille de son côté. C'était l'ancien théâtre qui commençait à choquer ce goût, parce que, dans un siècle devenu plus poli, le théâtre gardait sa première grossièreté. Aussi, le goût général ayant changé
20 depuis ces deux auteurs, si leurs chefs-d'œuvre étaient encore à paraître, tomberaient-ils infailliblement aujourd'hui. Les connaisseurs ont beau les admirer toujours, si le public les admire encore, c'est plus par honte de s'en dédire que par un vrai sentiment de leurs beautés. On dit que jamais une
25 bonne pièce ne tombe: vraiment je le crois bien, c'est que jamais une bonne pièce ne choque les mœurs[1] de son temps. Qui est-ce qui doute que sur nos théâtres la meilleure pièce de Sophocle ne tombât tout à plat? On ne saurait se mettre à la place des gens qui ne nous ressemblent point.

[1] Je dis le goût ou les mœurs indifféremment; car, bien que l'une de ces choses ne soit pas l'autre, elles ont toujours une origine commune et souffrent les mêmes révolutions. Ce qui ne signifie pas que le bon goût et les bonnes mœurs règnent toujours en même temps, proposition qui demande éclaircissement et discussion, mais qu'un certain état du goût répond toujours à un certain état des mœurs, ce qui est incontestable. (*Note de Rousseau.*)

Du reste, même si l'on voulait concéder que le théâtre rend vraiment la vertu aimable, comme la nature avait déjà mis dans notre cœur cet amour du bien, le théâtre est alors superflu si tel est son but.

Le théâtre, me dit-on, dirigé comme il peut et doit l'être, rend la vertu aimable et le vice odieux. Quoi donc! avant qu'il y eût des comédies n'aimait-on point les gens de bien? ne haïssait-on point les méchants? et ces sentiments sont-ils plus faibles dans les lieux dépourvus de spectacles? Le théâtre rend la vertu aimable... Il opère un grand prodige de faire ce que la nature et la raison font avant lui! Les méchants sont haïs sur la scène... Sont-ils aimés dans la société, quand on les y connaît pour tels? Est-il bien sûr que cette haine soit plutôt l'ouvrage de l'auteur que des forfaits qu'il leur fait commettre? Est-il bien sûr que le simple récit de ces forfaits nous en donnerait moins d'horreur que toutes les couleurs dont il nous les peint? Si tout son art consiste à nous montrer des malfaiteurs pour nous les rendre odieux, je ne vois point ce que cet art a de si admirable, et l'on ne prend là-dessus que trop d'autres leçons sans celle-là. Oserai-je ajouter un soupçon qui me vient? Je doute que tout homme à qui l'on exposera d'avance les crimes de Phèdre ou de Médée [1] ne les déteste plus encore au commencement qu'à la fin de la pièce: et si ce doute est fondé, que faut-il penser de cet effet si vanté du théâtre?

Je voudrais bien qu'on me montrât clairement et sans verbiage par quels moyens il pourrait produire en nous des sentiments que nous n'aurions pas, et nous faire juger des êtres moraux autrement que nous n'en jugeons en nous-mêmes. Que toutes ces vaines prétentions approfondies

[1] Phèdre éprouva un amour illicite pour Hippolyte, fils de la première femme de son époux, Thésée, roi d'Athènes; puis elle fut la cause de la mort d'Hippolyte l'ayant faussement accusé. Médée se vengea de l'abandon de son époux, Jason, roi des Argonautes, en tuant ses enfants, et puis elle-même. La *Phèdre* de Racine est de 1677; la *Médée* de Corneille, de 1635.

sont puériles et dépourvues de sens! Ah! si la beauté de la
vertu était l'ouvrage de l'art, il y a longtemps qu'il l'aurait
défigurée. Quant à moi, dût-on me traiter de méchant
encore pour oser soutenir que l'homme est né bon, je le pense
5 et crois l'avoir prouvé: la source de l'intérêt qui nous attache
à ce qui est honnête, et nous inspire de l'aversion pour le
mal, est en nous et non dans les pièces. Il n'y a point d'art
pour produire cet intérêt, mais seulement pour s'en prévaloir. L'amour du beau est un sentiment aussi naturel
10 au cœur humain que l'amour de soi-même; il n'y naît point
d'un arrangement de scènes; l'auteur ne l'y porte pas, il
l'y trouve; et de ce pur sentiment qu'il flatte naissent les
douces larmes qu'il fait couler.

A. La Tragédie

La *Bérénice* de Racine est un exemple de la façon dont le
15 théâtre nous *détourne* d'admirer la vertu:

On prétend nous guérir de l'amour par la peinture de ses
faiblesses. Je ne sais là-dessus comment les auteurs s'y
prennent; mais je vois que les spectateurs sont toujours
du parti de l'amant faible, et que souvent ils sont fâchés
20 qu'il ne le soit pas davantage. Je demande si c'est un grand
moyen d'éviter de lui ressembler.

Rappelez-vous, monsieur, une pièce à laquelle je crois
me souvenir d'avoir assisté avec vous, il y a quelques années,
et qui nous fit un plaisir auquel nous nous attendions peu,
25 soit qu'en effet l'auteur y eût mis plus de beautés théâtrales
que nous n'avions pensé, soit que l'actrice prêtât son charme
ordinaire au rôle qu'elle faisait valoir. Je veux parler de la
Bérénice de Racine.[1] Dans quelle disposition d'esprit le

---

[1] *Bérénice de Racine* (1670). Il s'agit d'une reprise donnée en 1752,
le 15 novembre ... Le Mercure (déc. 1752, I, 172) avait ces mots: « L'action simple et naturelle, les charmes, le son de voix touchant, et les larmes
délicieuses de Mlle Gaussin rendent la pièce plus intéressante qu'elle
n'est en effet ». (*Note de L. Brunel*, op. cit.)

spectateur voit-il commencer cette pièce? Dans un sentiment de mépris pour la faiblesse d'un empereur et d'un
Romain, qui balance, comme le dernier des hommes, entre
sa maîtresse et son devoir; qui, flottant incessamment dans
une déshonorante incertitude, avilit par des plaintes efFémi- 5
nées ce caractère presque divin que lui donne l'histoire; qui
fait chercher dans un vil soupirant de ruelle le bienfaiteur
du monde et les délices du genre humain. Qu'en pense
le même spectateur après la représentation? Il finit par
plaindre cet homme sensible qu'il méprisait, par s'intéresser 10
à cette même passion dont il lui faisait un crime, par murmurer en secret du sacrifice qu'il est forcé d'en faire aux lois
de la patrie. Voilà ce que chacun de nous éprouvait à la
représentation. Le rôle de Titus, très bien rendu,[1] eût
fait de l'effet s'il eût été plus digne de lui; mais tous sentirent 15
que l'intérêt principal était pour Bérénice, et que c'était le
sort de son amour qui déterminait l'espèce de la catastrophe.
Non que ses plaintes continuelles donnassent une grande
émotion durant le cours de la pièce: mais au cinquième
acte, où, cessant de se plaindre, l'air morne, l'œil sec et la 20
voix éteinte, elle faisait parler une douleur froide, approchante
du désespoir, l'art de l'actrice ajoutait au pathétique du
rôle, et les spectateurs, vivement touchés, commençaient à
pleurer quand Bérénice ne pleurait plus. Que signifiait
cela, sinon qu'on tremblait qu'elle ne fût renvoyée; qu'on 25
sentait d'avance la douleur dont son cœur serait pénétré;
et que chacun aurait voulu que Titus se laissât vaincre,
même au risque de l'en moins estimer? Ne voilà-t-il pas
une tragédie qui a bien rempli son objet, et qui a bien appris
aux spectateurs à surmonter les faiblesses de l'amour?   30

L'événement dément ces vœux secrets; mais qu'importe?
le dénoûment n'efface point l'effet de la pièce. La reine part
sans le congé du parterre: l'empereur la renvoie *invitus*

[1] Le rôle de Titus était tenu par La Noue, acteur et poète. (L.
Brunel.)

invitam,[1] on peut ajouter *invito spectatore*. Titus a beau rester Romain, il est seul de son parti; tous les spectateurs ont épousé Bérénice. . . . .

Qu'on nous peigne l'amour comme on voudra: il séduit, ou ce n'est pas lui. S'il est mal peint, la pièce est mauvaise; s'il est bien peint, il offusque tout ce qui l'accompagne. Ses combats, ses maux, ses souffrances, le rendent plus touchant encore que s'il n'avait nulle résistance à vaincre. Loin que ses tristes effets rebutent, il n'en devient que plus intéressant par ses malheurs mêmes. On se dit malgré soi qu'un senti- ment si délicieux console de tout. Une si douce image amollit insensiblement le cœur: on prend de la passion ce qui mène au plaisir; on en laisse ce qui tourmente. Personne ne se croit obligé d'être un héros; et c'est ainsi qu'admirant l'amour honnête on se livre à l'amour criminel.

Enfin, parlant du théâtre français, qui est pourtant « à peu près aussi parfait qu'il peut l'être », Rousseau dit encore:

On me dira que, dans ces pièces, le crime est toujours puni, et la vertu toujours récompensée. Je réponds que, quand cela serait, la plupart des actions tragiques n'étant que de pures fables, des événements qu'on sait être de l'in- vention du poëte, ne font pas une grande impression sur les spectateurs; à force de leur montrer qu'on veut les ins- truire, on ne les instruit plus. Je réponds encore que ces punitions et ces récompenses s'opèrent toujours par des moyens si peu communs, qu'on n'attend rien de pareil dans le cours naturel des choses humaines. Enfin je réponds en niant le fait. Il n'est ni ne peut être généralement vrai: car cet objet n'étant point celui sur lequel les auteurs diri- gent leurs pièces, ils doivent rarement l'atteindre, et souvent il serait un obstacle au succès. Vice ou vertu, qu'importe,

---

[1] Racine avait emprunté le sujet de sa tragédie à Suétone, l'historien, qui résume admirablement tout le sujet dans ces mots: (*Titus*) *dimisit Berenicem invitus invitam.*

pourvu qu'on en impose par un air de grandeur? Aussi la
scène française, sans contredit la plus parfaite, ou du moins
la plus régulière qui ait encore existé, n'est-elle pas moins le
triomphe des grands scélérats que des plus illustres héros:
témoin Catilina,[1] Mahomet,[2] Atrée,[3] et beaucoup d'autres. 5

. . . .

Qu'apprend-on dans *Phèdre* et dans *Œdipe,*[4] sinon que
l'homme n'est pas libre, et que le ciel le punit des crimes
qu'il lui fait commettre? Qu'apprend-on dans *Médée,* si
ce n'est jusqu'où la fureur de la jalousie peut rendre une
mère cruelle et dénaturée? Suivez la plupart des pièces 10
du Théâtre-Français; vous trouverez presque dans toutes
des monstres abominables et des actions atroces, utiles, si
l'on veut, à donner de l'intérêt aux pièces et de l'exercice
aux vertus, mais dangereuses certainement en ce qu'elles
accoutument les yeux du peuple à des horreurs qu'il ne 15
devrait pas même connaître, et à des forfaits qu'il ne
devrait pas supposer possibles. Il n'est pas même vrai que
le meurtre et le parricide y soient toujours odieux. A la
faveur de je ne sais quelles commodes suppositions, on les
rend permis, ou pardonnables. On a peine à ne pas excuser 20

---

[1] Catilina (109–61 avant J.-C.), patricien romain, qui fit une conju-
ration pour renverser la république de Rome, en 63, pour établir sa fortune sur les ruines de sa patrie. Il fut dénoncé par Cicéron. Crébillon
fit représenter une tragédie, *Catilina,* en 1748.

[2] *Mahomet* représenté dans la tragédie de Voltaire (1741) surtout sous
les couleurs d'un odieux fanatique.

[3] Atrée, fils de Pélope, roi de Mycènes, célèbre pour sa haine contre
Thyeste, son frère; il fit tuer deux des fils de ce dernier et les servit à leur
père dans un banquet. *Atrée et Thyeste,* tragédie de Crébillon (1707).

[4] Comme Médée est représentée comme la victime d'une passion
fatale pour Hippolyte, ainsi Œdipe est représenté comme condamné
par une destinée implacable (ou par la malédiction des dieux) à commettre, sans le soupçonner, deux crimes épouvantables, tuer son père
et épouser sa mère. Œdipe a été un sujet fréquemment traité par les
dramaturges, ainsi par Sophocle et Sénèque dans l'antiquité, Corneille
et Voltaire dans les temps modernes.

Phèdre incestueuse et versant le sang innocent; Syphax
empoisonnant sa femme,[1] le jeune Horace poignardant sa
sœur, Agamemnon immolant sa fille, Oreste égorgeant sa
mère, ne laissent pas d'être des personnages intéressants.
5 Ajoutez que l'auteur pour faire parler chacun selon son
caractère, est forcé de mettre dans la bouche des méchants
leurs maximes et leurs principes, revêtus de tout l'éclat des
beaux vers et débités d'un ton imposant et sentencieux,
pour l'instruction du parterre.

B. La Comédie

10   Pour la Comédie, c'est pire encore. Et Rousseau ne prend
pas la mauvaise comédie ou la comédie de qualité moyenne; il
prend l'œuvre du plus grand écrivain comique, Molière lui-même,
pour y signaler de graves dangers.

On convient, et on le sentira chaque jour davantage, que
15 Molière est le plus parfait auteur comique dont les ouvrages
nous soient connus: mais qui peut disconvenir aussi que le
théâtre de ce même Molière, des talents duquel je suis plus
l'admirateur que personne, ne soit une école de vices et de
mauvaises mœurs, plus dangereuse que les livres mêmes où
20 l'on fait profession de les enseigner? Son plus grand soin est
de tourner la bonté et la simplicité en ridicule, et de mettre
la ruse et le mensonge du parti pour lequel on prend intérêt:
ses honnêtes gens ne sont que des gens qui parlent; ses
vicieux sont des gens qui agissent, et que les plus brillants
25 succès favorisent le plus souvent: enfin l'honneur des applaudissements, rarement pour le plus estimable, est presque
toujours pour le plus adroit.[2]

---

[1] *Syphax*, roi de Numidie (3me siècle avant J.-C.) joua un grand rôle
dans les luttes de Rome et Carthage.   Il avait épousé la fille d'Asdrubal,
Sophonisbe, qui plus tard épousa Massinissa.   Plusieurs écrivains ont
écrit des tragédies sur Sophonisbe, en France surtout Mairet et Corneille.
[2] En 1694, dans ses *Maximes et Réflexions sur la Comédie* (5), Bossuet
avait pris cette attitude vis-à-vis de Molière.

Examinez le comique de cet auteur: partout vous trouverez
que les vices de caractère en sont l'instrument, et les défauts
naturels le sujet; que la malice de l'un punit la simplicité
de l'autre, et que les sots sont les victimes des méchants:
ce qui, pour n'être que trop vrai dans le monde, n'en vaut   5
pas mieux à mettre au théâtre avec un air d'approbation,
comme pour exciter les âmes perfides à punir, sous le nom
de sottise, la candeur des honnêtes gens.

« Dat veniam corvis, vexat censura columbas ». [1]

Voilà l'esprit général de Molière et de ses imitateurs.
Ce sont des gens qui, tout au plus, raillent quelquefois les   10
vices, sans jamais faire aimer la vertu; de ces gens, disait un
ancien, qui savent bien moucher la lampe, mais qui n'y
mettent jamais d'huile.

Voyez comment, pour multiplier ses plaisanteries, cet
homme trouble tout l'ordre de la société; avec quel scan-   15
dale il renverse tous les rapports les plus sacrés sur lesquels
elle est fondée, comment il tourne en dérision les respectables
droits des pères sur leurs enfants, des maris sur leurs femmes,
des maîtres sur leurs serviteurs! Il fait rire, il est vrai, et
n'en devient que plus coupable, en forçant par un charme   20
invincible, les sages mêmes de se prêter à des railleries qui
devraient attirer leur indignation. J'entends dire qu'il
attaque les vices; mais je voudrais bien que l'on comparât
ceux qu'il attaque avec ceux qu'il favorise.   Quel est le plus
blâmable d'un bourgeois sans esprit et vain qui fait sotte-   25
ment le gentilhomme, ou du gentilhomme fripon qui le dupe?
Dans la pièce dont je parle, ce dernier n'est-il pas l'honnête
homme? n'a-t-il pas pour lui l'intérêt? et le public n'ap-
plaudit-il pas à tous les tours qu'il fait à l'autre?   Quel
est le plus criminel d'un paysan assez fou pour épouser une   30
demoiselle, ou d'une femme qui cherche à déshonorer son

---

[1] Indulgente aux corbeaux, la censure attaque les colombes (*Juvénal*,
II, 63).

époux?[1]   Que penser d'une pièce où le parterre applaudit à
l'infidélité, au mensonge, à l'impudence de celle-ci, et rit
de la bêtise du manant puni?   C'est un grand vice d'être
avare et de prêter à usure; mais n'en est-ce pas un plus grand
5 encore à un fils de voler son père, de lui manquer de respect,
de lui faire mille insultants reproches, et, quand ce père
irrité lui donne sa malédiction, de répondre d'un air gogue-
nard, qu'il n'a que faire de ses dons?   Si la plaisanterie est
excellente, en est-elle moins punissable? et la pièce où l'on
10 fait aimer le fils insolent qui l'a faite, en est-elle moins une
école de mauvaises mœurs?...

Le Misanthrope de Molière

Ensuite, du meilleur auteur comique, Rousseau choisit la
meilleure pièce, « cette admirable pièce » *Le Misanthrope* (1666),
pour en analyser l'esprit.

15   Qu'est-ce donc que le misanthrope de Molière?   Un
homme de bien qui déteste les mœurs de son siècle et la
méchanceté de ses contemporains; qui, précisément parce
qu'il aime ses semblables, hait en eux les maux qu'ils se font
réciproquement et les vices dont ces maux sont l'ouvrage.
20 S'il était moins touché des erreurs de l'humanité, moins indigné des iniquités qu'il voit, serait-il plus humain lui-même?
Autant vaudrait soutenir qu'un tendre père aime mieux
les enfants d'autrui que les siens, parce qu'il s'irrite des fautes
de ceux-ci, et ne dit jamais rien aux autres.

25   Ces sentiments du misanthrope sont parfaitement développés dans son rôle.   Il dit, je l'avoue, qu'il a conçu une
haine effroyable contre le genre humain.   Mais en quelle
occasion le dit-il?   Quand, outré d'avoir vu son ami trahir
lâchement son sentiment et tromper l'homme qui le lui de-
30 mande, il s'en voit encore plaisanter lui-même au plus fort

---

[1] Rousseau parle ici de *George Dandin*, comédie de 1668, avec ce
refrain: « Tu l'as voulu, George Dandin! »

de sa colère. Il est naturel que cette colère dégénère en
emportement et lui fasse dire alors plus qu'il ne pense de
sang-froid. D'ailleurs la raison qu'il rend de cette haine
universelle en justifie pleinement la cause:

> « Les uns parce qu'ils sont méchants,
> Et les autres, pour être aux méchants complaisants ».[1]

Ce n'est donc pas des hommes qu'il est ennemi, mais de la
méchanceté des uns et du support que cette méchanceté
trouve dans les autres. S'il n'y avait ni fripons ni flatteurs,
il aimerait tout le genre humain. Il n'y a pas un homme de
bien qui ne soit misanthrope en ce sens; ou plutôt les vrais
misanthropes sont ceux qui ne pensent pas ainsi; car, au
fond, je ne connais point de plus grand ennemi des hommes
que l'ami de tout le monde, qui, toujours charmé de tout,
encourage incessamment les méchants, et flatte par sa coupable complaisance les vices d'où naissent tous les désordres
de la société.

Une preuve bien sûre qu'Alceste n'est point misanthrope à
la lettre, c'est qu'avec ses brusqueries et ses incartades il ne
laisse pas d'intéresser et de plaire. Les spectateurs ne voudraient pas à la vérité lui ressembler, parce que tant de droiture est fort incommode; mais aucun d'eux ne serait fâché
d'avoir affaire à quelqu'un qui lui ressemblât: ce qui n'ar-
riverait pas s'il était l'ennemi déclaré des hommes. Dans
toutes les autres pièces de Molière, le personnage ridicule
est toujours haïssable ou méprisable. Dans celle-là, quoique Alceste ait des défauts réels dont on n'a pas tort de rire,
on sent pourtant au fond du cœur un respect pour lui dont
on ne peut se défendre. En cette occasion, la force de la
vertu l'emporte sur l'art de l'auteur et fait honneur à son

---

[1] La mémoire de Rousseau est un peu en défaut ici. Les vers auxquels
il fait allusion sont de la première scène et non de la deuxième (scène du
sonnet). Et ces vers sont:

> Les uns parce qu'ils sont méchants et malfaisants,
> Et les autres pour être aux méchants complaisants.

caractère. Quoique Molière fît des pièces répréhensibles, il était personnellement honnête homme; et jamais le pinceau d'un honnête homme ne sut couvrir de couleurs odieuses les traits de la droiture et de la probité. Il y a plus: Molière
5 a mis dans la bouche d'Alceste un si grand nombre de ses propres maximes, que plusieurs ont cru qu'il s'était voulu peindre lui-même...

Cependant ce caractère si vertueux est présenté comme ridicule. Il l'est, en effet, à certains égards; et ce qui dé-
10 montre que l'intention du poète est bien de le rendre tel, c'est celui de l'ami Philinte, qu'il met en opposition avec le sien. Ce Philinte est le sage de la pièce; un de ces honnêtes gens du grand monde dont les maximes ressemblent beaucoup à celles des fripons; de ces gens si doux, si modérés, qui
15 trouvent toujours que tout va bien, parce qu'ils ont intérêt que rien n'aille mieux; qui sont toujours contents de tout le monde, parce qu'ils ne se soucient de personne; qui, autour d'une bonne table, soutiennent qu'il n'est pas vrai que le peuple ait faim, qui, le gousset bien garni, trouvent fort
20 mauvais qu'on déclame en faveur des pauvres; qui, de leur maison bien fermée, verraient voler, piller, égorger, massacrer tout le genre humain sans se plaindre, attendu que Dieu les a doués d'une douceur très-méritoire à supporter les malheurs d'autrui.

25 On voit bien que le flegme raisonneur de celui-ci est très propre à redoubler et faire sortir d'une manière comique les emportements de l'autre; et le tort de Molière n'est pas d'avoir fait du misanthrope un homme colère et bilieux, mais de lui avoir donné des fureurs puériles sur des sujets
30 qui ne devaient pas l'émouvoir. Le caractère du misanthrope n'est pas à la disposition du poète; il est déterminé par la nature de sa passion dominante. Cette passion est une violente haine du vice, née d'un amour ardent pour la vertu, et aigrie par le spectacle continuel de la méchanceté des
35 hommes. Il n'y a donc qu'une âme grande et noble qui

en soit susceptible. L'horreur et le mépris qu'y nourrit cette même passion pour tous les vices qui l'ont irritée sert encore à les écarter du cœur qu'elle agite. De plus, cette contemplation continuelle des désordres de la société le détache de lui-même pour fixer toute son attention sur le 5 genre humain. Cette habitude élève, agrandit ses idées, détruit en lui les inclinations basses qui nourrissent et concentrent l'amour-propre; et de ce concours naît une certaine force de courage, une fierté de caractère qui ne laisse prise au fond de son âme qu'à des sentiments dignes de 10 l'occuper.

Ce n'est pas que l'homme ne soit toujours homme; que la passion ne le rende souvent faible, injuste, déraisonnable; qu'il n'épie peut-être les motifs cachés des actions des autres avec un secret plaisir d'y voir la corruption de leurs cœurs; 15 qu'un petit mal ne lui donne souvent une grande colère, et qu'en l'irritant à dessein un méchant adroit ne pût parvenir à le faire passer pour méchant lui-même; mais il n'en est pas moins vrai que tous moyens ne sont pas bons à produire ces effets, et qu'ils doivent être assortis à son caractère pour le 20 mettre en jeu, sans quoi, c'est substituer un autre homme au misanthrope, et nous le peindre avec des traits qui ne sont pas les siens.

Voilà donc de quel côté le caractère du misanthrope doit porter ses défauts; et voilà aussi de quoi Molière fait un usage 25 admirable dans toutes les scènes d'Alceste avec son ami, où les froides maximes et les railleries de celui-ci, démontant l'autre à chaque instant, lui font dire mille impertinences très bien placées; mais ce caractère âpre et dur, qui lui donne tant de fiel et d'aigreur dans l'occasion, l'éloigne en même 30 temps de tout chagrin puéril qui n'a nul fondement raisonnable, et de tout intérêt personnel trop vif, dont il ne doit nullement être susceptible. Qu'il s'emporte sur tous les désordres dont il n'est que le témoin, ce sont toujours de nouveaux traits au tableau; mais qu'il soit froid sur celui 35

qui s'adresse directement à lui: car, ayant déclaré la guerre
aux méchants, il s'attend bien qu'ils la lui feront à leur tour.
S'il n'avait pas prévu le mal que lui fera sa franchise, elle
serait une étourderie et non pas une vertu. Qu'une femme
5 fausse le trahisse, que d'indignes amis le déshonorent, que
de faibles amis l'abandonnent, il doit le souffrir sans en murmurer: il connaît les hommes.

Si ces distinctions sont justes, Molière a mal saisi le
misanthrope. Pense-t-on que ce soit par erreur? Non,
10 sans doute. Mais voilà par où le désir de faire rire
aux dépens du personnage l'a forcé de le dégrader contre
la vérité du caractère.

Suit une étude minutieuse de la pièce, où Rousseau montre
comment Molière a dénaturé le caractère vertueux d'Alceste
15 « pour faire rire le parterre ». Et il conclut ainsi:

Mais, en général, on ne peut nier que, si le misanthrope
était plus misanthrope, il ne fût beaucoup moins plaisant,
parce que sa franchise et sa fermeté, n'admettant jamais
de détour, ne le laisseraient jamais dans l'embarras. Ce
20 n'est donc pas par ménagement pour lui que l'auteur adoucit
quelquefois son caractère, c'est au contraire pour le rendre
plus ridicule. Une autre raison l'y oblige encore, c'est que
le misanthrope de théâtre, ayant à parler de ce qu'il voit,
doit vivre dans le monde, et par conséquent tempérer sa
25 droiture et ses manières par quelques-uns de ces égards de
mensonge et de fausseté qui composent la politesse, et que le
monde exige de quiconque y veut être supporté. S'il s'y
montrait autrement, ses discours ne feraient plus d'effet.
L'intérêt de l'auteur est bien de le rendre ridicule, mais non
30 pas fou; et c'est ce qu'il paraîtrait aux yeux du public, s'il
était tout à fait sage.

L'Art du Comédien

Rousseau discute avec la même franchise l'honorabilité de la
profession d'acteur. La question n'est pas: *Sont-ils mauvais?*
mais *Peuvent-ils exercer leur art sans le devenir?* [1]

Qu'est-ce que le talent du comédien? L'art de se contrefaire, de revêtir un autre caractère que le sien, de paraître
différent de ce qu'on est, de se passionner de sang-froid, de
dire autre chose que ce qu'on pense, aussi naturellement que
si l'on le pensait réellement, et d'oublier enfin sa propre place
à force de prendre celle d'autrui. Qu'est-ce que la profession
du comédien? Un métier par lequel il se donne en représentation pour de l'argent, se soumet à l'ignominie et aux
affronts qu'on achète le droit de lui faire, et met publiquement
sa personne en vente. J'adjure tout homme sincère de dire
s'il ne sent pas au fond de son âme qu'il y a dans ce trafic
de soi-même quelque chose de servile et de bas. Vous autres
philosophes, qui vous prétendez si fort au-dessus des préjugés,
ne mourriez-vous pas tous de honte, si, lâchement travestis
en rois, il vous fallait aller faire aux yeux du public un rôle
différent du vôtre, et exposer vos majestés aux huées de la
populace? Quel est donc, au fond, l'esprit que le comédien
reçoit de son état? un mélange de bassesse, de fausseté, de
ridicule orgueil, et d'indigne avilissement, qui le rend propre
à toutes sortes de personnages, hors le plus noble de tous,
celui d'homme, qu'il abandonne.

Je sais que le jeu du comédien n'est pas celui d'un fourbe
qui veut en imposer, qu'il ne prétend pas qu'on le prenne en
effet pour la personne qu'il représente, ni qu'on le croie affecté
des passions qu'il imite, et qu'en donnant cette imitation
pour ce qu'elle est, il la rend tout à fait innocente. Aussi
ne l'accusé-je pas d'être précisément un trompeur, mais de

---

[1] On fera bien de consulter à ce sujet un contemporain de Rousseau
non suspect de puritanisme calviniste, Lesage, dans son roman *Gil-Blas*
à la fin du chapitre « Chez les Comédiens ».

cultiver, pour tout métier, le talent de tromper les hommes,
et de s'exercer à des habitudes qui, ne pouvant être innocentes
qu'au théâtre, ne servent partout ailleurs qu'à mal faire.
Ces hommes si bien parés, si bien exercés au ton de la ga-
5 lanterie et aux accents de la passion, n'abuseront-ils jamais de
cet art pour séduire de jeunes personnes? Ces valets filous,
si subtils de la langue et de la main sur la scène, dans les besoins d'un métier plus dispendieux que lucratif n'auront-ils
jamais de distractions utiles? Ne prendront-ils jamais la
10 bourse d'un fils prodigue, ou d'un père avare pour celle de
Léandre ou d'Argan?[1] Partout la tentation de mal faire
augmente avec la facilité; et il faut que les comédiens soient
plus vertueux que les autres hommes, s'ils ne sont pas plus
corrompus.

15   Quant aux femmes,[2]

Je demande comment un état, dont l'unique objet est de se
montrer en public, et, qui pis est, de se montrer pour de l'argent, conviendrait à d'honnêtes femmes, et pourrait compatir
en elles avec la modestie et les bonnes mœurs. A-t-on besoin
20 même de disputer sur les différences morales des sexes, pour
sentir combien il est difficile que celle qui se met à prix en
représentation ne s'y mette bientôt en personne, et ne se laisse
jamais tenter de satisfaire des désirs qu'elle prend tant de
soin d'exciter? Quoi! malgré mille timides précautions, une

---

[1] *Léandre*, fils de Géronte, dans les *Fourberies de Scapin;* Argan, du
Malade Imaginaire, volé par des médecins sans scruples.

Rousseau a écrit plus tard cette remarque sur ce passage: « On a relevé
ceci comme outré et comme ridicule. On a eu raison. Il n'y a point de
vice dont les comédiens soient moins accusés que de la friponnerie; leur
métier, qui les occupe beaucoup, et leur donne même des sentiments d'honneur à certains égards, les éloigne d'une telle bassesse. Je laisse ce passage, parce que je me suis fait une loi de ne rien ôter; mais je le désavoue
hautement comme une très grande injustice ». (*Note introduite dans
une édition de* 1782.)

[2] On a relevé avec raison l'analogie avec l'argument de Bossuet,
Maximes et Réflexions sur la Comédie (8).

femme honnête et sage, exposée au moindre danger, a bien
de la peine encore à se conserver un cœur à l'épreuve, et ces
jeunes personnes audacieuses, sans autre éducation qu'un
système de coquetterie et des rôles amoureux, dans une
parure très peu modeste sans cesse entourées d'une jeunesse 5
ardente et téméraire, au milieu des douces voix de l'amour
et du plaisir, résisteront à leur âge, à leur cœur, aux objets
qui les environnent, aux discours qu'on leur tient, aux occasions toujours renaissantes, et à l'or auquel elles sont
d'avance à-demi vendues! Il faudrait nous croire d'une 10
simplicité d'enfant pour vouloir nous en imposer à ce point.
Le vice a beau se cacher dans l'obscurité, son empreinte est
sur les fronts des coupables: l'audace d'une femme est le
signe de sa honte; c'est pour avoir trop à rougir qu'elle ne
rougit plus; et si quelquefois la pudeur survit à la chasteté, 15
que doit-on penser de la chasteté quand la pudeur même
est éteinte?

Supposons, si l'on veut, qu'il y ait eu quelques exceptions;
supposons

> Qu'il en soit jusqu'à trois que l'on pourrait nommer.[1]

Je veux bien croire là-dessus ce que je n'ai jamais ni vu ni 20
ouï dire. Appellerons-nous un métier honnête celui qui
fait d'une honnête femme un prodige, et qui nous porte à
mépriser celles qui l'exercent, à moins de compter sur un
miracle continuel? L'immodestie tient si bien à leur état,
et elles le sentent si bien elles-mêmes, qu'il n'y en a pas une 25
qui ne se crût ridicule de feindre au moins de prendre pour
elle les discours de sagesse et d'honneur qu'elle débite au
public. De peur que ces maximes sévères ne fissent un progrès nuisible à son intérêt, l'actrice est toujours la première

---

[1] Boileau, parlant de la fidélité conjugale, dans sa *Satire sur les
Femmes* (X):

> Dans Paris, si je sais bien compter,
> Il en est jusqu'à trois que je pourrais nommer.

à parodier son rôle et à détruire son propre ouvrage. Elle
quitte, en atteignant la coulisse, la morale du théâtre aussi
bien que sa dignité; et si l'on prend des leçons de vertu sur
la scène, on les va bien vite oublier dans les foyers.

5   Si tout cela tient à la profession du comédien, que ferons-
nous, monsieur, pour prévenir des effets inévitables? Pour
moi, je ne vois qu'un seul moyen; c'est d'ôter la cause.
Quand les maux de l'homme lui viennent de sa nature ou
d'une manière de vivre qu'il ne peut changer, les médecins
10 les préviennent-ils? Défendre au comédien d'être vicieux,
c'est défendre à l'homme d'être malade.[1]

La conclusion de Rousseau est qu'il faut laisser les plaisirs du
théâtre aux grandes villes, déjà corrompues, et seulement pour
« ôter aux particuliers la tentation d'en chercher de plus dan-
15 gereux ». Mais Genève, à cause de la nature de ces plaisirs, et
parce qu'elle doit éviter, la contamination de la classe sociale des
comédiens, commettrait une lourde faute en adoptant la suggestion
de M. d'Alembert.

Les Montagnons de Neuchâtel [2]

On peut être heureux sans spectacles, et Rousseau rappelle ce
20 qu'il a vu au cours de ses voyages en Suisse, en 1730 et 1731.

Je me souviens d'avoir vu dans ma jeunesse, aux environs
de Neufchâtel, un spectacle assez agréable et peut-être unique
sur la terre, une montagne entière couverte d'habitations

---

[1] Rappelons ici qu'en 1770, après avoir vu l'acteur anglais Garrick,
Diderot avait écrit son *Paradoxe sur le Comédien* où était développée
cette théorie: « C'est l'extrême sensibilité qui fait les acteurs médiocres;
c'est la sensibilité médiocre qui fait la multitude des mauvais acteurs;
et c'est le manque absolu de sensibilité qui prépare les acteurs sublimes. »
Naturellement ceci n'infirmerait pas tout à fait la thèse de Rousseau
puisque les « acteurs sublimes » — dont le jeu est tout conscient et
volontaire au lieu d'être émotionnel — sont rares.

[2] Comparez cet extrait avec celui donné plus haut: *Le Paysan (français) d'avant la Révolution.*

dont chacune fait le centre des terres qui en dépendent; en
sorte que ces maisons, à distances aussi égales que les fortunes
des propriétaires offrent à la fois aux nombreux habitants de
cette montagne le recueillement de la retraite et les douceurs
de la société. Ces heureux paysans, tous à leur aise, francs 5
de tailles, d'impôts, de subdélégués, de corvées, cultivent avec
tout le soin possible des biens dont le produit est pour eux,
et emploient le loisir que cette culture leur laisse à faire
mille ouvrages de leurs mains, et à mettre à profit le génie
inventif [1] que leur donna la nature. L'hiver surtout, temps 10
où la hauteur des neiges leur ôte une communication facile,
chacun renfermé bien chaudement, avec sa nombreuse famille,
dans sa jolie et propre maison de bois qu'il a bâtie lui-même,
s'occupe de mille travaux amusants, qui chassent l'ennui de
son asile, et ajoutent à son bien-être. Jamais menuisier, 15
serrurier, vitrier, tourneur de profession, n'entra dans le
pays, tous le sont pour eux-mêmes, aucun ne l'est pour autrui;
dans la multitude de meubles commodes et même élégants
qui composent leur ménage et parent leur logement, on n'en
voit pas un qui n'ait été fait de la main du maître. Il leur 20
reste encore du loisir pour inventer et faire mille instruments
divers, d'acier, de bois, de carton, qu'ils vendent aux étrangers, dont plusieurs même parviennent jusqu'à Paris, entre autres ces petites horloges de bois qu'on y voit depuis quelques
années. Ils en font aussi de fer; ils font même des montres; 25
et, ce qui paraît incroyable, chacun réunit à lui seul toutes
les professions diverses dans lesquelles se subdivise l'horlo-
gerie, et fait tous ses outils lui-même.

Ce n'est pas tout: ils ont des livres utiles et sont pas-
sablement instruits; ils raisonnent sensément de toutes 30
choses, et de plusieurs avec esprit. Ils font des siphons,

[1] A l'époque même où Rousseau visitait ces montagnes vivait là Jean
Daniel Richard, le célèbre horloger qui par son génie inventif donna une
telle impulsion à l'industrie horlogère qu'elle devint l'industrie nationale
de toute cette région.

des aimants, des lunettes, des pompes, des baromètres, des
chambres noires; leurs tapisseries[1] sont des multitudes
d'instruments de toute espèce: vous prendriez le poêle[2]
d'un paysan pour un atelier de mécanique et pour un cabinet
5 de physique expérimentale. Tous savent un peu dessiner,
peindre, chiffrer;[3] la plupart jouent de la flûte; plusieurs
ont un peu de musique et chantent juste. Ces arts ne leur
sont point enseignés par des maîtres, mais leur passent, pour
ainsi dire, par tradition. De ceux que j'ai vus savoir la
10 musique, l'un me disait l'avoir apprise de son père, un autre
de sa tante, un autre de son cousin; quelques-uns croyaient
l'avoir toujours sue. Un de leurs plus fréquents amusements est de chanter avec leurs femmes et leurs enfants les
psaumes à quatre parties; et l'on est tout étonné d'entendre
15 sortir de ces cabanes champêtres l'harmonie forte et mâle
de Goudimel,[4] depuis si longtemps oubliée de nos savants
artistes.

Je ne pouvais non plus me lasser de parcourir ces charmantes demeures, que les habitants de m'y témoigner la plus
20 franche hospitalité. Malheureusement j'étais jeune; ma
curiosité n'était que celle d'un enfant, et je songeais plus à
m'amuser qu'à m'instruire. Depuis trente ans, le peu d'observations que je fis se sont effacées de ma mémoire. Je me
souviens seulement que j'admirais sans cesse, en ces hommes
25 singuliers, un mélange étonnant de finesse et de simplicité,
qu'on croirait presque incompatibles, et que je n'ai plus
observé nulle part. Du reste, je n'ai rien retenu de leurs

[1] Ici, choses qui garnissent les murs.

[2] Terme souvent employé aux siècles passés pour désigner la chambre
dans laquelle se trouve le poêle.

[3] Rousseau entend ici évidemment la gravure de chiffres, c'est à dire
d'initiales entrelacées pour marquer les objets de métal ou de bois.

[4] Musicien de la Franche-Comté, du XVIme siècle, qui a composé
un chant à quatre parties pour les psaumes traduits par Clément Marot
et Théodore de Bèze, et employés par les Protestants.

mœurs, de leur société, de leurs caractères. Aujourd'hui que j'y porterais d'autres yeux, faut-il ne revoir plus cet heureux pays![1] Hélas il est sur la route du mien.

Après cette légère idée, supposons qu'au sommet de la montagne dont je viens de parler, au centre des habitations, 5 on établisse un spectacle...

Et Rousseau montre comment avec le « spectacle », tous les maux qu'il vient d'attribuer au théâtre s'abattraient sur l'heureuse contrée.

Les Fêtes dans une République

Pour la vie publique, les Genevois ont, pour l'ordinaire, les 10 « Cercles » qui suffisent, et pour les circonstances exceptionnelles, des fêtes d'un caractère simple, charmant et vertueux; mais donnez à Genève « deux ans seulement de Comédie et tout est bouleversé ».

Quoi! ne faut-il donc aucun spectacle dans une république? 15 Au contraire, il en faut beaucoup. C'est dans les républiques qu'ils sont nés, c'est dans leur sein qu'on les voit briller avec un véritable air de fête. A quels peuples convient-il mieux de s'assembler souvent et de former entre eux les doux liens du plaisir et de la joie, qu'à ceux qui ont tant de raisons 20 de s'aimer et de rester à jamais unis? Nous avons déjà

---

[1] Il revit quatre ans après, avec un désenchantement complet, « ce pays qu'il avait tant aimé ». — « J'y croyais retrouver, dit-il, ce qui m'avait charmé dans ma jeunesse, tout est changé; c'est un autre paysage, un autre air, un autre ciel, d'autres hommes; et, ne voyant plus mes montagnons avec des yeux de vingt ans, je les trouve beaucoup vieillis.» (*Lettre à M. le maréchal de Luxembourg*, Motiers, le 20 janvier 1763.) Outre le fait que R. quand il écrivait cette lettre était déprimé par les persécutions dont il sera question plus loin, il faut savoir que les « montagnons » dont il parle en 1763 n'étaient pas tout à fait les mêmes que ceux qu'il avait visités en 1730 ou 31. Il s'agit probablement dans *La lettre à D'Alembert* (c'est l'opinion de Ph. Godet) des habitants de La Sagne, un grand village qui est encore dans le Pays de Neuchâtel, mais dans une région séparée du Val de Travers, où est Motiers, par quelques longs dos de montagnes.

plusieurs de ces fêtes publiques: ayons-en davantage encore
je n'en serai que plus charmé. Mais n'adoptons point ces
spectacles exclusifs qui renferment tristement un petit nombre
de gens dans un antre obscur; qui les tiennent craintifs et
5 immobiles dans le silence et l'inaction; qui n'offrent aux yeux
que cloisons, que pointes de fer, que soldats,[1] qu'affligeantes
images de la servitude et de l'inégalité. Non, peuples
heureux, ce ne sont pas là vos fêtes. C'est en plein air, c'est
sous le ciel qu'il faut vous rassembler et vous livrer au doux
10 sentiment de votre bonheur. Que vos plaisirs ne soient ef-
féminés ni mercenaires, que rien de ce qui sent la contrainte
et l'intérêt ne les empoisonne, qu'ils soient libres et généreux comme vous, que le soleil éclaire vos innocents spectacles: vous en formerez un vous-mêmes, le plus digne qu'il
15 puisse éclairer.

Mais quels seront enfin les objets de ces spectacles? qu'y
montrera-t-on? Rien, si l'on veut. Avec la liberté, partout
où règne l'affluence, le bien-être y règne aussi. Plantez au
milieu d'une place un piquet couronné de fleurs, rassemblez-y
20 le peuple, et vous aurez une fête. Faites mieux encore :
donnez les spectateurs en spectacle: rendez-les acteurs eux-
mêmes; faites que chacun se voie et s'aime dans les autres,
afin que tous en soient mieux unis. Je n'ai pas besoin de
renvoyer aux jeux des anciens Grecs; il en est de plus mo-
25 dernes, il en est d'existants encore, et je les trouve précisément
parmi nous. Nous avons tous les ans des revues, des prix
publics, des rois de l'arquebuse, du canon, de la navigation.
On ne peut trop multiplier des établissements si utiles et si
agréables, on ne peut trop avoir de semblables rois. Pour-
30 quoi ne ferions-nous pas, pour nous rendre dispos et robustes,
ce que nous faisons pour nous exercer aux armes? La république a-t-elle moins besoin d'ouvriers que de soldats?
Pourquoi, sur le modèle des prix militaires, ne fonderions-nous

[1] Des soldats maintenaient l'ordre aux représentations théâtrales.

pas d'autres prix de gymnastique pour la lutte, pour la course,
pour le disque, pour divers exercices du corps? Pourquoi
n'animerions-nous pas nos bateliers par des joutes sur le lac?
Y aurait-il au monde un plus brillant spectacle que de voir
sur ce vaste et superbe bassin des centaines de bateaux, élé- 5
gamment équipés, partir à la fois, au signal donné, pour
aller enlever un drapeau arboré au but, puis servir de cortège
au vainqueur revenant en triomphe recevoir le prix mérité?
Toutes ces sortes de fêtes ne sont dispendieuses qu'autant
qu'on le veut bien, et le seul concours[1] les rend assez magni- 10
fiques. Cependant il faut y avoir assisté chez le Genevois
pour comprendre avec quelle ardeur il s'y livre . . .

L'hiver, temps consacré au commerce privé des amis,
convient moins aux fêtes publiques. Il en est pourtant une
espèce dont je voudrais bien qu'on se fît moins de scrupule; 15
savoir, les bals entre de jeunes personnes à marier. Je n'ai
jamais bien conçu pourquoi l'on s'effarouche si fort de la danse
et des assemblées qu'elle occasionne: comme s'il y avait
plus de mal à danser qu'à chanter; que l'un et l'autre de ces
amusements ne fût pas également une inspiration de la nature; 20
et que ce fût un crime à ceux qui sont destinés à s'unir de
s'égayer en commun par une honnête récréation! L'homme
et la femme ont été formés l'un pour l'autre: Dieu veut
qu'ils suivent leur destination; et certainement le premier et
le plus saint de tous les liens de la société est le mariage. 25
Toutes les fausses religions combattent la nature; la nôtre
seule, qui la suit et la règle, annonce une institution divine
et convenable à l'homme . . .

Pour moi, loin de blâmer de si simples amusements, je
voudrais au contraire qu'ils fussent publiquement autorisés, 30
et qu'on y prévînt tout désordre particulier en les convertis-
sant en bals solennels et périodiques, ouverts indistinctement à toute la jeunesse à marier. Je voudrais qu'un

[1] *Concours*, assemblement de la foule.

magistrat,[1] nommé par le conseil, ne dédaignât pas de présider à ces bals. Je voudrais que les pères et mères y assistassent, pour veiller sur leurs enfants, pour être témoins de leurs grâces et de leur adresse, des applaudissements qu'ils auraient
5 mérités, et jouir ainsi du plus doux spectacle qui puisse toucher un cœur paternel. Je voudrais qu'en général toute personne mariée y fût admise au nombre des spectateurs et des juges, sans qu'il fût permis à aucune de profaner la dignité conjugale en dansant elle-même; car à quelle fin honnête pour-
10 rait-elle se donner ainsi en montre au public? Je voudrais qu'on formât dans la salle une enceinte commode et honorable, destinée aux gens âgés de l'un et de l'autre sexe, qui, ayant déjà donné des citoyens à la patrie, verraient encore leurs petits-enfants se préparer à le devenir. Je voudrais que
15 nul n'entrât ni ne sortît sans saluer ce parquet,[2] et que tous les couples de jeunes gens vinssent avant de commencer leur danse et après l'avoir finie, y faire une profonde révérence, pour s'accoutumer de bonne heure à respecter la vieillesse. Je ne doute pas que cette agréable réunion des deux termes de
20 la vie humaine ne donnât à cette assemblée un certain coup d'œil attendrissant, et qu'on ne vît quelquefois couler dans le parquet, des larmes de joie et de souvenir, capables peut-être d'en arracher à un spectateur sensible. Je voudrais que tous les ans, au dernier bal, la jeune personne qui, durant
25 les précédents, se serait comportée le plus honnêtement, le plus modestement, et aurait plu davantage à tout le monde, au jugement du parquet, fût honorée d'une couronne par la

---

[1] « A chaque corps de métier, à chacune des sociétés publiques dont est composé notre État, préside un de ces magistrats, sous le nom de *seigneur-commis*. Ils assistent à toutes les assemblées, et même aux festins. Leur présence n'empêche point une honnête familiarité entre les membres de l'association; mais elle maintient tout le monde dans le respect qu'on doit porter aux lois, aux mœurs, à la décence, même au sein de la joie et du plaisir. Cette institution est très belle, et forme un des grands liens qui unissent le peuple à ses chefs ». (*Note de Rousseau.*)

[2] Aujourd'hui on dirait plutôt « estrade », « tribune ».

main du *seigneur-commis*, et du titre de reine du bal, qu'elle porterait toute l'année. Je voudrais qu'à la clôture de la même assemblée on la reconduisît en cortège; que le père et la mère fussent félicités et remerciés d'avoir une fille si bien née, et de l'élever si bien. Enfin je voudrais que, si elle [5] venait à se marier dans le cours de l'an, la seigneurie [1] lui fît un présent ou lui accordât quelque distinction publique, afin que cet honneur fût une chose assez sérieuse pour ne pouvoir jamais devenir un sujet de plaisanterie...

.   .   .   .

Parlant du succès de son écrit dans les *Confessions*, Rousseau [10] dit: « Ma Lettre à d'Alembert eut un grand succès. Elle respirait une douceur d'âme qu'on sentit n'être point jouée ». Cette phrase exprime la vérité. Il y eut quelques réponses en France, une très courtoise de d'Alembert, une autre qui était moins amène, de Marmontel, *Apologie du Théâtre* (dans le « Mercure de France »). [15] Le meilleur argument dans cette réponse consiste à rappeler que Rousseau ne mentionne pas Tartufe dans son attaque de Molière: certes, là, Molière n'a pas réclamé l'indulgence pour un scélérat. Rousseau cependant avait écrit: « l'honneur des applaudissements (chez Molière) est *presque* toujours pour le plus adroit ». Mme. [20] de Créqui, dans une lettre de janvier 1759 à Rousseau dit: « Votre ouvrage a eu plein succès. M. de Marmontel vous réfute en ne vous répondant pas ». Rousseau ne pouvait pas s'attendre à obtenir un résultat pratique en France. En ce qui concerne Genève, nous avons vu qu'il avait au moins retardé le triomphe [25] de Voltaire.

[1] Nom collectif pour les « magnifiques, très honorés et souverains seigneurs » de Genève, dont il a été question déjà à propos du *Discours sur l'Inégalité*.

TROISIÈME PARTIE

LES GRANDES ŒUVRES

TROISIÈME PARTIE

LES GRANDES ŒUVRES

Rousseau vécut malade,[1] mais assez tranquille à Mont-Louis, avec Thérèse, son chien et son chat, de 1757 à 1762.

Il copiait toujours de la musique, et voyant le succès de ses livres, il songea à vivre aussi du produit de leur vente. Il travaillait alors à ses trois grands ouvrages, *La Nouvelle Héloïse, Émile, Le Contrat Social*.[2] 5

Il préférait la compagnie des gens simples; par exemple, le maçon Pilleu. Mais sa célébrité, et les livres qu'il écrivait le forçaient à rester en même temps en rapport avec le grand monde. Il vivait en excellents termes avec Monsieur le Maréchal de 10 Luxembourg et Madame la Maréchale. Il accepta même, pendant qu'on faisait des réparations à son appartement de Mont-Louis, d'occuper un logement dans une maison de leur parc de Montmorency, et qu'on appelait le Petit Château. Il y alla le 15 mai 1759; et même après son retour à Mont-Louis, en août suivant, 15 il conserva toujours une clef du parc et la faculté de revenir faire

[1] « La force extraordinaire qu'une effervescence passagère m'avait donnée pour quitter l'Ermitage m'abandonna sitôt que je fus dehors ... Je tombai bientôt dans les plus cruels accidents. Le médecin Thierry, mon ancien ami, vint me voir et m'éclaira sur mon état ... La belle saison ne me rendit point mes forces, et je passai toute l'année 1758 dans un état de langueur qui me fit croire que je touchais à la fin de ma carrière ». *Confessions*, X.

[2] C'était là quelque chose de nouveau. Au XVIIIme siècle encore, un homme qui voulait se vouer aux lettres, ou bien était riche, ou bien vivait de protections et pensions du roi ou des grands. Voltaire et Rousseau vécurent de leurs livres; Voltaire, grâce à son génie des affaires, qui lui procura une grande fortune, Rousseau grâce à une stricte économie. Voir l'article — du reste non sans erreur — du Vicomte d'Avenel, dans la *Revue des Deux Mondes*, 15 novembre 1908, *Les Honoraires des Gens de Lettres*. Aussi (dans « Smith College Studies », 1921, 2–3:) E. Foster, *Dernier Séjour de J.-J. Rousseau à Paris*, 1770–1778, Chap. III.

de courts séjours au Petit Château. Il allait parfois au Grand
Château pour lire des passages de *La Nouvelle Héloïse*, et plus tard,
depuis juillet 1760, il fit de même pour *Émile*.[1]

LA NOUVELLE HÉLOÏSE

Ce long roman passionné est né en grande partie de l'imagina-
5 tion de Rousseau parcourant les bois de Montmorency. Il
raconte au Livre IX des *Confessions* comment tous les beaux souvenirs de sa jeunesse formèrent la base de ce rêve d'un monde
de bonheur simple et profond. Mesdemoiselles Gaffney et de
Graffenried, Madame de Warens et plus tard Madame d'Houdetot
10 — sans compter Clarisse Harlowe (car le roman de Richardson
l'avait ravi) — toutes contribuèrent quelque part à la composition du personnage de Julie sous ses divers aspects d'amante,
d'épouse, de ménagère, de raisonneuse dévote. Pour Saint-Preux,
le héros du livre, il s'inspira de lui-même, avec ses qualités et ses
15 défauts. Pour y placer ses personnages, il choisit les rives du
Lac Léman, « ce lac autour duquel son cœur n'a jamais cessé
d'errer », et particulièrement Clarens, « le lieu natal de ma chère
maman ».

C'est dans ce livre surtout que la postérité aime à retrouver les
20 grands thèmes du Romantisme futur: amour, nature, mélancolie,
religiosité.

La Nouvelle Héloïse est d'abord un « roman » par lettres; mais,
à côté de l'histoire d'amour, tout a sa place: non seulement la nature et la religion (thèmes romantiques encore), mais politique
25 et éducation, littérature et musique, comparaisons des caractères
anglais et français, modes de vêtements et usage du vin, duel et
suicide, question des domestiques et jardinage, agriculture, etc. —
c'est une sorte d'encyclopédie des opinions de Rousseau sur
quantité de problèmes discutés de son temps.

30 Le titre du roman — qui était d'abord *Julie* — vient de ce que
l'amour de Saint-Preux et de Julie naquit comme celui d'Abélard et

---

[1] Madame la Maréchale lui fit offrir de le faire nommer à l'Académie
Française — où l'on recevait un salaire. Rousseau refusa; comme il
refusa l'offre de M. de Malesherbes d'entrer à la rédaction du *Journal;*
il craignait que les obligations attachées à de telles situations ne missent
une entrave à la libre expression de ses idées.

JEAN-JACQUES ROUSSEAU
D'après le pastel de La Tour

d'Héloïse (au XIIme siècle) des rapports de maître (Saint-Preux) à
élève (Julie). Mais la *Nouvelle* Héloïse — Julie — après avoir
succombé à l'amour, rachète son erreur de jeune fille par sa vertu
comme femme mariée.

PREMIÈRE PARTIE

Une Âme sensible cherche un Refuge dans la Nature

Le baron d'Étange, habitant à Vevey, sur les bords du lac 5
Léman, partage les préjugés de l'époque que le mariage doit être
une affaire de classe, et il refuse d'accorder la main de sa fille au
roturier Saint-Preux. Julie, par « vertu » ne veut pas désobéir
à son père, mais espère le gagner à sa cause. Saint-Preux quitte,
en attendant, Vevey. Mais il supporte mal l'absence, et va 10
habiter Meillerie, un petit village sur la rive opposée du lac et
qui est dominée par des rochers pittoresques d'où on peut distinguer la maison de Julie. Il correspond secrètement avec celle
qu'il aime.

BILLET

J'écris, par un batelier que je ne connais point, ce billet à 15
l'adresse ordinaire, pour donner avis que j'ai choisi mon
asile à Meillerie, sur la rive opposée, afin de jouir au moins
de la vue du lieu dont je n'ose approcher.

LETTRE XXVI. — DE SAINT-PREUX A JULIE

Que mon état est changé dans peu de jours! Que d'amer-
tumes se mêlent à la douceur de me rapprocher de vous! 20
Que de tristes réflexions m'assiègent! Que de traverses mes
craintes me font prévoir! Ô Julie! que c'est un fatal présent
du ciel qu'une âme sensible! Celui qui l'a reçu doit s'attendre à n'avoir que peine et douleur sur la terre. Vil jouet
de l'air et des saisons, le soleil ou les brouillards, l'air 25
couvert ou serein, régleront sa destinée, et il sera content
ou triste au gré des vents. Victime des préjugés, il
trouvera dans d'absurdes maximes un obstacle invincible
aux justes vœux de son cœur. Les hommes le puniront

d'avoir des sentiments droits de chaque chose, et d'en
juger par ce qui est véritable plutôt que par ce qui est de
convention.   Seul il suffirait pour faire sa propre misère,
en se livrant indiscrètement aux attraits divins de l'honnête
5 et du beau, tandis que les pesantes chaînes de la nécessité
l'attachent à l'ignominie.   Il cherchera la félicité suprême
sans se souvenir qu'il est homme: son cœur et sa raison
seront incessamment en guerre, et des désirs sans bornes
lui prépareront d'éternelles privations.

10   Telle est la situation cruelle où me plongent le sort qui
m'accable, et mes sentiments qui m'élèvent, et ton pére qui
me méprise, et toi qui fais le charme et le tourment de ma
vie.   Sans toi, beauté fatale, je n'aurais jamais senti ce con-
traste insupportable de grandeur au fond de mon âme et de
15 bassesse dans ma fortune; j'aurais vécu tranquille et serais
mort content, sans daigner remarquer quel rang j'avais
occupé sur la terre.   Mais t'avoir vue et ne pouvoir te posséder, t'adorer et n'être qu'un homme, être aimé et ne pouvoir
être heureux, habiter les mêmes lieux et ne pouvoir vivre
20 ensemble!...Ô Julie à qui je ne puis renoncer! ô destinée
que je ne puis vaincre! quels combats affreux vous excitez
en moi, sans pouvoir jamais surmonter mes désirs ni mon
impuissance!

Quel effet bizarre et inconcevable! Depuis que je suis
25 rapproché de vous, je ne roule dans mon esprit que des pensers
funestes.   Peut-être le séjour où je suis contribue-t-il à
cette mélancolie; il est triste et horrible; il en est plus conforme à l'état de mon âme, et je n'en habiterais pas si pa-
tiemment un plus agréable.   Une file de rochers stériles
30 borde la côte et environne mon habitation, que l'hiver rend
encore plus affreuse. Ah! je le sens, ma Julie, s'il fallait
renoncer à vous, il n'y aurait plus pour moi d'autre séjour
ni d'autre saison.

Dans les violents transports qui m'agitent, je ne saurais
35 demeurer en place; je cours, je monte avec ardeur, je m'élance

sur les rochers, je parcours à grands pas tous les environs, et trouve partout dans les objets la même horreur qui règne au dedans de moi. On n'aperçoit plus de verdure, l'herbe est jaune et flétrie, les arbres sont dépouillés, le séchard[1] et la froide bise entassent la neige et les glaces; et toute la 5 nature est morte à mes yeux, comme l'espérance au fond de mon cœur.

Parmi les rochers de cette côte, j'ai trouvé, dans un abri solitaire, une petite esplanade d'où l'on découvre à plein la ville heureuse où vous habitez. Jugez avec quelle avidité 10 mes yeux se portèrent vers ce séjour chéri. Le premier jour je fis mille efforts pour y discerner votre demeure; mais l'extrême éloignement les rendit vains, et je m'aperçus que mon imagination donnait le change à mes yeux fatigués. Je courus chez le curé emprunter un télescope, avec lequel je 15 vis ou crus voir votre maison; et depuis ce temps je passe les jours entiers dans cet asile à contempler ces murs fortunés qui renferment la source de ma vie. Malgré la saison, je m'y rends dès le matin, et n'en reviens qu'à la nuit. Des feuilles et quelques bois secs que j'allume servent, avec mes 20 courses, à me garantir du froid excessif. J'ai pris tant de goût pour ce lieu sauvage que j'y porte même de l'encre et du papier; et j'y écris maintenant cette lettre sur un quartier que les glaces ont détaché du rocher voisin.

C'est là, ma Julie, que ton malheureux amant achève de 25 jouir des derniers plaisirs qu'il goûtera peut-être en ce monde. C'est de là qu'à travers les airs et les murs il ose en secret pénétrer jusque dans ta chambre. Tes traits charmants le frappent encore; tes regards tendres raniment son cœur mourant; il entend le son de ta douce voix; il ose chercher 30 encore en tes bras ce délire qu'il éprouva dans le bosquet.[2]

---

[1] Vent du nord-est.

[2] Voir I, Lettre 14. Ce bosquet, dans le parc de la « maison de campagne » de Clarens, à deux lieues de Vevey où se trouvait la « maison de ville », fut témoin du premier baiser d'amour.

Vain fantôme d'une âme agitée qui s'égare dans ses désirs!
Bientôt forcé de rentrer en moi-même, je te contemple au
moins dans le détail de ton innocente vie: je suis de loin
les diverses occupations de ta journée, et je me les représente
5 dans les temps et les lieux où j'en fus quelquefois l'heureux
témoin.   Toujours je te vois vaquer à des soins qui te rendent
plus estimable, et mon cœur s'attendrit avec délices sur
l'inépuisable bonté du tien.   Maintenant, me dis-je au matin, elle sort d'un paisible sommeil, son teint a la fraîcheur de
10 rose, son âme jouit d'une douce paix; elle offre à celui dont
elle tient l'être un jour qui ne sera point perdu pour la vertu.
Elle passe à présent chez sa mère: les tendres affections de
son cœur s'épanchent avec les auteurs de ses jours; elle les
soulage dans le détail des soins de la maison; elle fait peut-
15 être la paix d'un domestique imprudent, elle lui fait peut-
être une exhortation secrète; elle demande peut-être une
grâce pour un autre.   Dans un autre temps, elle s'occupe
sans ennui des travaux de son sexe; elle orne son âme de
connaissances utiles; elle ajoute à son goût exquis les agré-
20 ments des beaux-arts, et ceux de la danse à sa légèreté
naturelle.   Tantôt je vois une élégante simple parure orner
des charmes qui n'en ont pas besoin.   Ici je la vois consulter un pasteur vénérable sur la peine ignorée d'une famille
indigente; là, secourir ou consoler la triste veuve et l'or-
25 phelin délaissé.   Tantôt elle charme une honnête société
par ses discours sensés et modestes; tantôt, en riant avec
ses compagnes, elle ramène une jeunesse folâtre au ton de la
sagesse et des bonnes mœurs. Quelques moments, ah!
pardonne! j'ose te voir même t'occuper de moi: je vois tes
30 yeux attendris parcourir une de mes lettres; je lis dans leur
douce langueur que c'est à ton amant fortuné que s'adressent
les lignes que tu traces; je vois que c'est de lui que tu parles
à ta cousine [1] avec une si tendre émotion.   Ô Julie! ô Julie!

[1] Claire, la confidente des amours de Julie et Saint-Preux, et qui fera
plus tard un mariage de convenance avec l'excellent M. d'Orbe (II, 15).

et nous ne serions pas unis? et nos jours ne couleraient pas ensemble? et nous pourrions être séparés pour toujours? Non, que jamais cette affreuse idée ne se présente à mon esprit! En un instant elle change tout mon attendrissement en fureur, la rage me fait courir de caverne en caverne; des gémissements et des cris m'échappent malgré moi; je rugis comme une lionne irritée; je suis capable de tout, hors de renoncer à toi; et il n'y a rien, non, rien que je ne fasse pour te posséder ou mourir.

J'en étais ici de ma lettre, et je n'attendais qu'une occasion sûre pour vous l'envoyer, quand j'ai reçu de Sion la dernière que vous m'y avez écrite. Que la tristesse qu'elle respire a charmé la mienne! Que j'y ai vu un frappant exemple de ce que vous me disiez de l'accord de nos âmes dans des lieux éloignés! Votre affliction, je l'avoue, est plus patiente; la mienne est plus emportée: mais il faut bien que le même sentiment prenne la teinture des caractères qui l'éprouvent, et il est bien naturel que les plus grandes pertes causent les plus grandes douleurs. Que dis-je, des pertes? Eh! qui les pourrait supporter? Non, connaissez-le enfin, ma Julie, un éternel arrêt du ciel nous destina l'un pour l'autre; c'est la première loi qu'il faut écouter, c'est le premier soin de la vie de s'unir à qui doit nous la rendre douce. Je le vois, j'en gémis, tu t'égares dans tes vains projets, tu veux forcer des barrières insurmontables, et négliges les seuls moyens possibles; l'enthousiasme de l'honnêteté t'ôte la raison, et ta vertu n'est plus qu'un délire.

Ah! si tu pouvais rester toujours jeune et brillante comme à présent, je ne demanderais au ciel que de te savoir éternellement heureuse, te voir tous les ans de ma vie une fois, une seule fois, et passer le reste de mes jours à contempler de loin ton asile, à t'adorer parmi ces rochers. Mais, hélas! vois la rapidité de cet astre qui jamais n'arrête; il vole, et le temps fuit, l'occasion s'échappe: ta beauté, ta beauté même aura son terme; elle doit décliner et périr un jour comme une

fleur qui tombe sans avoir été cueillie; et moi cependant
je gémis, je souffre, ma jeunesse s'use dans les larmes, et se
flétrit dans la douleur. Pense, pense, Julie, que nous comp-
tons déjà des années perdues pour le plaisir. Pense qu'elles
5 ne reviendront jamais; qu'il en sera de même de celles qui
nous restent si nous les laissons échapper encore. Ô amante
aveuglée! tu cherches un chimérique bonheur pour un temps
où nous ne serons plus; tu regardes un avenir éloigné, et tu
ne vois pas que nous nous consumons sans cesse, et que nos
10 âmes, épuisées d'amour et de peines, se fondent et coulent
comme l'eau. Reviens, il en est temps encore, reviens, ma
Julie, de cette erreur funeste. Laisse là tes projets, et sois
heureuse. Viens, ô mon âme! dans les bras de ton ami réunir
les deux moitiés de notre être; viens à la face du ciel, guide
15 de notre fuite et témoin de nos serments, jurer de vivre et
mourir l'un à l'autre. Ce n'est pas toi, je le sais, qu'il faut
rassurer contre la crainte de l'indigence. Soyons heureux
et pauvres, ah! quel trésor nous aurons acquis! Mais ne
faisons point cet affront à l'humanité, de croire qu'il ne
20 restera pas sur la terre entière un asile à deux amants infortunés. J'ai des bras, je suis robuste; le pain gagné par mon
travail te paraîtra plus délicieux que les mets des festins.
Un repas apprêté par l'amour peut-il jamais être insipide?
Ah! tendre et chère amante, dussions-nous n'être heureux
25 qu'un seul jour, veux-tu quitter cette courte vie sans avoir
goûté le bonheur?

Je n'ai plus qu'un mot à vous dire, ô Julie! vous connaissez
l'antique usage du rocher de Leucate,[1] dernier refuge de tant
d'amants malheureux. Ce lieu-ci lui ressemble à bien des
30 égards: la roche est escarpée, l'eau est profonde, et je suis
au désespoir.

---

[1] Roche de Leucate ou mieux Leucade, dans une des Îles Ioniennes,
près de Corfou, (appelée aujourd'hui Île de Sainte-Maure). Du haut
de ce rocher se précipitaient dans la mer les amants malheureux. Vénus
essaya le « Saut de Leucade » pour oublier Adonis.

DEUXIÈME PARTIE

Julie apprend que son père lui destine comme époux, un ami,
M. de Wolmar, auquel il a des obligations. De désespoir, elle
donne libre cours à son amour dans un coupable rendez-vous.
Puis elle a des remords. Après des adieux secrets et déchirants,
Saint-Preux part pour Paris sous la protection d'un ami anglais, 5
Lord Bomston. Julie fait ce double serment: elle n'épousera
pas Saint-Preux contre la volonté de son père; mais, si elle épouse
quelqu'un ce sera Saint-Preux (II, 11). La correspondance
amoureuse continue.

L'Amant reçoit le Portrait de sa Maîtresse

LETTRE XXII. — DE SAINT-PREUX A JULIE

Depuis ta lettre reçue je suis allé tous les jours chez M. 10
Silvestre demander le petit paquet. Il n'était toujours
point venu; et, dévoré d'une mortelle impatience, j'ai fait
le voyage sept fois inutilement. Enfin la huitième j'ai reçu
le paquet. A peine l'ai-je eu dans les mains, que, sans payer
le port,[1] sans m'en informer, sans rien dire à personne, je 15
suis sorti comme un étourdi; et, ne voyant que le moment
de rentrer chez moi, j'enfilais avec tant de précipitation des
rues que je ne connaissais point, qu'au bout d'une demi-
heure, cherchant la rue de Tournon où je loge, je me suis
trouvé dans le Marais, à l'autre extrémité de Paris. J'ai 20
été obligé de prendre un fiacre pour revenir plus promptement...

J'arrive enfin, je vole, je m'enferme dans ma chambre, je
m'assieds hors d'haleine, je porte une main tremblante sur
le cachet. Ô première influence du talisman! j'ai senti 25
palpiter mon cœur à chaque papier que j'ôtais, et je me suis
bientôt trouvé tellement oppressé que j'ai été forcé de respirer
un moment sur la dernière enveloppe... Julie!... ô ma

[1] En ce temps c'était le destinataire qui payait le port, et non la personne qui envoyait la lettre, ou le paquet.

Julie! le voile est déchiré ... je te vois ... je vois tes divins
attraits! ma bouche et mon cœur leur rendent le premier
hommage, mes genoux fléchissent ... Charmes adorés, encore
une fois vous aurez enchanté mes yeux! Qu'il est prompt,
5 qu'il est puissant, le magique effet de ces traits chéris! Non,
il ne faut point, comme tu prétends, un quart d'heure pour
le sentir; une minute, un instant suffit pour arracher de mon
sein mille ardents soupirs, et me rappeler avec ton image
celle de mon bonheur passé. Pourquoi faut-il que la joie
10 de posséder un si précieux trésor soit mêlée d'une si cruelle
amertume? Avec quelle violence il me rappelle des temps
qui ne sont plus! Je crois, en le voyant, te revoir encore;
je crois me retrouver à ces moments délicieux dont le souvenir
fait maintenant le malheur de ma vie, et que le ciel m'a
15 donnés et ravis dans sa colère. Hélas! un instant me désa-
buse; toute la douleur de l'absence se ranime et s'aigrit
en m'ôtant l'erreur qui l'a suspendue, et je suis comme ces
malheureux dont on n'interrompt les tourments que pour
les leur rendre plus sensibles. Dieux! quels torrents de
20 flammes mes avides regards puisent dans cet objet inattendu!
ô comme il ranime au fond de mon cœur tous les mouvements
impétueux que ta présence y faisait naître! Ô Julie, s'il
était vrai qu'il pût transmettre à tes sens le délire et l'illusion
des miens! ... Mais pourquoi ne le ferait-il pas? Pourquoi
25 des impressions que l'âme porte avec tant d'activité n'iraient-
elles pas aussi loin qu'elle? Ah! chère amante! où que tu
sois, quoi que tu fasses au moment où j'écris cette lettre, au
moment où ton portrait reçoit tout ce que ton idolâtre amant
adresse à ta personne, ne sens-tu pas ton charmant visage
30 inondé des pleurs de l'amour et de la tristesse? ne sens-tu
pas tes yeux, tes joues, ta bouche, ton sein, pressés, com-
primés, accablés de mes ardents baisers? ne te sens-tu pas
embraser tout entière du feu de mes lèvres brûlantes? ...
Ciel! qu'entends-je? Quelqu'un vient ... Ah! serrons, ca-
35 chons mon trésor ... un importun! ... Maudit soit le cruel

qui vient troubler des transports si doux!... Puisse-t-il ne
jamais aimer ... ou vivre loin de ce qu'il aime!

TROISIÈME PARTIE

L'Honneur d'un Gentilhomme et l'Honneur d'un Homme de Bien

Sur le lit de mort de sa mère, et en suite des supplications de
celle-ci, Julie consent à obéir à son père et à épouser M. de Wolmar,
le prétendant choisi pour elle. Alors a lieu l'échange suivant 5
de billets et de lettres:

BILLET. — DE JULIE A SAINT-PREUX

Il est temps de renoncer aux erreurs de la jeunesse, et
d'abandonner un trompeur espoir; je ne serai jamais à vous.
Rendez-moi donc la liberté que je vous ai engagée et dont
mon père veut disposer, ou mettez le comble à mes malheurs 10
par un refus qui nous perdra tous deux sans vous être d'aucun
usage.   JULIE D'ÉTANGE

LETTRE X. — DU BARON D'ÉTANGE A SAINT-PREUX

DANS LAQUELLE ÉTAIT LE PRÉCÉDENT BILLET

S'il peut rester dans l'âme d'un suborneur quelque sentiment d'honneur et d'humanité, répondez à ce billet d'une
malheureuse dont vous avez corrompu le cœur, et qui ne 15
serait plus si j'osais soupçonner qu'elle eût porté plus loin
l'oubli d'elle-même. Je m'étonnerai peu que la même philosophie qui lui apprit à se jeter à la tête du premier venu, lui
apprenne encore à désobéir à son père. Pensez-y cependant.
J'aime à prendre en toute occasion les voies de la douceur et 20
de l'honnêteté, quand j'espère qu'elles peuvent suffire; mais,
si j'en veux bien user avec vous, ne croyez pas que j'ignore
comment se venge l'honneur d'un gentilhomme offensé par
un homme qui ne l'est pas.

LETTRE XI. — RÉPONSE

Épargnez-vous, monsieur, des menaces vaines qui ne m'effraient point, et d'injustes reproches qui ne peuvent m'humilier. Sachez qu'entre deux personnes de même âge il n'y a d'autre suborneur que l'amour, et qu'il ne vous appartiendra
5 jamais d'avilir un homme que votre fille honora de son estime.

Quel sacrifice osez-vous m'imposer, et à quel titre l'exigez-vous? Est-ce à l'auteur de tous mes maux qu'il faut immoler mon dernier espoir? Je veux respecter le père de Julie; mais qu'il daigne être le mien s'il faut que j'apprenne à lui
10 obéir. Non, non, monsieur, quelque opinion que vous ayez de vos procédés, ils ne m'obligent point à renoncer pour vous à des droits si chers et si bien mérités de mon cœur. Vous faites le malheur de ma vie. Je ne vous dois que la haine, et vous n'avez rien à prétendre de moi. Julie a parlé;
15 voilà mon consentement. Ah! qu'elle soit toujours obéie! Un autre la possédera; mais j'en serai plus digne d'elle.

Si votre fille eût daigné me consulter sur les bornes de votre autorité, ne doutez pas que je ne lui eusse appris à résister à vos prétentions injustes. Quel que soit l'empire dont vous
20 abusez, mes droits sont plus sacrés que les vôtres; la chaîne qui nous lie est la borne du pouvoir paternel, même devant les tribunaux humains; et quand vous osez réclamer la nature, c'est vous seul qui bravez ses lois.

N'alléguez pas non plus cet honneur si bizarre et si délicat
25 que vous parlez de venger; nul ne l'offense que vous-même. Respectez le choix de Julie, et votre honneur est en sûreté; car mon cœur vous honore malgré vos outrages; et, malgré les maximes gothiques,[1] l'alliance d'un honnête homme n'en déshonora jamais un autre. Si ma présomption vous offense,
30 attaquez ma vie, je ne la défendrai jamais contre vous. Au

---

[1] « Gothique » quand il n'est pas employé comme terme d'architecture, signifie « barbare », appartenant aux civilisations des Goths, des Vandales ou des Huns.

surplus, je me soucie fort peu de savoir en quoi consiste l'honneur d'un gentilhomme; mais quant à celui d'un homme de bien, il m'appartient, je sais le défendre, et le conserverai pur et sans tache jusqu'au dernier soupir.

Allez, père barbare et peu digne d'un nom si doux, méditez 5 d'affreux parricides, tandis qu'une fille tendre et soumise immole son bonheur à vos préjugés. Vos regrets me vengeront un jour des maux que vous me faites, et vous sentirez trop tard que votre haine aveugle et dénaturée ne vous fut pas moins funeste qu'à moi. Je serai malheureux, sans doute; 10 mais si jamais la voix du sang s'élève au fond de votre cœur, combien vous le serez plus encore d'avoir sacrifié à des chimères l'unique fruit de vos entrailles, unique au monde en beauté, en mérite, en vertus, et pour qui le ciel prodigue de ses dons n'oublia rien qu'un meilleur père!

15

BILLET

INCLUS DANS LA PRÉCÉDENTE LETTRE

Je rends à Julie d'Étange le droit de disposer d'elle-même, et de donner sa main sans consulter son cœur.

S. P.

Le Mariage de Julie

Julie d'Étange épouse M. de Wolmar — et elle se déclare contente. Elle expose très longuement ses raisons à Saint-Preux.

LETTRE XVIII. — DE JULIE A SON AMI

... M. de Wolmar arriva, et ne se rebuta pas [1] du change- 20 ment de mon visage. Mon père ne me laissa pas respirer. Le deuil de ma mère allait finir, et ma douleur était à l'épreuve du temps. Je ne pouvais alléguer ni l'un ni l'autre pour éluder ma promesse; il fallut l'accomplir. Le jour qui

---

[1] Julie, pendant la crise d'amour pour Saint-Preux, était tombée gravement malade; et atteinte de petite vérole, elle avait espéré que son visage marqué de la terrible maladie rebuterait M. de Wolmar.

devait m'ôter pour jamais à vous et à moi me parut le dernier
de ma vie. J'aurais vu les apprêts de ma sépulture avec
moins d'effroi que ceux de mon mariage. Plus j'approchais
du moment fatal, moins je pouvais déraciner de mon cœur
5 mes premières affections; elles s'irritaient par mes efforts
pour les éteindre. Enfin, je me lassai de combattre inutilement. Dans l'instant même où j'étais prête à jurer à un
autre une éternelle fidélité, mon cœur vous jurait encore un
amour éternel, et je fus menée au temple comme une victime
10 impure qui souille le sacrifice où l'on va l'immoler.

Arrivée à l'église, je sentis en entrant une sorte d'émotion
que je n'avais jamais éprouvée. Je ne sais quelle terreur
vint saisir mon âme dans ce lieu simple et auguste, tout
rempli de la majesté de celui qu'on y sert. Une frayeur sou-
15 daine me fit frissonner; tremblante et prête à tomber en dé-
faillance, j'eus peine à me traîner jusqu'au pied de la chaire.
Loin de me remettre, je sentis mon trouble augmenter
durant la cérémonie; et s'il me laissait apercevoir les objets,
c'était pour en être épouvantée. Le jour sombre de l'édifice,
20 le profond silence des spectateurs, leur maintien modeste
et recueilli, le cortège de tous mes parents, l'imposant aspect
de mon vénéré père, tout donnait à ce qui s'allait passer un
air de solennité qui m'excitait à l'attention et au respect,
et qui m'eût fait frémir à la seule idée d'un parjure. Je
25 crus voir l'organe de la Providence et entendre la voix de
Dieu dans le ministre prononçant gravement la sainte liturgie.
La pureté, la dignité, la sainteté du mariage, si vivement ex-
posées dans les paroles de l'Écriture, ses chastes et sublimes
devoirs si importants au bonheur, à l'ordre, à la paix, à la
30 durée du genre humain, si doux à remplir pour eux-mêmes;
tout cela me fit une telle impression, que je crus sentir in-
térieurement une révolution subite. Une puissance inconnue
sembla corriger tout à coup le désordre de mes affections et
les rétablir selon la loi du devoir et de la nature. L'œil
35 éternel qui voit tout, disais-je en moi-même, lit maintenant

au fond de mon cœur; il compare ma volonté cachée à la réponse de ma bouche: le ciel et la terre sont témoins de l'engagement sacré que je prends; ils le seront encore de ma fidélité à l'observer. Quel droit peut respecter parmi les hommes quiconque ose violer le premier de tous? 5

Un coup d'œil jeté par hasard sur monsieur et madame d'Orbe, que je vis à côté l'un de l'autre et fixant sur moi des yeux attendris, m'émut plus puissamment encore que n'avaient fait tous les autres objets. Aimable et vertueux couple, pour moins connaître l'amour, en êtes-vous moins unis? Le 10 devoir et l'honnêteté vous lient: tendres amis, époux fidèles, sans brûler de ce feu dévorant qui consume l'âme, vous vous aimez d'un sentiment pur et doux qui la nourrit, que la sagesse autorise et que la raison dirige; vous n'en êtes que plus solidement heureux. Ah! puissé-je dans un 15 lien pareil recouvrer la même innocence, et jouir du même bonheur! Si je ne l'ai pas mérité comme vous, je m'en rendrai digne à votre exemple. Ces sentiments réveillèrent mon courage. J'envisageai le saint nœud que j'allais former comme un nouvel état qui devait purifier mon âme 20 et la rendre à tous ses devoirs. Quand le pasteur me demanda si je promettais obéissance et fidélité parfaite à celui que j'acceptais pour époux, ma bouche et mon cœur le promirent. Je le tiendrai jusqu'à la mort.

De retour au logis, je soupirais après une heure de solitude 25 et de recueillement. Je l'obtins, non sans peine; et quelque empressement que j'eusse d'en profiter, je ne m'examinai d'abord qu'avec répugnance, craignant de n'avoir éprouvé qu'une fermentation passagère en changeant de condition, et de me retrouver aussi peu digne épouse que j'avais été 30 fille peu sage. L'épreuve était sûre, mais dangereuse. Je commençai par songer à vous. Je me rendais le témoignage que nul tendre souvenir n'avait profané l'engagement solennel que je venais de prendre. Je ne pouvais concevoir par quel prodige votre opiniâtre image m'avait pu laisser si longtemps 35

en paix avec tant de sujets de me la rappeler: je me serais
défiée de l'indifférence et de l'oubli, comme d'un état trompeur
qui m'était trop peu naturel pour être durable. Cette illusion n'était guère à craindre; je sentis que je vous aimais
5 autant et plus peut-être que je n'avais jamais fait; mais je
le sentis sans rougir. Je vis que je n'avais pas besoin pour
penser à vous d'oublier que j'étais la femme d'un autre. En
me disant combien vous m'étiez cher, mon cœur était ému,
mais ma conscience et mes sens étaient tranquilles; et je
10 connus dès ce moment que j'étais réellement changée. Quel
torrent de pure joie vint alors inonder mon âme! Quel
sentiment de paix, effacé depuis si longtemps, vint ranimer
ce cœur flétri par l'ignominie, et répandre dans tout mon
être une sérénité nouvelle! Je crus me sentir renaître; je
15 crus recommencer une autre vie. Douce et consolante
vertu, je la recommence pour toi; c'est toi qui me la rendras
chère; c'est à toi que je la veux consacrer. Ah! j'ai trop appris ce qu'il en coûte à te perdre, pour t'abandonner une
seconde fois!

20 Dans le ravissement d'un changement si grand, si prompt,
si inespéré, j'osai considérer l'état où j'étais la veille; je
frémis de l'indigne abaissement où m'avait réduite l'oubli
de moi-même et de tous les dangers que j'avais courus depuis
mon premier égarement. Quelle heureuse révolution me
25 venait de montrer l'horreur du crime qui m'avait tentée, et
réveillait en moi le goût de la sagesse!... Quelle sûreté
avais-je eue de n'aimer que vous seul au monde, si ce n'est
un sentiment intérieur que croient avoir tous les amants,
qui se jurent une constance éternelle, et se parjurent innocem-
30 ment toutes les fois qu'il plaît au ciel de changer leur cœur?...
Je le vois, je le sens; la main secourable qui m'a conduite
à travers les ténèbres est celle qui lève à mes yeux le voile
de l'erreur, et me rend à moi malgré moi-même. La voix
secrète qui ne cessait de murmurer au fond de mon cœur
35 s'élève et tonne avec plus de force au moment où j'étais

prête à périr. L'auteur de toute vérité n'a point souffert
que je sortisse de sa présence, coupable d'un vil parjure; et,
prévenant mon crime par mes remords, il m'a montré l'abîme
où j'allais me précipiter. Providence éternelle, qui fais
ramper l'insecte et rouler les cieux, tu veilles sur la moindre 5
de tes œuvres! tu me rappelles au bien que tu m'as fait aimer!
Daigne accepter d'un cœur épuré par tes soins l'hommage
que toi seule rends digne de t'être offert.

A l'instant, pénétrée d'un vif sentiment du danger dont
j'étais délivrée, et de l'état d'honneur et de sûreté où je me 10
sentais rétablie, je me prosternai contre terre, j'élevai vers
le ciel mes mains suppliantes, j'invoquai l'être dont il est le
trône, et qui soutient ou détruit quand il lui plaît par nos
propres forces la liberté qu'il nous donne. Je veux, lui
dis-je, le bien que tu veux, et dont toi seul es la source. Je 15
veux aimer l'époux que tu m'as donné. Je veux être fidèle,
parce que c'est le premier devoir qui lie la famille et toute
la société. Je veux être chaste, parce que c'est la première
vertu qui nourrit toutes les autres. Je veux tout ce qui se
rapporte à l'ordre de la nature que tu as établi, et aux règles 20
de la raison que je tiens de toi. Je remets mon cœur sous
ta garde et mes désirs en ta main. Rends toutes mes actions
conformes à ma volonté constante, qui est la tienne; et ne
permets plus que l'erreur d'un moment l'emporte sur le choix
de toute ma vie. 25

Après cette courte prière, la première que j'eusse faite avec
un vrai zèle, je me sentis tellement affermie dans mes résolutions, il me parut si facile et si doux de les suivre, que je vis
clairement où je devais chercher désormais la force dont
j'avais besoin pour résister à mon propre cœur, et que je ne 30
pouvais trouver en moi-même. Je tirai de cette seule découverte une confiance nouvelle, et je déplorai le triste
aveuglement qui me l'avait fait manquer si longtemps. Je
n'avais jamais été tout à fait sans religion: mais peut-être
vaudrait-il mieux n'en point avoir du tout que d'en avoir 35

une extérieure et maniérée, qui sans toucher le cœur rassure la conscience; de se borner à des formules, et de croire exactement en Dieu à certaines heures pour n'y plus penser le reste du temps. Scrupuleusement attachée au culte public, 5 je n'en savais rien tirer pour la pratique de ma vie. Je me sentais bien née, et me livrais à mes penchants; j'aimais à réfléchir, et me fiais à ma raison; ne pouvant accorder l'esprit de l'Évangile avec celui du monde, ni la foi avec les œuvres, j'avais pris un milieu qui contentait ma vaine sagesse; j'avais 10 des maximes pour croire et d'autres pour agir; j'oubliais dans un lieu ce que j'avais pensé dans l'autre; j'étais dévote à l'église et philosophe au logis. Hélas! je n'étais rien nulle part; mes prières n'étaient que des mots, mes raisonnements des sophismes, et je suivais pour toute lumière la fausse lueur 15 des feux errants qui me guidaient pour me perdre.

... Adorez l'Être éternel, mon digne et sage ami; d'un souffle vous détruirez ces fantômes de raison qui n'ont qu'une vaine apparence, et fuient comme une ombre devant l'immuable vérité. Rien n'existe que par celui qui est: c'est 20 lui qui donne un but à la justice, une base à la vertu, un prix à cette courte vie employée à lui plaire; c'est lui qui ne cesse de crier aux coupables que leurs crimes secrets ont été vus, et qui sait dire au juste oublié: Tes vertus ont un témoin; c'est lui, c'est sa substance inaltérable qui est le vrai 25 modèle des perfections dont nous portons tous une image en nous-mêmes. Nos passions ont beau la défigurer, tous ses traits liés à l'essence infinie se représentent toujours à la raison, et lui servent à rétablir ce que l'imposture et l'erreur en ont altéré. Ces distinctions me semblent faciles, 30 le sens commun suffit pour les faire. Tout ce qu'on ne peut séparer de l'idée de cette essence est Dieu; tout le reste est l'ouvrage des hommes. C'est à la contemplation de ce divin modèle que l'âme s'épure et s'élève, qu'elle apprend à mépriser ses inclinations basses et à surmonter ses vils 35 penchants. Un cœur pénétré de ces sublimes vérités se refuse

aux petites passions des hommes; cette grandeur infinie le
dégoûte de leur orgueil; le charme de la méditation l'arrache
aux désirs terrestres; et quand l'être immense dont il s'occupe n'existerait pas, il serait encore bon qu'il s'en occupât
sans cesse pour être plus maître de lui-même, plus fort, plus 5
heureux, et plus sage. . . . .

Pour expliquer ces remarques sur la religion — dont une grande
partie ont été omises ici — il faut se souvenir de ce passage des
Confessions relatif au but de *La Nouvelle Héloïse :*
« Outre cet objet de mœurs et d'honnêteté conjugale, qui 10
tient radicalement à tout l'ordre social, je m'en fis un plus secret
de concorde et de paix publique; objet plus grand, plus important
peut-être en lui-même, et du moins pour le moment où l'on se
trouvait. L'orage excité par l'*Encyclopédie*, loin de se calmer, était
alors dans sa plus grande force. Les deux partis, déchaînés l'un 15
contre l'autre avec la dernière fureur, ressemblaient plutôt à des
loups enragés, acharnés à s'entre-déchirer, qu'à des chrétiens et
des philosophes qui veulent réciproquement s'éclairer, se convaincre et se ramener dans la voie de la vérité. Il ne manquait
peut-être à l'un et l'autre que des chefs remuants qui eussent du 20
crédit pour dégénérer en guerre civile; et Dieu sait ce qu'eût
produit une guerre civile de religion, où l'intolérance la plus cruelle
était au fond la même des deux côtés. Ennemi né de tout esprit
de parti, j'avais dit franchement aux uns et aux autres des vérités
dures qu'ils n'avaient pas écoutées. Je m'avisai d'un autre ex- 25
pédient qui, dans ma simplicité, me parut admirable : c'était
d'adoucir leur haine réciproque en détruisant leurs préjugés, et
de montrer à chaque parti le mérite et la vertu dans l'autre,
dignes de l'estime publique et du respect de tous les mortels. Ce
projet peu sensé, qui supposait de la bonne foi dans les hommes 30
. . . eut le succès qu'il devait avoir; il ne rapprocha point les
partis et ne les réunit que pour m'accabler. En attendant que
l'expérience m'eût fait sentir ma folie, je m'y livrai, j'ose le dire,
avec un zèle digne du motif qui me l'inspirait, et je dessinai les
deux caractères de Wolmar et de Julie, dans un ravissement qui me 35
faisait espérer de les rendre aimables tous les deux, et, qui
plus est, l'un par l'autre. »

Et Julie termine ainsi sa longue lettre.

Je vous dirai plus: tout est changé entre nous; il faut
nécessairement que votre cœur change. Julie de Wolmar
n'est plus votre ancienne Julie; la révolution de vos senti-
5 ments pour elle est inévitable, et il ne vous reste que le choix
de faire honneur de ce changement au vice ou à la vertu...
Ne vaut-il pas mieux épurer un sentiment si cher pour le
rendre durable? Ne vaut-il pas mieux en conserver au
moins ce qui peut s'accorder avec l'innocence? N'est-ce pas
10 conserver tout ce qu'il eut de plus charmant? Oui, mon
bon et digne ami, pour nous aimer toujours il faut renoncer
l'un à l'autre. Oublions tout le reste, et soyez l'amant de
mon âme. Cette idée est si douce qu'elle console de
tout...

15 Nous étions trop unis vous et moi pour qu'en changeant
d'espèce notre union se détruise. Si vous perdez une tendre
amante, vous gagnez une fidèle amie; et, quoi que nous en
ayons pu dire durant nos illusions, je doute que ce changement vous soit désavantageux. Tirez-en le même parti que
20 moi, je vous en conjure, pour devenir meilleur et plus sage,
et pour épurer par des mœurs chrétiennes les leçons de la
philosophie. Je ne serai jamais heureuse que vous ne soyez
heureux aussi, et je sens plus que jamais qu'il n'y a point de
bonheur sans la vertu. Si vous m'aimez véritablement,
25 donnez-moi la douce consolation de voir que nos cœurs ne
s'accordent pas moins dans leur retour au bien qu'ils s'ac-
cordèrent dans leur égarement...

Le Bonheur de Julie

La lettre suivante est écrite en réponse à celle de Saint-Preux
qui vient d'apprendre la nouvelle du mariage de Julie. Si l'on
30 compte environ une semaine pour le courrier de Vevey à Paris, et
autant en sens inverse, Julie n'a pas pu avoir été mariée bien
longtemps lorsqu'elle exprime ces sentiments.

LETTRE XX. — DE JULIE A SAINT-PREUX

Vous me demandez si je suis heureuse. Cette question
me touche, et en la faisant vous m'aidez à y répondre; car,
bien loin de chercher l'oubli dont vous parlez, j'avoue que
je ne saurais être heureuse si vous cessiez de m'aimer: mais
je le suis à tous égards, et rien ne manque à mon bonheur que 5
le vôtre. Si j'ai évité dans ma lettre précédente de parler
de M. de Wolmar, je l'ai fait par ménagement pour vous.
Je connaissais trop votre sensibilité pour ne pas craindre
d'aigrir vos peines; mais votre inquiétude sur mon sort
m'obligeant à vous parler de celui dont il dépend, je ne puis 10
vous en parler que d'une manière digne de lui, comme il
convient à son épouse et à une amie de la vérité.

M. de Wolmar a près de cinquante ans, sa vie unie, réglée,
et le calme des passions, lui ont conservé une constitution si
saine et un air si frais, qu'il paraît à peine en avoir quarante; 15
et il n'a rien d'un âge avancé que l'expérience et la sagesse.
Sa physionomie est noble et prévenante, son abord simple et
ouvert; ses manières sont plus honnêtes qu'empressées;
il parle peu et d'un grand sens, mais sans affecter ni
précision ni sentences. Il est le même pour tout le monde, 20
ne cherche et ne fuit personne, et n'a jamais d'autres préférences que celles de la raison.

Malgré sa froideur naturelle, son cœur, secondant les intentions de mon père, crut sentir que je lui convenais, et
pour la première fois de sa vie il prit un attachement. Ce 25
goût modéré, mais durable, s'est si bien réglé sur les bien-
séances, et s'est maintenu dans une telle égalité, qu'il n'a pas
eu besoin de changer de ton en changeant d'état, et que,
sans blesser la gravité conjugale, il conserve avec moi depuis
son mariage les mêmes manières qu'il avait auparavant. Je 30
ne l'ai jamais vu ni gai ni triste, mais toujours content; jamais
il ne me parle de lui, rarement de moi; il ne me cherche pas,
mais il n'est pas fâché que je le cherche, et me quitte peu

volontiers. Il ne rit point; il est sérieux sans donner envie
de l'être; au contraire, son abord serein semble m'inviter à
l'enjouement; et comme les plaisirs que je goûte sont les seuls
auxquels il paraît sensible, une des attentions que je lui dois
5 est de chercher à m'amuser. En un mot, il veut que je sois
heureuse: il ne me le dit pas, mais je le vois, et vouloir le
bonheur de sa femme n'est-ce pas l'avoir obtenu?

Avec quelque soin que j'aie pu l'observer, je n'ai su lui
trouver de passion d'aucune espèce que celle qu'il a pour
10 moi. Encore cette passion est-elle si égale et si tempérée,
qu'on dirait qu'il n'aime qu'autant qu'il veut aimer, et qu'il
ne le veut qu'autant que la raison le permet. Il est réellement ce que mylord Édouard croit être;[1] en quoi je le trouve
bien supérieur à tous nous autres gens à sentiment, que nous
15 admirons tant nous-mêmes; car le cœur nous trompe en
mille manières, et n'agit que par un principe toujours suspect:
mais la raison n'a d'autre fin que ce qui est bien; ses règles
sont sûres, claires, faciles dans la conduite de la vie; et jamais
elle ne s'égare que dans d'inutiles spéculations qui ne sont pas
20 faites pour elle . . .

J'oubliais de vous parler de nos revenus et de leur administration. Le débris des biens de M. de Wolmar, joint à celui
de mon père, qui ne s'est réservé qu'une pension, lui fait une
fortune honnête et modérée, dont il use noblement et sage-
25 ment, en maintenant chez lui non l'incommode et vain appareil du luxe, mais l'abondance, les véritables commodités
de la vie, et le nécessaire chez ses voisins indigents. L'ordre
qu'il a mis dans sa maison est l'image de celui qui règne au
fond de son âme, et semble imiter dans un petit ménage
30 l'ordre établi dans le gouvernement du monde. On n'y voit

---

[1] Édouard Bomston, le gentilhomme anglais qui avait voulu épouser
Julie, et avait renoncé en apprenant qu'elle aimait Saint-Preux; qui
avait ensuite offert ses terres et sa fortune à Julie et Saint-Preux quand
M. d'Étange avait voulu contraindre le cœur de Julie. Il *croit* donc
être du parti de la raison, quand en réalité il est du parti du sentiment.

ni cette inflexible régularité qui donne plus de gêne que
d'avantage, et n'est supportable qu'à celui qui l'impose, ni
cette confusion mal entendue qui pour trop avoir ôte l'usage
de tout. On y reconnaît toujours la main du maître et l'on
ne la sent jamais; il a si bien ordonné le premier arrangement 5
qu'à présent tout va tout seul, et qu'on jouit à la fois de la
règle et de la liberté.

Voilà, mon bon ami, une idée abrégée, mais fidèle, du
caractère de M. de Wolmar . . . Sur ce tableau vous pouvez
d'avance vous répondre à vous-même; et il faudrait me 10
mépriser beaucoup pour ne pas me croire heureuse avec tant
de sujet de l'être.

Ce qui m'a longtemps abusée, et qui peut-être vous abuse
encore, c'est la pensée que l'amour est nécessaire pour former
un heureux mariage. Mon ami, c'est une erreur; l'honnêteté, 15
la vertu, de certaines convenances, moins de conditions et
d'âges que de caractères et d'humeurs, suffisent entre deux
époux; ce qui n'empêche point qu'il ne résulte de cette union
un attachement très tendre, qui, pour n'être pas précisément
de l'amour, n'en est pas moins doux et n'en est que plus 20
durable. L'amour est accompagné d'une inquiétude continuelle de jalousie ou de privation, peu convenable au
mariage, qui est un état de jouissance et de paix. On ne
s'épouse point pour penser uniquement l'un à l'autre, mais
pour remplir conjointement les devoirs de la vie civile, gouver- 25
ner prudemment la maison, bien élever ses enfants. Les
amants ne voient jamais qu'eux, ne s'occupent incessamment
que d'eux, et la seule chose qu'ils sachent faire est de s'aimer.
Ce n'est pas assez pour des époux, qui ont tant d'autres soins
à remplir. Il n'y a point de passion qui nous fasse une si 30
forte illusion que l'amour: on prend sa violence pour un signe
de sa durée; le cœur surchargé d'un sentiment si doux l'étend
pour ainsi dire sur l'avenir, et tant que cet amour dure on
croit qu'il ne finira point. Mais, au contraire, c'est son ardeur même qui le consume; il s'use avec la jeunesse, il s'ef- 35

face avec la beauté, il s'éteint sous les glaces de l'âge; et
depuis que le monde existe on n'a jamais vu deux amants
en cheveux blancs soupirer l'un pour l'autre. On doit donc
compter qu'on cessera de s'adorer tôt ou tard; alors, l'idole
5 qu'on servait détruite, on se voit réciproquement tels qu'on
est. On cherche avec étonnement l'objet qu'on aima; ne
le trouvant plus, on se dépite contre celui qui reste, et souvent
l'imagination le défigure autant qu'elle l'avait paré. Il y
a peu de gens, dit la Rochefoucauld, qui ne soient honteux
10 de s'être aimés, quand ils ne s'aiment plus. Combien alors
il est à craindre que l'ennui ne succède à des sentiments
trop vifs; que leur déclin, sans s'arrêter à l'indifférence, ne
passe jusqu'au dégoût; qu'on ne se trouve enfin tout à fait
rassasiés l'un de l'autre; et que, pour s'être trop aimés amants,
15 on n'en vienne à se haïr époux! Mon cher ami, vous m'avez
toujours paru bien aimable, beaucoup trop pour mon innocence et pour mon repos; mais je ne vous ai jamais vu
qu'amoureux: que sais-je ce que vous seriez devenu cessant
de l'être? L'amour éteint vous eût toujours laissé la vertu,
20 je l'avoue; mais en est-ce assez pour être heureux dans un
lien que le cœur doit serrer? et combien d'hommes vertueux
ne laissent pas d'être des maris insupportables! Sur tout
cela vous en pouvez dire autant de moi.

Pour M. de Wolmar, nulle illusion ne nous prévient l'un
25 pour l'autre: nous nous voyons tels que nous sommes; le
sentiment qui nous joint n'est point l'aveugle transport des
cœurs passionnés, mais l'immuable et constant attachement
de deux personnes honnêtes et raisonnables, qui, destinées
à passer ensemble le reste de leurs jours, sont contentes de
30 leur sort, et tâchent de se le rendre doux l'une à l'autre. Il
semble que, quand on nous eût formés exprès pour nous
unir, on n'aurait pu réussir mieux ...

Mon ami, le ciel éclaire la bonne intention des pères, et
récompense la docilité des enfants. A Dieu ne plaise que je
35 veuille insulter à vos déplaisirs. Le seul désir de vous rassurer

pleinement sur mon sort me fait ajouter ce que je vais vous
dire. Quand avec les sentiments que j'eus ci-devant pour
vous, et les connaissances que j'ai maintenant, je serais libre
encore et maîtresse de me choisir un mari, je prends à témoin
de ma sincérité ce Dieu qui daigne m'éclairer et qui lit au 5
fond de mon cœur, ce n'est pas vous que je choisirais, c'est
M. de Wolmar.

Il importe peut-être à votre entière guérison que j'achève
de vous dire ce qui me reste sur le cœur. M. de Wolmar
est plus âgé que moi. Si pour me punir de mes fautes, le 10
ciel m'ôtait le digne époux que j'ai si peu mérité, ma ferme
résolution est de n'en prendre jamais un autre. S'il n'a pas
eu le bonheur de trouver une fille chaste, il laissera du moins
une chaste veuve. Vous me connaissez trop bien pour
croire qu'après vous avoir fait cette déclaration je sois femme 15
à m'en rétracter jamais . . .

Julie déclare ensuite qu'elle cessera désormais tout commerce
de lettre, et elle termine ainsi.

Je vous conjure de faire quelque attention aux discours de
votre amie, et de choisir pour aller au bonheur une route 20
plus sûre que celle qui nous a si longtemps égarés. Je ne
cesserai de demander au ciel, pour vous et pour moi, cette
félicité pure, et ne serai contente qu'après l'avoir obtenue
pour tous les deux. Ah! si jamais nos cœurs se rappellent
malgré nous les erreurs de notre jeunesse, faisons au moins 25
que le retour qu'elles auront produit en autorise le souvenir
et que nous puissions dire avec cet ancien: Hélas! nous
périssions si nous n'eussions péri!

Ici finissent les sermons de la prêcheuse: elle aura désormais assez à faire à se prêcher elle-même. Adieu, mon 30
aimable ami, adieu pour toujours; ainsi l'ordonne l'inflexible
devoir: mais croyez que le cœur de Julie ne sait point oublier
ce qui lui fut cher . . . Mon Dieu! que fais-je? . . . Vous le
verrez trop à l'état de ce papier. Ah! n'est-il pas permis de
s'attendrir en disant à son ami le dernier adieu?   35

Lettre de Lord Bomston sur le Suicide

Saint-Preux a décidé de se suicider, et là-dessus son ami anglais l'accuse de lâcheté et écrit ces pages fameuses. Rousseau partageait l'admiration de beaucoup de ses contemporains (l'abbé Prévost, Diderot, Montesquieu, Voltaire, etc.) pour l'Angleterre; et non seulement pour les hommes, mais aussi pour les choses. Voir plus bas l'extrait *L'Élysée* (IV, IX) où il donne toute sa préférence aux jardins dits « anglais » par opposition aux jardins «à la française», et l'extrait *Matinée à l'anglaise* (V, III).

Voici d'abord les passages donnant les arguments de Saint-Preux en faveur du suicide. (IIIme Partie, Lettre 21.)

« ... J'ai longtemps médité sur ce grave sujet; vous devez le savoir, car vous connaissez mon sort, et je vis encore. Plus j'y réfléchis, plus je trouve que la question se réduit à cette proposition fondamentale: Chercher son bien et fuir son mal en ce qui n'offense point autrui, c'est le droit de la nature. Quand notre vie est un mal pour nous, et n'est un bien pour personne, il est donc permis de s'en délivrer. S'il y a dans ce monde une maxime évidente et certaine, je pense que c'est celle-là; et, si l'on venait à bout de la renverser, il n'y a point d'action humaine dont on ne pût faire un crime ... »

« ... Sans doute il y a du courage à souffrir avec constance les maux qu'on ne peut éviter; mais il n'y a qu'un insensé qui souffre volontairement ceux dont il peut s'exempter sans mal faire, et c'est souvent un très grand mal d'endurer un mal sans nécessité ... »

« ... Dieu a donné la liberté à l'homme pour faire le bien, la conscience pour le vouloir, et la raison pour le choisir; il l'a constitué seul juge de ses propres actions, il a écrit dans son cœur: Fais ce qui t'est salutaire et n'est nuisible à personne. Si je sens qu'il m'est bon de mourir, je résiste à son ordre en m'opiniâtrant à vivre; car, en me rendant la mort désirable, il me prescrit de la chercher ... »

Lord Bomston avait approuvé l'amour de Saint-Preux et de Julie; il avait même offert de favoriser leur fuite de Vevey, et de les établir en Angleterre sur ses terres si Julie voulait y consentir. Maintenant cependant que Julie est mariée, il veut accepter le fait accompli; et il reproche à Saint-Preux sa lâcheté de vouloir renoncer à la vie simplement parce que le malheur l'a frappé. Du reste, il lui reproche de faillir aux devoirs de l'amitié, car lui, Bomston, l'aimait et avait besoin de lui.

LETTRE XXII. — RÉPONSE

Jeune homme, un aveugle transport t'égare: sois plus discret, ne conseille point en demandant conseil: j'ai connu d'autres maux que les tiens. J'ai l'âme ferme; je suis Anglais. Je sais mourir, car je sais vivre, souffrir en homme. J'ai vu la mort de près,[1] et la regarde avec trop d'indifférence pour l'aller chercher. Parlons de toi.

Il est vrai, tu m'étais nécessaire: mon âme avait besoin de la tienne; tes soins pouvaient m'être utiles; ta raison pouvait m'éclairer dans la plus importante affaire de ma vie;[2] si je ne m'en sers point, à qui t'en prends-tu? Où est-elle? Qu'est-elle devenue? Que peux-tu faire? à quoi es-tu bon dans l'état où te voila? quels services puis-je espérer de toi? Une douleur insensée te rend stupide et im-pitoyable: tu n'es pas un homme, tu n'es rien; et, si je ne regardais à ce que tu peux être, tel que tu es, je ne vois rien dans le monde au-dessous de toi.

Je n'en veux pour preuve que ta lettre même. Autrefois je trouvais en toi du sens, de la vérité; tes sentiments étaient droits, tu pensais juste, et je ne t'aimais pas seulement par goût, mais par choix, comme un moyen de plus pour moi de cultiver la sagesse. Qu'ai-je trouvé maintenant dans les raisonnements de cette lettre dont tu parais si content? Un misérable et perpétuel sophisme, qui, dans l'égarement de ta raison, marque celui de ton cœur, et que je ne daignerais pas même relever si je n'avais pitié de ton délire.

---

[1] Lord Bomston était, comme tout noble, de l'armée; il avait vu la guerre, et il s'était battu en duel.

[2] Son mariage. Voir l'appendice au roman de *La Nouvelle Héloïse*, Les Amours de Milord Édouard Bomston.

Pour renverser tout cela d'un mot, je ne veux te demander qu'une seule chose. Toi qui crois Dieu existant, l'âme immortelle, et la liberté de l'homme, tu ne penses pas, sans doute, qu'un être intelligent reçoive un corps et soit placé
5 sur la terre au hasard seulement pour vivre, souffrir et mourir? il y a bien peut-être à la vie humaine un but, une fin, un objet moral? Je te prie de me répondre clairement sur ce point; après quoi nous reprendrons pied à pied ta lettre, et tu rougiras de l'avoir écrite.

10 Mais laissons les maximes générales, dont on fait souvent beaucoup de bruit sans jamais en suivre aucune; car il se trouve toujours dans l'application quelque condition particulière qui change tellement l'état des choses, que chacun se croit dispensé d'obéir à la règle qu'il prescrit aux autres;
15 et l'on sait bien que tout homme qui pose des maximes générales entend qu'elles obligent tout le monde, excepté lui. Encore un coup, parlons de toi.

Il est donc permis, selon toi, de cesser de vivre? La preuve en est singulière, c'est que tu as envie de mourir. Voilà
20 certes un argument fort commode pour les scélérats: ils doivent t'être bien obligés des armes que tu leur fournis; il n'y aura plus de forfaits qu'ils ne justifient par la tentation de les commettre; et dès que la violence de la passion l'emportera sur l'horreur du crime, dans le désir de mal faire ils
25 en trouveront aussi le droit.

Il t'est donc permis de cesser de vivre? Je voudrais bien savoir si tu as commencé. Quoi! fus-tu placé sur la terre pour n'y rien faire? Le ciel ne t'imposa-t-il point avec la vie une tâche pour la remplir? Si tu as fait ta journée avant
30 le soir, repose-toi le reste du jour, tu le peux; mais voyons ton ouvrage. Quelle réponse tiens-tu prête au juge suprême qui te demandera compte de ton temps? Parle, que lui diras-tu? J'ai séduit une fille honnête; j'abandonne un ami dans ses chagrins. Malheureux! trouve-moi ce juste qui
35 se vante d'avoir assez vécu; que j'apprenne de lui com-

ment il faut avoir porté la vie, pour être en droit de la
quitter.

Tu comptes les maux de l'humanité; tu ne rougis pas
d'épuiser des lieux communs cent fois rebattus, et tu dis:
La vie est un mal. Mais regarde, cherche dans l'ordre des 5
choses si tu y trouves quelques biens qui ne soient point
mêlés de maux. Est-ce donc à dire qu'il n'y ait aucun bien
dans l'univers? et peux-tu confondre ce qui est mal par sa
nature avec ce qui ne souffre le mal que par accident? Tu
l'as dit toi-même, la vie passive de l'homme n'est rien, et ne 10
regarde qu'un corps dont il sera bientôt délivré; mais sa vie
active et morale, qui doit influer sur tout son être, consiste
dans l'exercice de sa volonté. La vie est un mal pour le
méchant qui prospère, et un bien pour l'honnête homme
infortuné; car ce n'est pas une modification passagère, mais 15
son rapport avec son objet, qui la rend bonne ou mauvaise.
Quelles sont enfin ces douleurs si cruelles qui te forcent de
la quitter? Penses-tu que je n'aie pas démêlé sous ta feinte
impartialité dans le dénombrement des maux de cette vie
la honte de parler des tiens? Crois-moi, n'abandonne pas 20
à la fois toutes tes vertus; garde au moins ton ancienne
franchise, et dis ouvertement à ton ami: J'ai perdu l'espoir
de corrompre une honnête femme, me voilà forcé d'être
homme de bien; j'aime mieux mourir.

Tu t'ennuies de vivre, et tu dis: La vie est un mal. Tôt 25
ou tard tu sera consolé, et tu diras: La vie est un bien. Tu
diras plus vrai sans mieux raisonner; car rien n'aura changé
que toi. Change donc dès aujourdhui; et puisque c'est
dans la mauvaise disposition de ton âme qu'est tout le mal,
corrige tes affections déréglées, et ne brûle pas ta maison pour 30
n'avoir pas la peine de la ranger.

Je souffre, me dis-tu; dépend-il de moi de ne pas souffrir?
D'abord c'est changer l'état de la question; car il ne
s'agit pas de savoir si tu souffres, mais si c'est un mal
pour toi de vivre. Passons. Tu souffres, tu dois chercher 35

à ne plus souffrir. Voyons s'il est besoin de mourir
pour cela.

Considère un moment le progrès naturel des maux de l'âme
directement opposé au progrès des maux du corps, comme
5 les deux substances sont opposées par leur nature. Ceux-ci
s'invétèrent, s'empirent en vieillissant, et détruisent enfin
cette machine mortelle. Les autres, au contraire, altéra-
tions externes et passagères d'un être immortel et simple,
s'effacent insensiblement et le laissent dans sa forme origi-
10 nelle que rien ne saurait changer. La tristesse, l'ennui,
les regrets, le désespoir, sont des douleurs peu durables qui
ne s'enracinent jamais dans l'âme; et l'expérience dément
toujours ce sentiment d'amertume qui nous fait regarder
nos peines comme éternelles. Je dirai plus: je ne puis croire
15 que les vices qui nous corrompent nous soient plus inhérents
que nos chagrins; non-seulement je pense qu'ils périssent
avec le corps qui les occasionne, mais je ne doute pas qu'une
plus longue vie ne pût suffire pour corriger les hommes, et que
plusieurs siècles de jeunesse ne nous apprissent qu'il n'y a
20 rien de meilleur que la vertu.

Quoi qu'il en soit, puisque la plupart de nos maux physiques
ne font qu'augmenter sans cesse, de violentes douleurs du
corps, quand elles sont incurables, peuvent autoriser un
homme à disposer de lui; car toutes ses facultés étant alié-
25 nées par la douleur, et le mal étant sans remède, il n'a plus
l'usage ni de sa volonté ni de sa raison: il cesse d'être homme
avant de mourir, et ne fait, en s'ôtant la vie, qu'achever de
quitter un corps qui l'embarrasse et où son âme n'est déjà
plus.

30 Mais il n'en est pas ainsi des douleurs de l'âme, qui, pour
vives qu'elles soient, portent toujours leur remède avec elles.
En effet, qu'est-ce qui rend un mal quelconque intolérable?
c'est sa durée. Les opérations de la chirurgie sont communé-
ment beaucoup plus cruelles que les souffrances qu'elles
35 guérissent: mais la douleur du mal est permanente, celle de

l'opération passagère, et l'on préfère celle-ci. Qu'est-il donc besoin d'opération pour des douleurs qu'éteint leur propre durée, qui seule les rendrait insupportables? Est-il raisonnable d'appliquer d'aussi violents remèdes aux maux qui s'effacent d'eux-mêmes? Pour qui fait cas de la constance et n'estime les ans que le peu qu'ils valent, de deux moyens de se délivrer des mêmes souffrances, lequel doit être préféré de la mort ou du temps? Attends, et tu seras guéri. Que demandes-tu davantage?

Ah! c'est ce qui redouble mes peines de songer qu'elles finiront? Vain sophisme de la douleur: bon mot sans raison, sans justesse, et peut-être sans bonne foi. Quel absurde motif de désespoir que l'espoir de terminer sa misère! Même en supposant ce bizarre sentiment, qui n'aimerait mieux aigrir un moment la douleur présente par l'assurance de la voir finir, comme on sacrifie une plaie pour la faire cicatriser? et quand la douleur aurait un charme qui nous ferait aimer à souffrir, s'en priver en s'ôtant la vie, n'est-ce pas faire à l'instant même tout ce qu'on craint de l'avenir?

Penses-y bien, jeune homme; que sont dix, vingt, trente ans pour un être immortel? La peine et le plaisir passent comme une ombre; la vie s'écoule en un instant; elle n'est rien par elle-même, son prix dépend de son emploi. Le bien seul qu'on a fait demeure, et c'est par lui qu'elle est quelque chose.

Ne dis donc plus que c'est un mal pour toi de vivre, puisqu'il dépend de toi seul que ce soit un bien, et que si c'est un mal d'avoir vécu, c'est une raison de plus pour vivre encore. Ne dis pas non plus qu'il t'est permis de mourir; car autant vaudrait dire qu'il t'est permis de n'être pas homme, qu'il t'est permis de te révolter contre l'auteur de ton être, et de tromper ta destination. Mais en ajoutant que ta mort ne fait de mal à personne, songes-tu que c'est à ton ami que tu l'oses dire?

Ta mort ne fait de mal à personne! J'entends; mourir à

nos dépens ne t'importe guère, tu comptes pour rien nos regrets.   Je ne te parle plus des droits de l'amitié que tu mé-
prises: n'en est-il point de plus chers encore [1] qui t'obligent
à te conserver?   S'il est une personne au monde qui t'ait
assez aimé pour ne vouloir pas te survivre, et à qui ton bonheur manque pour être heureuse, penses-tu ne lui rien devoir?
Tes funestes projets exécutés ne troubleront-ils point la
paix d'une âme rendue avec tant de peine à sa première
innocence?   Ne crains-tu point de rouvrir dans ce cœur
trop tendre des blessures mal refermées?   Ne crains-tu
point que ta perte n'en entraîne une autre encore plus cruelle,
en ôtant au monde et à la vertu leur plus digne ornement?
et si elle te survit, ne crains-tu point d'exciter dans son sein
le remords, plus pesant à supporter que la vie?   Ingrat
ami, amant sans délicatesse, seras-tu toujours occupé de toi-
même?   Ne songeras-tu jamais qu'à tes peines?   N'es-tu
point sensible au bonheur de ce qui te fut cher? et ne
saurais-tu vivre pour celle qui voulut mourir avec toi!

Tu parles des devoirs du magistrat et du père de famille;
et, parce qu'ils ne te sont pas imposés, tu te crois affranchi
de tout: et la société à qui tu dois ta conservation, tes talents,
tes lumières; la **patrie** à qui tu appartiens; les malheureux
qui ont besoin de toi, ne leur dois-tu rien?   Oh! l'exact
dénombrement que tu fais! parmi les devoirs que tu comptes,
tu n'oublies que ceux d'homme et de citoyen.   Où est ce
vertueux patriote qui refuse de vendre son sang à un prince
étranger parce qu'il ne doit le verser que pour son pays, et
qui veut maintenant le répandre en désespéré contre l'expresse défense des lois?   Les lois, les lois, jeune homme!
le sage les méprise-t-il?   Socrate innocent, par respect pour
elles, ne voulut pas sortir de prison: tu ne balances point à
les violer pour sortir injustement de la vie, et tu demandes:
Quel mal fais-je?

[1] « Des droits plus chers que ceux de l'amitié! et c'est un sage qui le dit.
Mais ce prétendu sage était amoureux lui-même.»   (*Note de Rousseau.*)

Tu veux t'autoriser par des exemples; tu m'oses nommer des Romains! Toi des Romains! il t'appartient bien d'oser prononcer ces noms illustres! Dis-moi, Brutus [1] mourut-il en amant désespéré? et Caton [2] déchira-t-il ses entrailles pour sa maîtresse? Homme petit et faible, qu'y a-t-il entre 5 Caton et toi? Montre-moi la mesure commune de cette âme sublime et de la tienne. Téméraire, ah! tais-toi. Je crains de profaner son nom par son apologie. A ce nom saint et auguste, tout ami de la vertu doit mettre le front dans la poussière, et honorer en silence la mémoire du plus grand 10 des hommes.

Que tes exemples sont mal choisis! et que tu juges basse-ment des Romains, si tu penses qu'ils se crussent en droit de s'ôter la vie aussitôt qu'elle leur était à charge! Regarde les beaux temps de la république, et cherche si tu y verras 15 un seul citoyen vertueux se délivrer ainsi du poids de ses devoirs, même après les plus cruelles infortunes. Régulus [3] retournant à Carthage prévint-il par sa mort les tourments qui l'attendaient? Que n'eût point donné Posthumius [4] pour que cette ressource lui fût permise aux Fourches Cau- 20

---

[1] *Brutus*, l'un des meurtriers de César, commandant avec Cassius les troupes des républicains contre les césariens, commandés par Octave et Antoine, il fut battu à la bataille de Philippe; lorsqu'il vit que la cause de la liberté de sa patrie était perdue, il se précipita sur son épée (42 av. J.-C.).

[2] *Caton*, le Censeur, mourut en 45 av. J.-C. Luttant contre César, il se trouva dans une situation désespérée à Utique, et se perça de son épée.

[3] *Régulus*, consul, 265 av. J.-C., battit les Carthaginois; puis fut battu par eux et fait prisonnier. Envoyé à Rome pour traiter, il dé-conseilla au sénat d'accepter les conditions qu'il apportait, et malgré les supplications de ses amis, il rentra à Carthage comme il avait juré de le faire, et mourut dans d'affreux supplices.

[4] *Posthumius*, consul romain, quand, en 321 il se laissa enfermer avec son armée dans le défilé des Fourches Caudines, par les Samnites. Il dut passer sous le joug. Il proposa au sénat, qui l'accepta, de répudier le traité conclu par lui après la bataille, et il alla se livrer à ses ennemis.

dines? Quel effort de courage le sénat même n'admira-t-il pas dans le consul Varron [1] pour avoir pu survivre à sa défaite! Par quelle raison tant de généraux se laissèrent-ils volontairement livrer aux ennemis, eux à qui l'ignominie
5 était si cruelle, et à qui il en coûtait si peu de mourir? C'est qu'ils devaient à la patrie leur sang, leur vie et leurs derniers soupirs, et que la honte ni les revers ne les pouvaient détourner de ce devoir sacré. Mais quand les lois furent anéanties, et que l'État fut en proie à des tyrans, les citoyens
10 reprirent leur liberté naturelle et leurs droits sur eux-mêmes. Quand Rome ne fut plus, il fut permis à des Romains de cesser d'être: ils avaient rempli leurs fonctions sur la terre; ils n'avaient plus de patrie; ils étaient en droit de disposer d'eux, et de se rendre à eux-mêmes la liberté qu'ils ne pouvaient plus
15 rendre à leur pays. Après avoir employé leur vie à servir Rome expirante et à combattre pour les lois, ils moururent vertueux et grands comme ils avaient vécu; et leur mort fut encore un tribut à la gloire du nom romain, afin qu'on ne vît dans aucun d'eux le spectacle indigne de vrais citoyens
20 servant un usurpateur.

Mais toi, qui es-tu? qu'as-tu fait? Crois-tu t'excuser sur ton obscurité? Ta faiblesse t'exempte-t-elle de tes devoirs? et pour n'avoir ni nom ni rang dans ta patrie, en es-tu moins soumis à ses lois? Il te sied bien d'oser parler de mourir
25 tandis que tu dois l'usage de ta vie à tes semblables! Apprends qu'une mort telle que tu la médites est honteuse et furtive; c'est un vol fait au genre humain. Avant de le quitter, rends-lui ce qu'il a fait pour toi. Mais je ne tiens à rien ... je suis inutile au monde ... Philosophe d'un jour!
30 ignores-tu que tu ne saurais faire un pas sur la terre sans y trouver quelque devoir à remplir, et que tout homme est utile à l'humanité par cela seul qu'il existe?

---

[1] *Varron*, consul romain, au 3me siècle, qui avec Paul-Émile, perdit la terrible bataille de Cannes contre Annibal. Paul-Émile fut tué. Varron avait refusé la mort pour sauver les débris de son armée.

Écoute-moi, jeune insensé: tu m'es cher, j'ai pitié de tes erreurs.   S'il te reste au fond du cœur le moindre sentiment de vertu, viens, que je t'apprenne à aimer la vie.   Chaque fois que tu seras tenté d'en sortir, dis en toi-même: « Que je fasse encore une bonne action avant que de mourir. » 5 Puis va chercher quelque indigent à secourir, quelque infortuné à consoler, quelque opprimé à défendre.   Rapproche de moi les malheureux que mon abord intimide: ne crains d'abuser ni de ma bourse ni de mon crédit; prends, épuise mes biens, fais-moi riche.   Si cette considération te retient 10 aujourd'hui, elle te retiendra encore demain, après-demain, toute ta vie.   Si elle ne te retient pas, meurs: tu n'es qu'un méchant.

Quatrième Partie

Le Revoir

Par la protection de Lord Bomston, Saint-Preux s'embarque à Plymouth comme ingénieur, sur un des cinq vaisseaux de l'escadre 15 de l'amiral Anson, lequel partait pour faire le tour du monde. Il revient après quatre ans — cinq ans après le mariage de Julie. Entre temps Claire d'Orbe, la cousine de Julie est devenue veuve; elle viendra avec sa fillette (Henriette) demeurer auprès de Julie et de Wolmar qui ont deux enfants (celui appelé « Mali », parce 20 qu'il est destiné à devenir le « mari » d'Henriette, et Marcellin).   Saint-Preux doit accompagner son bienfaiteur, Lord Bomston, en Italie.   Il part seul d'avance, et s'arrêtera à Clarens pour revoir Julie.   Saint-Preux est aussi passionné, émotionnel et romanesque en amitié qu'il l'avait été en amour.   De fait, c'est 25 peut-être toujours de l'amour.

LETTRE VI. — DE SAINT-PREUX A MYLORD ÉDOUARD

Je me lève au milieu de la nuit pour vous écrire.   Je ne saurais trouver un moment de repos.   Mon cœur agité, transporté, ne peut se contenir au dedans de moi; il a besoin de s'épancher.   Vous qui l'avez si souvent garanti du déses- 30 poir, soyez le cher dépositaire des premiers plaisirs qu'il ait goûtés depuis si longtemps.

Je l'ai vue, mylord! mes yeux l'ont vue! J'ai entendu sa
voix; ses mains ont touché les miennes; elle m'a reconnu;
elle a marqué de la joie à me voir; elle m'a appelé son ami,
son cher ami; elle m'a reçu dans sa maison; plus heureux
5 que je ne fus de ma vie, je loge avec elle sous un même toit,
et maintenant que je vous écris je suis à trente pas d'elle.

Mes idées sont trop vives pour se succéder; elles se présentent toutes ensemble; elles se nuisent mutuellement.
Je vais m'arrêter et reprendre haleine pour tâcher de mettre
10 quelque ordre dans mon récit.

Il ne faut pas vous dire que, durant toute la route, je
n'étais occupé que de l'objet de mon voyage; mais une chose
à remarquer, c'est que je commençai de voir sous un autre
point de vue ce même objet qui n'était jamais sorti de mon
15 cœur. Jusque-là je m'étais toujours rappelé Julie brillante
comme autrefois des charmes de sa première jeunesse;
j'avais toujours vu ses beaux yeux animés du feu qu'elle
m'inspirait; ses traits chéris n'offraient à mes regards que
des garants de mon bonheur; son amour et le mien se mêlaient
20 tellement avec sa figure, que je ne pouvais les en séparer.
Maintenant j'allais voir Julie mariée, Julie mère, Julie indifférente. Je m'inquiétais des changements que huit ans
d'intervalle avaient pu faire à sa beauté. Elle avait eu la
petite vérole; elle s'en trouvait changée: à quel point le
25 pouvait-elle être? Mon imagination me refusait opiniâtré-
ment des taches sur ce charmant visage; et sitôt que j'en
voyais un marqué de petite vérole, ce n'était plus celui de
Julie. Je pensais encore à l'entrevue que nous allions avoir,
à la réception qu'elle m'allait faire. Ce premier abord se
30 présentait à mon esprit sous mille tableaux différents, et ce
moment qui devait passer si vite revenait pour moi mille fois
le jour.

Quand j'aperçus la cime des monts, le cœur me battit
fortement, en me disant, elle est là. La même chose venait
35 de m'arriver en mer à la vue des côtes d'Europe. La même

chose m'était arrivée autrefois à Meillerie en découvrant la
maison du baron d'Étange. Le monde n'est jamais divisé
pour moi qu'en deux régions; celle où elle est, et celle où
elle n'est pas. La première s'étend quand je m'éloigne, et
se resserre à mesure que j'approche, comme un lieu où je ne 5
dois jamais arriver. Elle est à présent bornée aux murs de
sa chambre. Hélas! ce lieu seul est habité; tout le reste de
l'univers est vide.

Plus j'approchais de la Suisse, plus je me sentais ému.
L'instant où des hauteurs du Jura je découvris le lac de 10
Genève fut un instant d'extase et de ravissement. La vue
de mon pays, de ce pays si chéri, où des torrents de plaisirs
avaient inondé mon cœur; l'air des Alpes si salutaire et si
pur; le doux air de la patrie, plus suave que les parfums de
l'Orient; cette terre riche et fertile, ce paysage unique, le 15
plus beau dont l'œil humain fut jamais frappé; ce séjour
charmant auquel je n'avais rien trouvé d'égal dans le tour
du monde, l'aspect d'un peuple heureux et libre, la douceur
de la saison, la sérénité du climat, mille souvenirs délicieux
qui réveillaient tous les sentiments que j'avais goûtés: tout 20
cela me jetait dans des transports que je ne puis décrire, et
semblait me rendre à la fois la jouissance de ma vie
entière.

En descendant vers la côte je sentis une impression nouvelle
dont je n'avais aucune idée; c'était un certain mouvement 25
d'effroi qui me resserrait le cœur et me troublait malgré
moi. Cet effroi, dont je ne pouvais démêler la cause, crois-
sait à mesure que j'approchais de la ville: il ralentissait mon
empressement d'arriver, et fit enfin de tels progrès, que je
m'inquiétais autant de ma diligence que j'avais fait jusque- 30
là de ma lenteur. En entrant à Vevey, la sensation que
j'éprouvai ne fut rien moins qu'agréable: je fus saisi d'une
violente palpitation qui m'empêchait de respirer; je parlais
d'une voix altérée et tremblante. J'eus peine à me faire
entendre en demandant M. de Wolmar; car je n'osai jamais 35

nommer sa femme.   On me dit qu'il demeurait à Clarens.[1]
Cette nouvelle m'ôta de dessus la poitrine un poids de cinq
cents livres; et, prenant les deux lieues qui me restaient à
faire pour un répit, je me réjouis de ce qui m'eût désolé dans
5 un autre temps; mais j'appris avec un vrai chagrin que
madame d'Orbe était à Lausanne.   J'entrai dans une auberge
pour reprendre les forces qui me manquaient: il me fut
impossible d'avaler un seul morceau; je suffoquais en buvant,
et ne pouvais vider un verre qu'à plusieurs reprises.   Ma
10 terreur redoubla quand je vis mettre les chevaux pour re-
partir.   Je crois que j'aurais donné tout au monde pour
voir briser une roue en chemin.   Je ne voyais plus Julie;
mon imagination troublée ne me présentait que des objets
confus; mon âme était dans un tumulte universel.   Je
15 connaissais la douleur et le désespoir; je les aurais préférés
à cet horrible état.   Enfin je puis dire n'avoir de ma vie
éprouvé d'agitation plus cruelle que celle où je me trouvai
durant ce court trajet, et je suis convaincu que je ne l'aurais
pu supporter une journée entière.

20   En arrivant, je fis arrêter à la grille; et, me sentant hors
d'état de faire un pas, j'envoyai le postillon dire qu'un
étranger demandait à parler à M. de Wolmar.   Il était à
la promenade avec sa femme.   On les avertit, et ils vinrent
par un autre côté, tandis que, les yeux fichés sur l'avenue,
25 j'attendais dans des transes mortelles d'y voir paraître
quelqu'un.

   A peine Julie m'eut-elle aperçu qu'elle me reconnut.   A
l'instant me voir, s'écrier, courir, s'élancer dans mes bras, ne
fut pour elle qu'une même chose.   A ce son de voix je me
30 sens tressaillir; je me retourne, je la vois, je la sens.   Ô
mylord! ô mon ami . . . je ne puis parler . . . Adieu crainte;

---

[1] Le baron d'Étange avait, on s'en souvient, deux habitations, l'une
à Vevey, la « maison de ville », l'autre deux lieues plus loin sur les hauteurs
de Clarens, la « maison de campagne ».   C'est celle-ci que Julie habitait
avec M. de Wolmar.

adieu terreur, effroi, respect humain. Son regard, son cri, son geste, me rendent en un moment la confiance, le courage, et les forces. Je puise dans ses bras la chaleur et la vie; je pétille de joie en la serrant dans les miens. Un transport sacré nous tient dans un long silence étroitement embrassés, 5 et ce n'est qu'après un si doux saisissement que nos voix commencent à se confondre et nos yeux à mêler leurs pleurs. M. de Wolmar était là; je le savais, je le voyais: mais qu'aurais-je pu voir? Non, quand l'univers entier se fût réuni contre moi, quand l'appareil des tourments m'eût envi- 10 ronné, je n'aurais pas dérobé mon cœur à la moindre de ces caresses, tendres prémices d'une amitié pure et sainte que nous emporterons dans le ciel!

Cette première impétuosité suspendue, madame de Wolmar me prit par la main, et, se retournant vers son mari, lui dit 15 avec une certaine grâce d'innocence et de candeur dont je me sentis pénétré: Quoiqu'il soit mon ancien ami, je ne vous le présente pas, je le reçois de vous, et ce n'est qu'honoré de votre amitié qu'il aura désormais la mienne. Si les nouveaux amis ont moins d'ardeur que les anciens, me dit-il en m'em- 20 brassant, ils seront anciens à leur tour, et ne céderont point aux autres. Je reçus ses embrassements, mais mon cœur venait de s'épuiser, et je ne fis que les recevoir.

Après cette courte scène, j'observai du coin de l'œil qu'on avait détaché ma malle et remisé ma chaise. Julie me prit 25 sous le bras, et je m'avançai avec eux vers la maison, presque oppressé d'aise de voir qu'on y prenait possession de moi.

Ce fut alors qu'en contemplant plus paisiblement ce visage adoré, que j'avais cru trouver enlaidi, je vis avec une surprise amère et douce qu'elle était réellement plus belle et plus 30 brillante que jamais. Ses traits charmants se sont mieux formés encore; elle a pris un peu plus d'embonpoint qui n'a fait qu'ajouter à son éblouissante blancheur. La petite vérole n'a laissé sur ses joues que quelques légères traces presque imperceptibles. Au lieu de cette pudeur souffrante 35

qui lui faisait autrefois sans cesse baisser les yeux, on voit
la sécurité de la vertu s'allier dans son chaste regard à la
douceur et à la sensibilité; sa contenance, non moins modeste,
est moins timide; un air plus libre et des grâces plus franches
5 ont succédé à ces manières contraintes, mêlées de tendresse
et de honte; et si le sentiment de sa faute la rendait alors
plus touchante, celui de sa pureté la rend aujourd'hui plus
céleste.

A peine étions-nous dans le salon qu'elle disparut, et rentra
10 le moment d'après. Elle n'était pas seule. Qui pensez-
vous qu'elle amenait avec elle? Mylord, c'étaient ses enfants! ses deux enfants plus beaux que le jour, et portant
déjà sur leur physionomie enfantine le charme et l'attrait de
leur mère! Que devins-je à cet aspect? cela ne peut ni se
15 dire ni se comprendre; il faut le sentir. Mille mouvements
contraires m'assaillirent à la fois; mille cruels et délicieux
souvenirs vinrent partager mon cœur. Ô spectacle! ô regrets!
Je me sentais déchirer de douleur et transporter de joie. Je
voyais, pour ainsi dire, multiplier celle qui me fut si chère.
20 Hélas! je voyais au même instant la trop vive preuve qu'elle
ne m'était plus rien, et mes pertes semblaient se multiplier
avec elle.

Elle me les amena par la main. Tenez, me dit-elle d'un
ton qui me perça l'âme, voilà les enfants de votre amie: ils
25 seront vos amis un jour; soyez le leur dès aujourd'hui. Aussitôt ces deux petites créatures s'empressèrent autour de moi,
me prirent les mains, et, m'accablant de leurs innocentes
caresses, tournèrent vers l'attendrissement toute mon émotion. Je les pris dans mes bras l'un et l'autre; et les pressant
30 contre ce cœur agité: Chers et aimables enfants, dis-je avec
un soupir, vous avez à remplir une grande tâche. Puissiez-
vous ressembler à ceux de qui vous tenez la vie; puissiez-
vous imiter leurs vertus, et faire un jour par les vôtres la
consolation de leurs amis infortunés! Madame de Wolmar
35 enchantée me sauta au cou une seconde fois, et semblait me

vouloir payer par ses caresses de celles que je faisais à ses
deux fils. Mais quelle différence du premier embrassement
à celui-là! Je l'éprouvai avec surprise. C'était une mère
de famille que j'embrassais; je la voyais environnée de son
époux et de ses enfants; ce cortège m'en imposait. Je trou- 5
vais sur son visage un air de dignité qui ne m'avait pas frappé
d'abord; je me sentais forcé de lui porter une nouvelle sorte
de respect; sa familiarité m'était presque à charge; quelque
belle qu'elle me parût, j'aurais baisé le bord de sa robe de
meilleur cœur que sa joue: dès cet instant, en un mot, je 10
connus qu'elle ou moi n'étions plus les mêmes, et je commençai tout de bon à bien augurer de moi.

Comment Wolmar et Julie ont organisé la Vie heureuse, conforme à la Nature et à la Raison

Sentimentalement, Saint-Preux raconte le bonheur domestique
de Julie, opposant la vie de la campagne à la vie artificielle des
grandes villes.[1]
15

LETTRE X. — DE SAINT-PREUX A MYLORD ÉDOUARD

Que de plaisirs trop tard connus je goûte depuis trois
semaines! La douce chose de couler ses jours dans le sein
d'une tranquille amitié, à l'abri de l'orage des passions im-
pétueuses! Mylord, que c'est un spectacle agréable et touchant que celui d'une maison simple et bien réglée où règnent 20
l'ordre, la paix, l'innocence; où l'on voit réuni sans appareil,
sans éclat, tout ce qui répond à la véritable destination de
l'homme! La campagne, la retraite, le repos, la saison, la
vaste plaine d'eau qui s'offre à mes yeux, le sauvage aspect
des montagnes, tout me rappelle ici ma délicieuse île de 25
Tinian.[2] Je crois voir accomplir les vœux ardents que j'y

[1] On observera comme Rousseau a bien prévu l'organisation du
« Home » moderne, la transformation de la maison de parade des maîtres
d'autrefois, en une maison de confort et d'agrément.
[2] *L'Île de Tinian*, à l'ouest du Chili, dans l'Océan Pacifique, visitée
par Saint-Preux lors de son voyage autour du monde. Il la décrit ainsi

formai tant de fois. J'y mène une vie de mon goût, j'y
trouve une société selon mon cœur. Il ne manque en ce
lieu que deux personnes pour que tout mon bonheur y soit
rassemblé, et j'ai l'espoir de les y voir bientôt.

5   En attendant que vous et madame d'Orbe veniez mettre
le comble aux plaisirs si doux et si purs que j'apprends à
goûter où je suis, je veux vous en donner une idée par le
détail d'une économie domestique qui annonce la félicité
des maîtres de la maison, et la fait partager à ceux qui
10 l'habitent...

Je ne vous décrirai point la maison de Clarens: vous la
connaissez; vous savez si elle est charmante, si elle m'offre
des souvenirs intéressants, si elle doit m'être chère et par ce
qu'elle me montre et par ce qu'elle me rappelle. Madame
15 de Wolmar en préfère avec raison le séjour à celui d'Étange,
château magnifique et grand, mais vieux, triste, incommode,
et qui n'offre dans ses environs rien de comparable à ce qu'on
voit autour de Clarens.

Depuis que les maîtres de cette maison y ont fixé leur
20 demeure, ils en ont mis à leur usage tout ce qui ne servait
qu'à l'ornement: ce n'est plus une maison faite pour être
vue, mais pour être habitée. Ils ont bouché de longues en-
filades pour changer des portes mal situées; ils ont coupé
de trop grandes pièces pour avoir des logements mieux dis-
25 tribués; à des meubles anciens et riches, ils en ont substitué
de simples et de commodes. Tout y est agréable et riant,
tout y respire l'abondance et la propreté, rien n'y sent la
richesse et le luxe; il n'y a pas une chambre où l'on ne se
reconnaisse à la campagne, et où l'on ne retrouve toutes les
30 commodités de la ville. Les mêmes changements se font
remarquer au dehors: la basse cour a été agrandie aux dépens

(IV, 3): « J'ai séjourné trois mois dans une île déserte et délicieuse, douce
et touchante image de l'antique beauté de la nature, et qui semble être
confinée au bout du monde pour y servir d'asile à l'innocence et à l'amour
persécutés ».

des remises. A la place d'un vieux billard délabré l'on a fait un beau pressoir, et une laiterie où logeaient des paons criards dont on s'est défait. Le potager était trop petit pour la cuisine; on en a fait du parterre un second, mais si propre et si bien entendu, que ce parterre ainsi travesti plaît 5 à l'œil plus qu'auparavant. Aux tristes ifs qui couvraient les murs ont été substitués de bons espaliers. Au lieu de l'inutile marronnier d'Inde, de jeunes mûriers noirs commencent à ombrager la cour; et l'on a planté deux rangs de noyers jusqu'au chemin, à la place des vieux tilleuls qui 10 bordaient l'avenue. Partout on a substitué l'utile à l'agréable, et l'agréable y a presque toujours gagné. Quant à moi, du moins, je trouve que le bruit de la basse-cour, le chant des coqs, le mugissement du bétail, l'attelage des chariots, les repas des champs, le retour des ouvriers, et tout l'appareil 15 de l'économie rustique, donnent à cette maison un air plus champêtre, plus vivant, plus animé, plus gai, je ne sais quoi qui sent la joie et le bien-être, qu'elle n'avait pas dans sa morne dignité.

Leurs terres ne sont pas affermées, mais cultivées par leurs 20 soins; et cette culture fait une grande partie de leurs occupations, de leurs biens et de leurs plaisirs. La baronnie d'Étange n'a que des prés, des champs, et du bois; mais le produit de Clarens est en vignes, qui font un objet considérable; et comme la différence de la culture y produit un effet plus 25 sensible que dans les blés, c'est encore une raison d'économie pour avoir préféré ce dernier séjour. Cependant ils vont presque tous les ans faire les moissons à leur terre, et M. de Wolmar y va seul assez fréquemment. Ils ont pour maxime de tirer de la culture tout ce qu'elle peut donner, non pour 30 faire un plus grand gain, mais pour nourrir plus d'hommes. M. de Wolmar prétend que la terre produit à proportion du nombre des bras qui la cultivent: mieux cultivée, elle rend davantage; cette surabondance de production donne de quoi la cultiver mieux encore; plus on y met d'hommes et de bétail, 35

plus elle fournit d'excédant à leur entretien. On ne sait,
dit-il, où peut s'arrêter cette augmentation continuelle et
réciproque de produit et de cultivateurs. Au contraire, les
terrains négligés perdent leur fertilité: moins un pays produit
5 d'hommes, moins il produit de denrées; c'est le défaut d'habitants qui l'empêche de nourrir le peu qu'il en a, et dans toute
contrée qui se dépeuple on doit tôt ou tard mourir de
faim.

Ayant donc beaucoup de terres et les cultivant toutes
10 avec beaucoup de soin, il leur faut, outre les domestiques de
la basse-cour, un grand nombre d'ouvriers à la journée: ce
qui leur procure le plaisir de faire subsister beaucoup de gens
sans s'incommoder. Dans le choix de ces journaliers, ils
préfèrent toujours ceux du pays, et les voisins aux étrangers
15 et aux inconnus. Si l'on perd quelque chose à ne pas prendre
toujours les plus robustes, on le regagne bien par l'affection
que cette préférence inspire à ceux qu'on choisit, par l'avantage de les avoir sans cesse autour de soi, et de pouvoir compter
sur eux dans tous les temps, quoiqu'on ne les paye qu'une
20 partie de l'année.

Avec tous ces ouvriers, on fait toujours deux prix: l'un
est le prix de rigueur et de droit, le prix courant du pays,
qu'on s'oblige à leur payer pour les avoir employés; l'autre,
un peu plus fort, est un prix de bénéficence,[1] qu'on ne leur paye
25 qu'autant qu'on est content d'eux; et il arrive presque toujours que ce qu'ils font pour qu'on le soit vaut mieux que le
surplus qu'on leur donne: car M. de Wolmar est intègre et
sévère, et ne laisse jamais dégénérer en coutume et en abus
les institutions de faveur et de grâce. Ces ouvriers ont des
30 surveillants qui les animent et les observent. Ces surveillants sont les gens de la basse-cour, qui travaillent eux-mêmes,
et sont intéressés au travail des autres par un petit denier
qu'on leur accorde, outre leurs gages, sur tout ce qu'on re-
35 cueille par leurs soins. De plus, M. de Wolmar les visite

---

[1] *bénéficence*, mot inventé par Rousseau; anglais: « bonus».

lui-même presque tous les jours, souvent plusieurs fois le jour, et sa femme aime à être de ces promenades. Enfin, dans le temps des grands travaux, Julie donne toutes les semaines vingt batz[1] de gratification à celui de tous les travailleurs, journaliers ou valets indifféremment, qui, durant ces huit jours, a été le plus diligent au jugement du maître. Tous ces moyens d'émulation qui paraissent dispendieux, employés avec prudence et justice, rendent insensiblement tout le monde laborieux, diligent, et rapportent enfin plus qu'ils ne coûtent: mais comme on n'en voit le profit qu'avec de la constance et du temps, peu de gens savent et veulent s'en servir.

Cependant un moyen plus efficace encore, le seul auquel des vues économiques ne font point songer, et qui est plus propre à madame de Wolmar, c'est de gagner l'affection de ces bonnes gens en leur accordant la sienne. Elle ne croit point s'acquitter avec de l'argent des peines que l'on prend pour elle, et pense devoir des services à quiconque lui en a rendu: ouvriers, domestiques, tous ceux qui l'ont servie ne fût-ce que pour un seul jour, deviennent tous ses enfants; elle prend part à leurs plaisirs, à leurs chagrins, à leur sort; elle s'informe de leurs affaires; leurs intérêts sont les siens; elle se charge de mille soins pour eux; elle leur donne des conseils; elle accommode leurs différends, et ne leur marque pas l'affabilité de son caractère par des paroles emmiellées et sans effet, mais par des services véritables et par de continuels actes de bonté. Eux, de leur côté, quittent tout à son moindre signe; ils volent quand elle parle; son seul regard anime leur zèle; en sa présence ils sont contents; en son absence ils parlent d'elle et s'animent à la servir. Ses charmes et ses discours font beaucoup; sa douceur, ses vertus, font davantage. Ah! mylord, l'adorable et puissant empire que celui de la beauté bienfaisante!

---

[1] Petite monnaie du pays

Julie propose les Sports comme Garantie contre les mauvaises Mœurs

Pour empêcher les désordres et pour maintenir le contentement parmi les villageois et les domestiques, M. et Mme. de Wolmar veillent à leur procurer des distractions innocentes et saines. Les hommes et les femmes sont généralement tenus séparés, les
5 femmes causent et chantent, et s'occupent d'ouvrages du sexe. Mais:

(Suite de la même lettre)

Ce n'est rien de contenir les femmes si l'on ne contient aussi les hommes; et cette partie de la règle, non moins importante que l'autre, est plus difficile encore; car l'attaque
10 est en général plus vive que la défense: c'est l'intention du conservateur de la nature.   Dans la république, on retient les citoyens par des mœurs, des principes, de la vertu: mais comment contenir des domestiques, des mercenaires, autrement que par la contrainte et la gêne?   Tout l'art du maître
15 est de cacher cette gêne sous le voile du plaisir ou de l'intérêt, en sorte qu'ils pensent vouloir tout ce qu'on les oblige de faire.   L'oisiveté du dimanche, le droit qu'on ne peut guère leur ôter d'aller où bon leur semble quand leurs fonctions ne les retiennent point au logis, détruisent souvent en un seul
20 jour l'exemple et les leçons des six autres.   L'habitude du cabaret, le commerce et les maximes de leurs camarades, la fréquentation des femmes débauchées, les perdant bientôt pour leurs maîtres et pour eux-mêmes, les rendent par mille défauts incapables du service et indignes de la liberté.
25   On remédie à cet inconvénient en les retenant par les mêmes motifs qui les portaient à sortir. Qu'allaient-ils faire ailleurs? boire et jouer au cabaret. Ils boivent et jouent au logis. Toute la différence est que le vin ne leur coûte rien, qu'ils ne s'enivrent pas, et qu'il y a des gagnants
30 au jeu sans que jamais personne perde. Voici comment on s'y prend pour cela.

Derrière la maison est une allée couverte dans laquelle on

a établi la lice des jeux: c'est là que les gens de livrée et ceux
de la basse-cour se rassemblent en été, le dimanche, après le
prêche, pour y jouer, en plusieurs parties liées,[1] non de l'argent,
on ne le souffre pas, ni du vin, on leur en donne, mais une mise
fournie par la libéralité des maîtres.   Cette mise est tou-   5
jours quelque petit meuble ou quelque nippe à leur usage.
Le nombre des jeux est proportionné à la valeur de la mise;
en sorte que, quand cette mise est un peu considérable, comme
des boucles d'argent, des bas de soie, un chapeau fin, ou
autre chose semblable, on emploie ordinairement plusieurs   10
séances à la disputer.   On ne s'en tient point à une seule
espèce de jeu; on les varie, afin que le plus habile dans un
n'emporte pas toutes les mises, et pour les rendre tous plus
adroits et plus forts par des exercices multipliés.   Tantôt
c'est à qui enlèvera à la course un but placé à l'autre bout de   15
l'avenue; tantôt à qui lancera le plus loin la même pierre;
tantôt à qui portera le plus longtemps le même fardeau;
tantôt on dispute un prix en tirant au blanc.[2]   On joint à
la plupart de ces jeux un petit appareil qui les prolonge et les
rend amusants.   Le maître et la maîtresse les honorent   20
souvent de leur présence: on y amène quelquefois les enfants;
les étrangers même y viennent, attirés par la curiosité, et
plusieurs ne demanderaient pas mieux que d'y concourir;
mais nul n'est jamais admis qu'avec l'agrément des maîtres
et du consentement des joueurs, qui ne trouveraient par leur   25
compte à l'accorder aisément.   Insensiblement il s'est fait
de cet usage une espèce de spectacle, où les acteurs, animés
par les regards du public, préfèrent la gloire des applaudissements à l'intérêt du prix.   Devenus plus vigoureux et plus
agiles, ils s'en estiment davantage; et, s'accoutumant à tirer leur   30
valeur d'eux-mêmes plutôt que de ce qu'ils possèdent, tout
valets qu'ils sont, l'honneur leur devient plus cher que l'argent.

---

[1] *partie liée* = où il est « convenu qu'il faille gagner deux parties
sur trois, ou deux parties de suite pour avoir l'enjeu » (*Littré*).
[2] Tirer à la cible.

La Danse

(*Suite de la même lettre*)

L'hiver, les plaisirs changent d'espèce ainsi que les travaux. Les dimanches, tous les gens de la maison, et même les voisins, hommes et femmes indifféremment, se rassemblent après le service dans une salle basse, où ils trouvent du feu, du vin,
5 des fruits, des gâteaux, et un violon qui les fait danser. Madame de Wolmar ne manque jamais de s'y rendre, au moins pour quelques instants, afin d'y maintenir par sa présence l'ordre et la modestie; et il n'est pas rare qu'elle y danse elle-même, fût-ce avec ses propres gens. Cette règle,
10 quand je l'appris, me parut d'abord moins conforme à la sévérité des mœurs protestantes. Je le dis à Julie; et voici à peu près ce qu'elle me répondit.

La pure morale est si chargée de devoirs sévères, que si on la surcharge encore de formes indifférentes, c'est presque
15 toujours aux dépens de l'essentiel. On dit que c'est le cas de la plupart des moines, qui, soumis à mille règles inutiles, ne savent ce que c'est qu'honneur et vertu. Nos gens d'église ont encore quelques maximes qui paraissent plus fondées sur le préjugé que sur la raison. Telle est celle qui blâme la
20 danse et les assemblées: comme s'il y avait plus de mal à danser qu'à chanter, que chacun de ces amusements ne fût pas également une inspiration de la nature, et que ce fût un crime de s'égayer en commun par une récréation innocente et honnête! Pour moi, je pense au contraire que, toutes les
25 fois qu'il y a concours des deux sexes, tout divertissement public devient innocent par cela même qu'il est public; au lieu que l'occupation la plus louable est suspecte dans le tête-à-tête.[1]

---

[1] Et ici Rousseau reprend la même idée développée dans la *Lettre sur les Spectacles*. Cet extrait est donné plus haut sous le titre *Les Fêtes dans une République*. Monsieur et Madame de Wolmar prennent, dans leurs domaines de Clarens, la place des « seigneuries » dans la République de Genève.

L'Élysée

Fidèle à son principe de la supériorité de la nature sur l'art de l'homme, Rousseau oppose aux jardins artificiels comme ceux de Versailles, et qui étaient alors à la mode, les jardins où le pittoresque de la nature a été préservé ou imité.[1]

LETTRE XI. — DE SAINT-PREUX A MYLORD ÉDOUARD

... Après avoir admiré l'effet de la vigilance et des soins 5
de la plus respectable mère de famille dans l'ordre de sa maison, j'ai vu celui de ses récréations dans un lieu retiré dont
elle fait sa promenade favorite, et qu'elle appelle son Élysée.

Il y avait plusieurs jours que j'entendais parler de cet Élysée
dont on me faisait une espèce de mystère. Enfin, hier après 10
dîner, l'extrême chaleur rendant le dehors et le dedans de la
maison presque également insupportables, M. de Wolmar
proposa à sa femme de se donner congé cette après-midi;
et, au lieu de se retirer comme à l'ordinaire dans la chambre
de ses enfants jusque vers le soir, de venir avec nous respirer 15
dans le verger; elle y consentit, et nous nous y rendîmes
ensemble.

Ce lieu, quoique tout proche de la maison, est tellement
caché par l'allée couverte qui l'en sépare, qu'on ne l'aperçoit
de nulle part. L'épais feuillage qui l'environne ne permet 20
point à l'œil d'y pénétrer, et il est toujours soigneusement
fermé à la clef. A peine fus-je au-dedans, que, la porte étant
masquée par des aunes et des coudriers qui ne laissent que
deux étroits passages sur les côtés, je ne vis plus en me retournant par où j'étais entré; et, n'apercevant point de 25
porte, je me trouvai là comme tombé des nues.

En entrant dans ce prétendu verger, je fus frappé d'une
agréable sensation de fraîcheur que d'obscurs ombrages, une

---

[1] Sur cette discussion, au XVIIIme siècle, touchant la supériorité des
jardins artificiels et des jardins naturels ou anglais, voir D. Mornet,
Le Sentiment de la Nature de J.-J. Rousseau à Bernardin de Saint-Pierre
(1907), II, II, ch. 2.

verdure animée et vive, des fleurs éparses de tous côtés, un
gazouillement d'eau courante, et le chant de mille oiseaux,
portèrent à mon imagination du moins autant qu'à mes sens;
mais en même temps je crus voir le lieu le plus sauvage, le
5 plus solitaire de la nature, et il me semblait d'être le premier
mortel qui jamais eût pénétré dans ce désert.   Surpris, saisi,
transporté d'un spectacle si peu prévu, je restai un moment
immobile, et m'écriai dans un enthousiasme involontaire:
Oh! Tinian! ô Juan-Fernandez![1]   Julie, le bout du monde
10 est à votre porte!   Beaucoup de gens le trouvent ici comme
vous, dit-elle avec un sourire; mais vingt pas de plus les
ramènent bien vite à Clarens: voyons si le charme tiendra
plus longtemps chez vous.   C'est ici le même verger où vous
vous êtes promené autrefois et où vous vous battiez avec
15 ma cousine à coups de pêches.   Vous savez que l'herbe y
était assez aride, les arbres assez clair-semés, donnant assez
peu d'ombre, et qu'il n'y avait point d'eau.   Le voilà maintenant frais, vert, habillé, paré, fleuri, arrosé.   Que pensez-
vous qu'il m'en a coûté pour le mettre dans l'état où il est?
20 car il est bon de vous dire que j'en suis la surintendante, et
que mon mari m'en laisse l'entière disposition.   Ma foi, lui
dis-je, il ne vous en a coûté que de la négligence.   Ce lieu est
charmant, il est vrai, mais agreste et abandonné; je n'y vois
point de travail humain.   Vous avez fermé la porte; l'eau
25 est venue je ne sais comment; la nature seule a fait tout le
reste; et vous-même n'eussiez jamais su faire aussi bien
qu'elle.   Il est vrai, dit-elle, que la nature a tout fait, mais
sous ma direction, et il n'y a rien là que je n'aie ordonné.
Encore un coup, devinez.   Premièrement, repris-je, je ne
30 comprends point comment avec de la peine et de l'argent on
a pu suppléer au temps.   Les arbres . . . Quant à cela, dit
M. de Wolmar, vous remarquerez qu'il n'y en a pas beaucoup
de fort grands, et ceux-là y étaient déjà.   De plus, Julie a

---

[1] Îles désertes de la mer du Sud, célèbres dans le voyage de l'amiral
Anson.   Voir ci-dessus, la première note à la lettre X.

commencé ceci longtemps avant son mariage et presque
d'abord, après la mort de sa mère, qu'elle vint avec son père
chercher ici la solitude. Eh bien! dis-je, puisque vous voulez
que tous ces massifs, ces grands berceaux, ces touffes pen-
dantes, ces bosquets si bien ombragés, soient venus en sept ou 5
huit ans, et que l'art s'en soit mêlé, j'estime que, si dans une
enceinte aussi vaste vous avez fait tout cela pour deux mille
écus, vous avez bien économisé. Vous ne surfaites que de
deux mille écus, dit-elle; il ne m'en a rien coûté. Comment, rien? Non, rien; à moins que vous ne comptiez une 10
douzaine de journées par an de mon jardinier, autant de deux
ou trois de mes gens, et quelques-unes de M. de Wolmar
lui-même, qui n'a pas dédaigné d'être quelquefois mon garçon
jardinier. Je ne comprenais rien à cette énigme: mais
Julie, qui jusque-là m'avait retenu, me dit en me laissant aller: 15
Avancez, et vous comprendrez. Adieu Tinian, adieu Juan-
Fernandez, adieu tout l'enchantement! Dans un moment
vous allez être de retour du bout du monde.

Je me mis à parcourir avec extase ce verger ainsi méta-
morphosé; et si je ne trouvai point de plantes exotiques et 20
de productions des Indes, je trouvai celles du pays disposées
et réunies de manière à produire un effet plus riant et plus
agréable.[1] Le gazon verdoyant, mais court et serré, était
mêlé de serpolet, de baume, de thym, de marjolaine, et d'autres herbes odorantes. On y voyait briller mille fleurs des 25
champs, parmi lesquelles l'œil en démêlait avec surprise
quelques-unes de jardin, qui semblaient croître naturellement
avec les autres. Je rencontrais de temps en temps des touffes obscures, impénétrables aux rayons du soleil, comme dans
la plus épaisse forêt; ces touffes étaient formées des arbres 30
du bois le plus flexible, dont on avait fait recourber les
branches, pendre en terre, et prendre racine, par un art
semblable à ce que font naturellement les mangles en Améri-

---

[1] Pour le passage suivant on se souviendra que Rousseau était un
botaniste passionné.

que.　Dans les lieux plus découverts je voyais çà et là, sans
ordre et sans symétrie, des broussailles de roses, de fram-
boisiers, de groseilles, des fourrés de lilas, de noisetier, de
sureau, de seringat, de genêt, de trifolium, qui paraient la
5 terre en lui donnant l'air d'être en friche.　Je suivais des
allées tortueuses et irrégulières bordées de ces bocages fleuris,
et couvertes de mille guirlandes de vigne de Judée, de vigne
vierge, de houblon, de liseron, de couleuvrée, de clématite,
et d'autres plantes de cette espèce, parmi lesquelles le chèvre-
10 feuille et le jasmin daignaient se confondre.　Ces guirlandes
semblaient jetées négligemment d'un arbre à l'autre, comme
j'en avais remarqué quelquefois dans les forêts, et formaient
sur nous des espèces de draperies qui nous garantissaient du
soleil, tandis que nous avions sous nos pieds un marcher doux,
15 commode et sec, sur une mousse fine, sans sable, sans herbe,
et sans rejetons raboteux.　Alors seulement je découvris,
non sans surprise, que ces ombrages verts et touffus, qui
m'en avaient tant imposé de loin, n'étaient formés que de ces
plantes rampantes et parasites, qui, guidées le long des arbres,
20 environnaient leurs têtes du plus épais feuillage, et leurs pieds
d'ombre et de fraîcheur.　J'observai même qu'au moyen
d'une industrie assez simple on avait fait prendre racine sur
les troncs des arbres à plusieurs de ces plantes, de sorte
qu'elles s'étendaient davantage en faisant moins de chemin.
25 Vous concevez bien que les fruits ne s'en trouvent pas mieux
de toutes ces additions; mais dans ce lieu seul on a sacrifié
l'utile à l'agréable, et dans le reste des terres on a pris un
tel soin des plants et des arbres, qu'avec ce verger de moins
la récolte en fruits ne laisse pas d'être plus forte qu'aupara-
30 vant.　Si vous songez combien au fond d'un bois on est
charmé quelquefois de voir un fruit sauvage et même de s'en
rafraîchir, vous comprendrez le plaisir qu'on a de trouver
dans ce désert artificiel des fruits excellents et mûrs, quoique
clair-semés et de mauvaise mine; ce qui donne encore le
35 plaisir de la recherche et du choix.

Toutes ces petites routes étaient bordées et traversées
d'une eau limpide et claire, tantôt circulant parmi l'herbe
et les fleurs en filets presque imperceptibles, tantôt en plus
grands ruisseaux courant sur un gravier pur et marqueté
qui rendait l'eau plus brillante.   On voyait des sources 5
bouillonner et sortir de la terre, et quelquefois des canaux
plus profonds dans lesquels l'eau calme et paisible réfléchissait
à l'œil les objets.   Je comprends à présent tout le reste, dis-je
à Julie: mais ces eaux que je vois toutes parts . . . Elles
viennent de là, reprit-elle en me montrant le côté où était la 10
terrasse de son jardin.   C'est ce même ruisseau qui fournit
à grands frais dans le parterre un jet d'eau dont personne ne
se soucie.   M. de Wolmar ne veut pas le détruire, par respect pour mon père qui l'a fait faire: mais avec quel plaisir
nous venons tous les jours voir courir dans ce verger cette 15
eau dont nous n'approchons guère au jardin! le jet d'eau
joue pour les étrangers, le ruisseau coule ici pour nous.   Il
est vrai que j'y ai réuni l'eau de la fontaine publique [1] qui
se rendait dans le lac par le grand chemin, qu'elle dégradait au
préjudice des passants et à pure perte pour tout le monde. 20
Elle faisait un coude au pied du verger entre deux rangs de
saules; je les ai renfermés dans mon enceinte, et j'y conduis
la même eau par d'autres routes.

Je vis alors qu'il n'avait été question que de faire serpenter
ces eaux avec économie en les divisant et réunissant à propos 25
en épargnant la pente le plus qu'il était possible, pour pro-

[1] Rousseau donne cette description des fontaines dans ces régions:
« Ces fontaines qui sont élevées et taillées en obélisques ou en colonnes,
et coulent par des tuyaux de fer dans de grands bassins, sont un des ornements de la Suisse.   Il n'y a si chétif village qui n'en ait au moins deux
ou trois; les maisons écartées ont presque chacune la sienne, et l'on en
trouve même sur les chemins pour la commodité des passants, hommes et
bestiaux.   Je ne saurais exprimer combien l'aspect de toutes ces belles
eaux coulantes est agréable au milieu des rochers et des bois durant les
chaleurs; l'on est déjà rafraîchi par la vue, et l'on est tenté de boire sans
avoir soif ».   (*Lettre à M. de Luxembourg*, 28 janv. 1763.)

longer le circuit et se ménager le murmure de quelques petites chutes.   Une couche de glaise couverte d'un pouce de gravier du lac et parsemée de coquillages formait le lit des ruisseaux. Ces mêmes ruisseaux, courant par intervalles sous quelque larges tuiles recouvertes de terre et de gazon au niveau du sol, formaient à leur issue autant de sources artificielles. Quelques filets s'en élevaient par des siphons sur des lieux raboteux et bouillonnaient en retombant.   Enfin la terre ainsi rafraîchie et humectée donnait sans cesse de nouvelles fleurs et entretenait l'herbe toujours verdoyante et belle.

Plus je parcourais cet agréable asile, plus je sentais augmenter la sensation délicieuse que j'avais éprouvée en y entrant: cependant la curiosité me tenait en haleine.   J'étais plus empressé de voir les objets que d'examiner leurs impressions, et j'aimais à me livrer à cette charmante contemplation sans prendre la peine de penser.   Mais madame de Wolmar, me tirant de ma rêverie, me dit en me prenant sous le bras: Tout ce que vous voyez n'est que la nature végétale et inanimée; et, quoi qu'on puisse faire, elle laisse toujours une idée de solitude qui attriste.   Venez la voir animée et sensible, c'est là qu'à chaque instant du jour vous lui trouverez un attrait nouveau.   Vous me prévenez, lui dis-je; j'entends un ramage bruyant et confus, et j'aperçois assez peu d'oiseaux: je comprends que vous avez une volière.   Il est vrai, dit-elle; approchons-en.   Je n'osai dire encore ce que je pensais de la volière; mais cette idée avait quelque chose qui me déplaisait, et ne me semblait point assortie au reste.

Nous descendîmes par mille détours au bas du verger, où je trouvai toute l'eau réunie en un joli ruisseau coulant doucement entre deux rangs de vieux saules qu'on avait souvent ébranchés.   Leurs têtes creuses et demi-chauves formaient des espèces de vases d'où sortaient, par l'adresse dont j'ai parlé, des touffes de chèvrefeuille, dont une partie s'entrelaçait autour des branches, et l'autre tombait avec grâce le long du ruisseau.   Presque à l'extrémité de l'enceinte était un petit bassin bordé d'herbes, de joncs, de roseaux, servant d'abreuvoir à la volière, et dernière station de cette eau si précieuse et si bien ménagée.

Au delà de ce bassin était un terre-plein terminé dans l'angle de l'enclos par un monticule garni d'une multitude d'arbrisseaux de toute espèce; les plus petits vers le haut et toujours croissant en grandeur à mesure que le sol s'abaissait; ce qui rendait le plan des têtes presque horizontal, ou montrait au moins qu'un jour il le devait être. Sur le devant étaient une douzaine d'arbres jeunes encore, mais faits pour devenir fort grands, tels que le hêtre, l'orme, le frêne, l'acacia. C'étaient les bocages de ce coteau qui servaient d'asile à cette multitude d'oiseaux dont j'avais entendu de loin le ramage; et c'était à l'ombre de ce feuillage comme sous un grand parasol qu'on les voyait voltiger, courir, chanter, s'agacer, se battre comme s'ils ne nous avaient pas aperçus. Ils s'enfuirent si peu à notre approche, que, selon l'idée dont j'étais prévenu, je les crus d'abord enfermés par un grillage; mais lorsque nous fûmes arrivés au bord du bassin, j'en vis plusieurs descendre et s'approcher de nous sur une espèce de courte allée qui séparait en deux le terre-plein et communiquait du bassin à la volière. M. de Wolmar, faisant le tour du bassin, sema sur l'allée deux ou trois poignées de grains mélangés qu'il avait dans sa poche; et, quand il se fut retiré, les oiseaux accoururent et se mirent à manger comme des poules, d'un air si familier que je vis bien qu'ils étaient faits à ce manège. Cela est charmant! m'écriai-je. Ce mot de volière m'avait surpris de votre part; mais je l'entends maintenant: je vois que vous voulez des hôtes et non pas des prisonniers. Qu'appelez-vous des hôtes? répondit Julie: c'est nous qui sommes les leurs; ils sont ici les maîtres, et nous leur payons tribut pour en être souf-ferts quelquefois. Fort bien, repris-je; mais comment ces maîtres-là se sont-ils emparés de ce lieu? le moyen d'y ras-sembler tant d'habitants volontaires? je n'ai pas ouï dire

qu'on ait jamais rien tenté de pareil; et je n'aurais point
cru qu'on y pût réussir, si je n'en avais la preuve sous mes
yeux.

La patience et le temps, dit M. de Wolmar, ont fait ce
5 miracle. Ce sont des expédients dont les gens riches ne
s'avisent guère dans leurs plaisirs. Toujours pressés de
jouir, la force et l'argent sont les seuls moyens qu'ils connaissent: ils ont des oiseaux dans des cages, et des amis à
tant par mois. Si jamais des valets approchaient de ce
10 lieu, vous en verriez bientôt les oiseaux disparaître; et s'ils
y sont à présent en grand nombre, c'est qu'il y en a toujours
eu. On ne les fait pas venir quand il n'y en a point; mais il
est aisé, quand il y en a, d'en attirer davantage en prévenant
tous leurs besoins, en ne les effrayant jamais, en leur laissant
15 faire leur couvée en sûreté et ne dénichant point les petits;
car alors ceux qui s'y trouvent restent, et ceux qui survien-
nent restent encore. Ce bocage existait, quoiqu'il fût séparé
du verger; Julie n'a fait que l'y renfermer par une haie vive,
ôter celle qui l'en séparait, l'agrandir, et l'orner de nouveaux
20 plants. Vous voyez, à droite et à gauche de l'allée qui y
conduit, deux espaces remplis d'un mélange confus d'herbes,
de pailles et de toutes sortes de plantes. Elle y fait semer
chaque année du blé, du mil, du tournesol, du chenevis, des
pesettes, généralement de tous les grains que les oiseaux
25 aiment, et l'on n'en moissonne rien. Outre cela, presque
tous les jours, été et hiver, elle ou moi leur apportons à
manger; et quand nous y manquons, la Fanchon [1] y supplée
d'ordinaire. Ils ont l'eau à quatre pas, comme vous voyez.
Madame de Wolmar pousse l'attention jusqu'à les pourvoir
30 tous les printemps de petits tas de crin, de paille, de laine,
de mousse, et d'autres matières propres à faire des nids.
Avec le voisinage des matériaux, l'abondance des vivres et
le grand soin qu'on prend d'écarter tous les ennemis, l'éternelle tranquillité dont ils jouissent les porte à pondre en un

---

[1] Une servante très dévouée à Julie et à la famille de celle-ci.

lieu commode où rien ne leur manque, où personne ne les
trouble. Voilà comment la patrie des pères est encore celle
des enfants, et comment la peuplade se soutient et se mul-
tiplie ..

.   .   .   .

En considérant tout cela, je trouvais assez bizarre qu'on 5
prît tant de peine pour se cacher celle qu'on avait prise;
n'aurait-il pas mieux valu n'en point prendre? Malgré
tout ce qu'on vous a dit, me répondit Julie, vous jugez du
travail par l'effet, et vous vous trompez. Tout ce que vous
voyez sont des plantes sauvages ou robustes qu'il suffit de 10
mettre en terre, et qui viennent ensuite d'elles-mêmes. D'ailleurs, la nature semble vouloir dérober aux yeux des hommes
ses vrais attraits, auxquels ils sont trop peu sensibles, et
qu'ils défigurent quand ils sont à leur portée: elle fuit les
lieux fréquentés; c'est au sommet des montagnes, au fond 15
des forêts, dans des îles désertes, qu'elle étale ses charmes
les plus touchants. Ceux qui l'aiment et ne peuvent l'aller
chercher si loin sont réduits à lui faire violence, à la forcer
en quelque sort à venir habiter avec eux; et tout cela ne peut
se faire sans un peu d'illusion.   20
A ces mots, il me vint une imagination qui les fit rire. Je
me figure, leur dis-je, un homme riche de Paris ou de Londres,
maître de cette maison, et amenant avec lui un architecte
chèrement payé pour gâter la nature. Avec quel dédain
il entrerait dans ce lieu simple et mesquin! avec quel mépris 25
il ferait arracher toutes ces guenilles! les beaux alignements
qu'il prendrait! les belles allées qu'il ferait percer! les belles
pattes-d'oie, les beaux arbres en parasol, en éventail! les beaux
treillages bien sculptés! les belles charmilles bien dessinées,
bien équarries, bien contournées! les beaux boulingrins de 30
fin gazon d'Angleterre, ronds, carrés, échancrés, ovales! les
beaux ifs taillés en dragons, en pagodes, en marmouzets, en
toutes sortes de monstres! les beaux vases de bronze, les
beaux fruits de pierre dont il ornera son jardin! ... Quand

tout cela sera exécuté, dit M. de Wolmar, il aura fait un très beau lieu, dans lequel on n'ira guère, et dont on sortira toujours avec empressement pour aller chercher la campagne; un lieu triste, où l'on ne se promènera point, mais par où 5 l'on passera pour s'aller promener; au lieu que dans mes courses champêtres je me hâte souvent de rentrer pour venir me promener ici.

Je ne vois dans ces terrains si vastes et si richement ornés que la vanité du propriétaire et de l'artiste, qui, toujours 10 empressés d'étaler, l'un sa richesse et l'autre son talent, préparent, à grands frais, de l'ennui à quiconque voudra jouir de leur ouvrage. Un faux goût de grandeur qui n'est point fait pour l'homme empoisonne ses plaisirs. L'air grand est toujours triste; il fait songer aux misères de celui qui l'affecte. 15 Au milieu de ses parterres et de ses grandes allées, son petit individu ne s'agrandit point; un arbre de vingt pieds le couvre comme un de soixante:[1] il n'occupe jamais que ses trois pieds d'espace et se perd comme un ciron dans ses immenses possessions.

20 Je n'ai qu'un seul reproche à faire à votre Élysée, ajoutai-je en regardant Julie, mais qui vous paraîtra grave; c'est d'être un amusement superflu. A quoi bon vous faire une nouvelle promenade, ayant de l'autre côté de la maison des bosquets si charmants et si négligés? Il est vrai, dit-elle un peu em-25 barrassée; mais j'aime mieux ceci. Si vous aviez bien songé à votre question avant que de la faire, interrompit M. de Wolmar, elle serait plus qu'indiscrète. Jamais ma femme depuis son mariage n'a mis les pieds dans les bosquets dont vous parlez. J'en sais la raison quoiqu'elle me l'ait toujours

[1] Allusion à la coutume du temps d'élaguer les branches du bas des arbres pour faire pousser en hauteur, « élancer les arbres dans les nues en leur ôtant les belles têtes », comme dit Rousseau. « Les parcs ne sont plantés que de longues perches, ce sont des forêts de mats et l'on s'y promène sans trouver d'ombre. »

tue. Vous qui ne l'ignorez pas, apprenez à respecter les lieux
où vous êtes: ils sont plantés par les mains de la vertu.[1]

.   .   .   .

Je m'étais promis une rêverie agréable; j'ai rêvé plus
agréablement que je ne m'y étais attendu. J'ai passé dans
l'Élysée deux heures auxquelles je ne préfère aucun temps 5
de ma vie. En voyant avec quel charme et quelle rapidité
elles s'étaient écoulées, j'ai trouvé qu'il y a dans la méditation des pensées honnêtes une sorte de bien-être que les
méchants n'ont jamais connu; c'est celui de se plaire avec
soi-même ... 10

La Promenade sur le Lac

La question de l'éducation — que Rousseau reprendra dans
Émile — est souvent discutée dans ce livre. Wolmar propose
que Saint-Preux soit chargé de l'éducation des enfants quand il
aura terminé sa mission pour Mylord Édouard Bomston en Italie,
et que Lord Bomston aussi vienne habiter le beau pays de Clarens. 15
Pour s'assurer si les deux amants sont guéris, Wolmar fait une
absence de la maison et laisse Julie et Saint-Preux seuls. Les
événements montrent qu'il n'est pas sûr que la passion soit morte
— peut-être n'est-elle qu'assoupie. La grande épreuve vient un
jour de promenade sur le lac, et quand Saint-Preux, se trouvant 20
avec Julie aux rochers de Meillerie, lui montre les lieux où il a
brûlé pour elle d'une immense passion. C'est la lettre célèbre
qui a inspiré *Le Lac* de Lamartine, et maint autre morceau de
lyrisme romantique.[2]

LETTRE XVII. — DE SAINT-PREUX A MYLORD ÉDOUARD

Je veux, mylord, vous rendre compte d'un danger que 25
nous courûmes ces jours passés, et dont heureusement nous

---

[1] C'est dans le bosquet naturel dont l'Élysée a pris la place que Julie
et Saint-Preux se sont donné le premier baiser d'amour. Les « mains
vertueuses » de Julie avaient donc voulu planter une retraite qui
n'évoquât pas ce souvenir.

[2] Cette lettre est la dernière de la IV° Partie. Elle est en réalité une
introduction aux deux dernières Parties.

avons été quittes pour la peur et un peu de fatigue. Ceci vaut bien une lettre à part: en la lisant, vous sentirez ce qui m'engage à vous l'écrire.

Vous savez que la maison de madame de Wolmar n'est
5 pas loin du lac, et qu'elle aime les promenades sur l'eau. Il y a trois jours que le désœuvrement où l'absence de son mari nous laisse et la beauté de la soirée nous firent projeter une de ces promenades pour le lendemain. Au lever du soleil nous nous rendîmes au rivage; nous prîmes un bateau
10 avec des filets pour pêcher, trois rameurs, un domestique, et nous nous embarquâmes avec quelques provisions pour le dîner. J'avais pris un fusil pour tirer des besolets;[1] mais elle me fit honte de tuer des oiseaux à pure perte et pour le seul plaisir de faire du mal. Je m'amusais donc à rappeler
15 de temps en temps des gros-sifflets, des tiou-tious, des crenets, des sifflassons;[2] et je ne tirai qu'un seul coup de fort loin sur une grèbe que je manquai.

Nous passâmes une heure ou deux à pêcher à cinq cents pas du rivage. La pêche fût bonne; mais, à l'exception
20 d'une truite qui avait reçu un coup d'aviron, Julie fit tout rejeter à l'eau. Ce sont, dit-elle, des animaux qui souffrent; délivrons-les; jouissons du plaisir qu'ils auront d'être échappés au péril. Cette opération se fit lentement, à contre-cœur, non sans quelques représentations; et je vis aisément
25 que nos gens auraient mieux goûté le poisson qu'ils avaient pris que la morale qui lui sauvait la vie.

Nous avançâmes ensuite en pleine eau; puis, par une vivacité de jeune homme dont il serait temps de guérir, m'étant mis à *nager*,[3] je dirigeai tellement au milieu du lac

---

[1] Oiseau de passage sur le lac de Genève. Le besolet n'est pas bon à manger.

[2] Diverses sortes d'oiseaux du lac de Genève, tous très bons à manger. Un chasseur *appelle* le gibier en imitant le cri de l'animal.

[3] Terme des bateliers du lac de Genève; c'est tenir la rame qui gouverne les autres.

que nous nous trouvâmes bientôt à plus d'une lieue du rivage.
Là j'expliquais à Julie toutes les parties du superbe horizon
qui nous entourait. Je lui montrais de loin les embouchures
du Rhône, dont l'impétueux cours s'arrête tout à coup au
bout d'un quart de lieue, et semble craindre de souiller de 5
ses eaux bourbeuses le cristal azuré du lac. Je lui faisais
observer les redans des montagnes, dont les angles corres-
pondants et parallèles forment dans l'espace qui les sépare
un lit digne du fleuve qui le remplit. En l'écartant de nos
côtes j'aimais à lui faire admirer les riches et charmantes 10
rives du pays de Vaud, où la quantité des villes, l'innombrable foule du peuple, les coteaux verdoyants et parés de
toutes parts, forment un tableau ravissant; où la terre,
partout cultivée et partout féconde, offre au laboureur, au
pâtre, au vigneron le fruit assuré de leurs peines ... 15

Tandis que nous nous amusions agréablement à parcourir
ainsi des yeux les côtes voisines, un séchard,[1] qui nous poussait de biais vers la rive opposée, s'éleva, fraîchit considé-
rablement; et, quand nous songeâmes à revirer, la résistance
se trouva si forte qu'il ne fut plus possible à notre frêle bateau 20
de la vaincre. Bientôt les ondes devinrent terribles: il
fallut regagner la rive de Savoie, et tâcher d'y prendre terre
au village de Meillerie qui était vis-à-vis de nous, et qui est
presque le seul lieu de cette côte où la grève offre un abord
commode. Mais le vent ayant changé se renforçait, rendait 25
inutiles les efforts de nos bateliers, et nous faisait dériver plus
bas le long d'une file de rochers escarpés où l'on ne trouve
plus d'asile.

Nous nous mîmes tous aux rames ... Enfin à force de travail nous remontâmes à Meillerie, et, après avoir lutté plus 30
d'une heure à dix pas du rivage, nous parvînmes à prendre
terre. En abordant, toutes les fatigues furent oubliées.

Nous dînâmes avec l'appétit qu'on gagne dans un violent
travail ...

[1] Mot local: vent violent. froid et sec.

Après le dîner, l'eau continuant d'être forte et le bateau ayant besoin d'être raccommodé, je proposai un tour de promenade. Julie m'opposa le vent, le soleil, et songeait à ma lassitude. J'avais mes vues; ainsi je répondis à tout. Je suis, lui dis-je, accoutumé dès l'enfance aux exercices pénibles; loin de nuire à ma santé ils l'affermissent, et mon dernier voyage m'a rendu bien plus robuste encore. A l'égard du soleil et du vent, vous avez votre chapeau de paille; nous gagnerons des abris et des bois; il n'est question que de monter entre quelques rochers; et vous qui n'aimez pas la plaine en supporterez volontiers la fatigue. Elle fit ce que je voulais, et nous partîmes pendant le dîner de nos gens.

Vous savez qu'après mon exil du Valais je revins il y a dix ans à Meillerie attendre la permission de mon retour.[1] C'est là que je passai des jours si tristes et si délicieux, uniquement occupé d'elle, et c'est de là que je lui écrivis une lettre dont elle fut si touchée. J'avais toujours désiré de revoir la retraite isolée qui me servit d'asile au milieu des glaces, et où mon cœur se plaisait à converser en lui-même avec ce qu'il eut de plus cher au monde. L'occasion de visiter ce lieu si chéri dans une saison plus agréable, et avec celle dont l'image l'habitait jadis avec moi, fut le motif secret de ma promenade. Je me faisais un plaisir de lui montrer d'anciens monuments d'une passion si constante et si malheureuse.

Nous y parvînmes après une heure de marche par des sentiers tortueux et frais, qui, montant insensiblement entre les arbres et les rochers, n'avaient rien de plus incommode que la longueur du chemin. En approchant et reconnaissant mes anciens renseignements,[2] je fus prêt à me trouver mal; mais je me surmontai, je cachai mon trouble, et nous arrivâmes. Ce lieu solitaire formait un réduit sauvage et désert, mais plein de ces sortes de beautés qui ne plaisent qu'aux âmes sensibles, et paraissent horribles aux autres.

---

[1] Voir lettre 26 du Livre I, citée plus haut.

[2] Emploi curieux de ce mot pour « lieux familiers ».

Un torrent formé par la fonte des neiges roulait à vingt pas
de nous une eau bourbeuse, et charriait avec bruit du limon,
du sable et des pierres.   Derrière nous une chaîne de roches
inaccessibles séparait l'esplanade où nous étions de cette
partie des Alpes qu'on nomme les Glaciers, parce que d'é-   5
normes sommets de glaces qui s'accroissent incessamment
les couvrent depuis le commencement du monde.[1] Des
forêts de noirs sapins nous ombrageaient tristement à droite.
Un grand bois de chênes était à gauche au delà du torrent;
et au-dessous de nous cette immense plaine d'eau que le lac   10
forme au sein des Alpes nous séparait des riches côtes du pays
de Vaud, dont la cime du majestueux Jura couronnait le
tableau.

Au milieu de ces grands et superbes objets, le petit terrain
où nous étions étalait les charmes d'un séjour riant et cham-   15
pêtre; quelques ruisseaux filtraient à travers les rochers, et
roulaient sur la verdure en filets de cristal; quelques arbres
fruitiers sauvages penchaient leurs têtes sur les nôtres; la
terre humide et fraîche était couverte d'herbe et de fleurs.
En comparant un si doux séjour aux objets qui l'environ-   20
naient, il semblait que ce lieu désert dût être l'asile de deux
amants échappés seuls au bouleversement de la nature.

Quand nous eûmes atteint ce réduit et que je l'eus quelque
temps contemplé: Quoi! dis-je à Julie en la regardant avec
un œil humide, votre cœur ne vous dit-il rien ici, et ne sentez-   2
vous point quelque émotion secrète à l'aspect d'un lieu si
plein de vous? Alors, sans attendre sa réponse, je la con-
duisis vers le rocher, et lui montrai son chiffre gravé dans
mille endroits, et plusieurs vers de Pétrarque et du Tasse
relatifs à la situation où j'étais en les traçant. En les re-   30
voyant moi-même après si longtemps, j'éprouvai combien la

[1] Ces montagnes sont si hautes, qu'une demi-heure après le soleil
couché leurs sommets sont encore éclairés de ses rayons, dont le rouge
forme sur ces cimes blanches une belle couleur de rose qu'on aperçoit de
fort loin. (*Note de Rousseau.*)

présence des objets peut ranimer puissamment les sentiments
violents dont on fut agité près d'eux. Je lui dis avec un peu
de véhémence: O Julie, éternel charme de mon cœur! voici
les lieux où soupira jadis pour toi le plus fidèle amant du
5 monde; voici le séjour où ta chère image faisait son bonheur, et préparait celui qu'il reçut enfin de toi-même. On
n'y voyait alors ni ces fruits ni ces ombrages; la verdure et
les fleurs ne tapissaient point ces compartiments, le cours
de ces ruisseaux n'en formait point les divisions, ces oiseaux
10 n'y faisaient point entendre leurs ramages; le vorace épervier,
le corbeau funèbre, et l'aigle terrible des Alpes, faisaient seuls
retentir de leurs cris ces cavernes; d'immenses glaces pen-
daient à tous ces rochers; des festons de neige étaient le
seul ornement de ces arbres; tout respirait ici les rigueurs
15 de l'hiver et l'horreur des frimas; les feux seuls de mon cœur
me rendaient ce lieu supportable, et les jours entiers s'y
passaient à penser à toi. Voilà la pierre où je m'asseyais
pour contempler au loin ton heureux séjour; sur celle-ci
fut écrite la lettre qui toucha ton cœur; ces cailloux tran-
20 chants me servaient de burin pour graver ton chiffre; ici
je passai le torrent glacé pour reprendre une de tes lettres
qu'emportait un tourbillon; là je vins relire et baiser mille
fois la dernière que tu m'écrivis; voilà le bord où d'un œil
avide et sombre je mesurais la profondeur de ces abîmes;
25 enfin ce fut ici qu'avant mon triste départ je vins te pleurer
mourante et jurer de ne te pas survivre. Fille trop constamment aimée, ô toi pour qui j'étais né, faut-il me retrouver
avec toi dans les mêmes lieux, et regretter le temps que j'y
passais à gémir de ton absence! ... J'allais continuer; mais
30 Julie, qui, me voyant approcher du bord, s'était effrayée et
m'avait saisi la main, la serra sans mot dire en me regardant avec tendresse et retenant avec peine un soupir; puis
tout à coup détournant la vue et me tirant par le bras: Allons-
nous-en, mon ami, me dit-elle d'une voix émue; l'air de ce
35 lieu n'est pas bon pour moi. Je partis avec elle en gémissant,

mais sans lui répondre, et je quittai pour jamais ce triste réduit comme j'aurais quitté Julie elle-même.

Revenus lentement au port après quelques détours, nous nous séparâmes. Elle voulut rester seule, et je continuai de me promener sans trop savoir où j'allais. A mon retour, le bateau n'étant pas encore prêt ni l'eau tranquille, nous soupâmes tristement, les yeux baissés, l'air rêveur, mangeant peu et parlant encore moins. Après le souper, nous fûmes nous asseoir sur la grève en attendant le moment du départ. Insensiblement la lune se leva, l'eau devint plus calme, et Julie me proposa de partir. Je lui donnai la main pour entrer dans le bateau; et, en m'asseyant à côté d'elle je ne songeai plus à quitter sa main. Nous gardions un profond silence. Le bruit égal et mesuré des rames m'excitait à rêver. Le chant assez gai des bécassines,[1] me retraçant les plaisirs d'un autre âge, au lieu de m'égayer, m'attristait. Peu à peu je sentis augmenter la mélancolie dont j'étais accablé. Un ciel serein, la fraîcheur de l'air, les doux rayons de la lune, le frémissement argenté dont l'eau brillait autour de nous, le concours des plus agréables sensations, la présence même de cet objet chéri, rien ne put détourner de mon cœur mille réflexions douloureuses.

Je commençai par me rappeler une promenade semblable faite autrefois avec elle durant le charme de nos premières amours. Tous les sentiments délicieux qui remplissaient alors mon âme s'y retracèrent pour l'affliger; tous les événements de notre jeunesse, nos études, nos entretiens, nos lettres, nos rendez-vous, nos plaisirs,

> E tanta fede, e si dolci memorie,
> E si lungo costume![2]

[1] La bécassine du lac de Genève n'est point l'oiseau qu'on appelle en France du même nom. Le chant plus vif et plus animé de la nôtre donne au lac, durant les nuits d'été, un air de vie et de fraîcheur qui rend ses rives encore plus charmantes. (*Note de Rousseau.*)

[2] Et cette foi si pure, et ces doux souvenirs, et cette longue familiarité. (*Métastase.*

ces foules de petits objets qui m'offraient l'image de mon bonheur passé; tout revenait, pour augmenter ma misère présente, prendre place en mon souvenir.   C'en est fait, disais-je
en moi-même; ces temps, ces temps heureux ne sont plus;
5 ils ont disparu pour jamais.   Hélas! ils ne reviendront plus;
et nous vivons, et nous sommes ensemble, et nos cœurs sont
toujours unis!   Il me semblait que j'aurais porté plus patiem-
ment sa mort ou son absence, et que j'avais moins souffert
tout le temps que j'avais passé loin d'elle.   Quand je gémis-
10 sais dans l'éloignement, l'espoir de la revoir soulageait mon
cœur; je me flattais qu'un instant de sa présence effacerait
toutes mes peines; j'envisageais au moins dans les possibles
un état moins cruel que le mien: mais se trouver auprès
d'elle, mais la voir, la toucher, lui parler, l'aimer, l'adorer,
15 et, presque en la possédant encore, la sentir perdue à jamais
pour moi; voilà ce qui me jetait dans des accès de fureur et
de rage qui m'agitèrent par degrés jusqu'au désespoir.   Bientôt je commençai de rouler dans mon esprit des projets
funestes, et, dans un transport dont je frémis en y pensant,
20 je fus violemment tenté de la précipiter avec moi dans les
flots, et d'y finir dans ses bras ma vie et mes longs tourments.
Cette horrible tentation devint à la fin si forte, que je fus
obligé de quitter brusquement sa main pour passer à la pointe
du bateau.
25   Là mes vives agitations commencèrent à prendre un autre
cours; un sentiment plus doux s'insinua peu à peu dans
mon âme, l'attendrissement surmonta le désespoir, je me mis
à verser des torrents de larmes; et cet état, comparé à celui
dont je sortais, n'était pas sans quelque plaisir.   Je pleurai
30 fortement, longtemps, et fus soulagé.   Quand je me trouvai
bien remis, je revins auprès de Julie; je repris sa main.   Elle
tenait son mouchoir; je le sentis fort mouillé.   Ah! lui dis-je
tout bas, je vois que nos cœurs n'ont jamais cessé de s'entendre!   Il est vrai, dit-elle d'une voix altérée; mais que ce
35 soit la dernière fois qu'ils auront parlé sur ce ton.   Nous

recommençâmes alors à causer tranquillement, et au bout
d'une heure de navigation nous arrivâmes sans autre accident.
Quand nous fûmes rentrés, j'aperçus à la lumière qu'elle
avait les yeux rouges et fort gonflés; elle ne dut pas trouver
les miens en meilleur état.   Après les fatigues de cette journée, 5
elle avait grand besoin de repos; elle se retira, et je fus me
coucher.

Voilà, mon ami, le détail du jour de ma vie où, sans exception, j'ai senti les émotions les plus vives. J'espère
qu'elles seront la crise qui me rendra tout à fait à moi ... 10

CINQUIÈME PARTIE
La Matinée à l'Anglaise

« Les Anglais, avait dit Béat Muralt (un contemporain de
Rousseau et l'auteur des *Lettres sur les Anglais et les Français*,
1725), se sont fort bien aperçus que quand on ne parle que pour
parler, on ne manque guère de dire des sottises, et que la conversation doit être une affaire de sentiment et non de paroles; 15
et comme sur ce pied-là on n'a pas toujours de quoi s'entretenir,
il leur arrive quelquefois de se taire assez longtemps.» Cette
idée avait beaucoup frappé Rousseau qui s'en sert dans cette
lettre de la *Nouvelle Héloïse*.   Il l'a ensuite choisie pour « une
des estampes exécutées pour son livre par le graveur Gravelot.» 20
On y prend le thé et on y lit des gazettes — ou du moins on les
tient à la main; on remarque « un air de contemplation rêveuse
et douce » dans les trois personnages; Julie surtout« doit paraître
dans une extase délicieuse.»

LETTRE III. — DE SAINT-PREUX A MYLORD ÉDOUARD

... Après six jours perdus aux entretiens frivoles des gens 25
indifférents, nous avons passé aujourd'hui une matinée à
l'anglaise, réunis et dans le silence, goûtant à la fois le plaisir
d'être ensemble et la douceur du recueillement.   Que les
délices de cet état sont connues de peu de gens!   Je n'ai
vu personne en France en avoir la moindre idée.   La con- 30

versation des amis ne tarit jamais, disent-ils. Il est vrai,
la langue fournit un babil facile aux attachements médiocres,
mais l'amitié, mylord, l'amitié! Sentiment vif et céleste,
quels discours sont dignes de toi? quelle langue ose être ton
5 interprète? Jamais ce qu'on dit à son ami peut-il valoir
ce qu'on sent à ses côtés? Mon Dieu! qu'une main serrée,
qu'un regard animé, qu'une étreinte contre la poitrine, que
le soupir qui la suit, disent de choses! et que le premier mot
qu'on prononce est froid après tout cela!…

10 Il est sûr que cet état de contemplation fait un des grands
charmes des hommes sensibles. Mais j'ai toujours trouvé
que les importuns empêchaient de le goûter, et que les amis
ont besoin d'être sans témoin pour pouvoir ne se rien dire
qu'à leur aise. On veut être recueillis, pour ainsi dire, l'un
15 dans l'autre: les moindres distractions sont désolantes, la
moindre contrainte est insupportable. Si quelquefois le
cœur porte un mot à la bouche, il est si doux de pouvoir le
prononcer sans gêne! Il semble qu'on n'ose penser librement
ce qu'on n'ose dire de même; il semble que la présence d'un
20 seul étranger retienne le sentiment et comprime des âmes
qui s'entendraient si bien sans lui.

Deux heures se sont ainsi écoulées entre nous dans cette
immobilité d'extase, plus douce mille fois que le froid repos
des dieux d'Épicure. Après le déjeuner, les enfants sont
25 entrés comme à l'ordinaire dans la chambre de leur mère;
mais au lieu d'aller ensuite s'enfermer avec eux dans le gynécée
selon sa coutume, pour nous dédommager en quelque sorte
du temps perdu sans nous voir, elle les a fait rester avec elle,
et nous ne nous sommes point quittés jusqu'au dîner. Hen-
30 riette, qui commence à savoir tenir l'aiguille, travaillait
assise devant la Fanchon, qui faisait de la dentelle, et dont
l'oreiller posait sur le dossier de sa petite chaise. Les deux
garçons feuilletaient sur une table un recueil d'images dont
l'aîné expliquait les sujets au cadet. Quand il se trompait,
35 Henriette attentive, et qui sait le recueil par cœur, avait

soin de le corriger.   Souvent, feignant d'ignorer à quelle estampe ils étaient, elle en tirait un prétexte de se lever, d'aller
et venir de sa chaise à la table et de la table à sa chaise.
Ces promenades ne lui déplaisaient pas, et lui attiraient
toujours quelque agacerie de la part du petit mali,[1] quel-   5
quefois même il s'y joignait un baiser que sa bouche enfantine sait mal appliquer encore, mais dont Henriette,
déjà plus savante, lui épargne volontiers la façon.   Pendant
ces petites leçons, qui se prenaient et se donnaient sans beaucoup de soin, mais aussi sans la moindre gêne, le cadet comp-   10
tait furtivement des onchets[2] de buis qu'il avait cachés sous
le livre.

Madame de Wolmar brodait près de la fenêtre vis-à-vis
des enfants; nous étions, son mari et moi, encore autour de
la table à thé, lisant la gazette, à laquelle elle prêtait assez   15
peu d'attention.   Mais à l'article de la maladie du roi de
France et de l'attachement singulier de son peuple, qui n'eut
jamais d'égal que celui des Romains pour Germanicus,[3] elle
a fait quelques réflexions sur le bon naturel de cette nation
douce et bienveillante, que toutes haïssent et qui n'en hait   20
aucune, ajoutant qu'elle n'enviait du rang suprême que le
plaisir de s'y faire aimer.   N'enviez rien, lui a dit son mari
d'un ton qu'il m'eût dû laisser prendre; il y a longtemps
que nous sommes tous vos sujets.   A ce mot son ouvrage
est tombé de ses mains; elle a tourné la tête, et jeté sur son   25
digne époux un regard si touchant, si tendre, que j'en ai
tressailli moi-même.   Elle n'a rien dit: qu'eût-elle dit qui
valût ce regard?   Nos yeux se sont aussi rencontrés.   J'ai

[1] Voir Note d'introduction au morceau ci-dessus: « Le revoir ».

[2] *Jeu des onchets ou jonchets:* On jette pêle-mêle sur une table des
fiches longues et menues, et le jeu consiste à enlever adroitement avec
un crochet, le plus de fiches possibles sans en déranger aucune autre.

[3] *Germanicus*, général romain du 1er siècle avant J.-C., vécut sous
Néron et Tibère; ce dernier s'alarma de sa popularité et trouva un prétexte pour l'envoyer en orient; il y mourut mystérieusement, peut-être
empoisonné par les agents de Tibère.

senti, à la manière dont son mari m'a serré la main, que la
même émotion nous gagnait tous trois, et que la douce influence de cette âme expansive agissait autour d'elle et triomphait de l'insensibilité même.

5   C'est dans ces dispositions qu'a commencé le silence dont
je vous parlais: vous pouvez juger qu'il n'était pas de froideur
et d'ennui. Il n'était interrompu que par le petit manège
des enfants; encore, aussitôt que nous avons cessé de parler,
ont-ils modéré par imitation leur caquet, comme craignant de
10 troubler le recueillement universel. C'est la petite surintendante qui la première s'est mise à baisser la voix, à
faire signe aux autres, à courir sur la pointe du pied; et
leurs jeux sont devenus d'autant plus amusants que cette
légère contrainte y ajoutait un nouvel intérêt. Ce spectacle,
15 qui semblait être mis sous nos yeux pour prolonger notre
attendrissement, a produit son effet naturel.

Ammutiscon le lingue, e parlan l'alme.[1]

Que de choses se sont dites sans ouvrir la bouche! que
d'ardents sentiments se sont communiqués sans la froide
entremise de la parole! insensiblement Julie s'est laissé ab-
20 sorber à celui qui dominait tous les autres. Ses yeux se sont
tout à fait fixés sur ses trois enfants; et son cœur, ravi dans
une si délicieuse extase, animait son charmant visage de
tout ce que la tendresse maternelle eut jamais de plus
touchant . . .

Les Vendanges[2]

25 La récolte du raisin est encore aujourd'hui une occasion annuelle
de grandes réjouissances dans les vignobles de la Suisse française.

---

[1] Les langues se taisent, mais les cœurs parlent. (*Marini*.)

[2] Rousseau discute la question de l'alcoholisme dans la *Lettre sur les
Spectacles*. Le vin, présent de la nature, lui paraît bienfaisant: « Toute
intempérance est vicieuse, et surtout celle qui nous ôte la plus noble de
nos facultés. L'excès du vin dégrade l'homme, aliène au moins sa raison
pour un temps et l'abrutit à la longue. Mais enfin le goût du vin n'est

Rousseau n'a pas manqué de parler de cette fête populaire répondant si bien aux idées exprimées par lui dans la *Lettre sur les Spectacles.*

LETTRE VII. — DE SAINT-PREUX A MYLORD ÉDOUARD

Il y a trois jours que j'essaie chaque soir de vous écrire. Mais, après une journée laborieuse, le sommeil me gagne 5 en rentrant: le matin, dès le point du jour, il faut retourner à l'ouvrage. Une ivresse plus douce que celle du vin me jette au fond de l'âme un trouble délicieux, et je ne puis dérober un moment à des plaisirs devenus tout nouveaux pour moi.

Je ne conçois pas quel séjour pourrait me déplaire avec la 10 société que je trouve dans celui-ci. Mais savez-vous en quoi Clarens me plaît pour lui-même? c'est que je m'y sens vraiment à la campagne, et que c'est presque la première fois que j'en ai pu dire autant. Les gens de ville ne savent point aimer la campagne; ils ne savent pas même y être: à peine, 15 quand ils y sont, savent-ils ce qu'on y fait. Ils en dédaignent les travaux, les plaisirs; ils les ignorent: ils sont chez eux comme en pays étrangers; je ne m'étonne pas qu'ils s'y déplaisent. Il faut être villageois au village, ou n'y point aller; car qu'y va-t-on faire? Les habitants de Paris qui 20 croient aller à la campagne n'y vont point: ils portent Paris avec eux. Les chanteurs, les beaux esprits, les auteurs, les parasites, sont le cortège qui les suit. Le jeu, la musique, la comédie, y sont leur seule occupation.[1] Leur table est

pas un crime; il en fait rarement commettre; il rend stupide et non pas méchant. Pour une querelle passagère qu'il cause, il forme cent attachements durables. Généralement parlant, les buveurs ont de la cordialité, de la franchise; ils sont presque tous bons, droits, justes, fidèles, braves et honnêtes gens à leur défaut près... Dans les pays de mauvaises mœurs, d'intrigues, de trahisons, on redoute un état d'indiscrétion où le cœur se montre sans qu'on y songe. Partout les gens qui abhorrent le plus l'ivresse sont ceux qui ont le plus d'intérêt à s'en garantir.»

[1] Il faut y ajouter la chasse. Encore là font-ils si commodément, qu'ils n'en ont pas la moitié de la fatigue ni du plaisir. (*Note de Rousseau.*)

couverte comme à Paris; ils y mangent aux mêmes heures;
on leur y sert les mêmes mets avec le même appareil; ils
n'y font que les mêmes choses: autant valait y rester; car,
quelque riche qu'on puisse être, et quelque soin qu'on ait
5 pris, on sent toujours quelque privation, et l'on ne saurait
apporter avec soi Paris tout entier. Ainsi, cette variété
qui leur est si chère, ils la fuient; ils ne connaissent jamais
qu'une manière de vivre, et s'en ennuient toujours.

Le travail de la campagne est agréable à considérer, et
10 n'a rien d'assez pénible en lui-même pour émouvoir à com-
passion. L'objet de l'utilité publique et privée le rend
intéressant: et puis, c'est la première vocation de l'homme;
il rappelle à l'esprit une idée agréable, et au cœur tous les
charmes de l'âge d'or. L'imagination ne reste point froide
15 à l'aspect du labourage et des moissons. La simplicité de
la vie pastorale et champêtre a toujours quelque chose qui
touche. Qu'on regarde les prés couverts de gens qui fanent
et chantent, et des troupeaux épars dans l'éloignement, insensiblement on se sent attendrir sans savoir pourquoi. Ainsi
20 quelquefois encore la voix de la nature amollit nos cœurs
farouches; et, quoiqu'on l'entende avec un regret inutile,
est si douce qu'on ne l'entend jamais sans plaisir.

. . . .

Depuis un mois les chaleurs de l'automne apprêtaient
d'heureuses vendanges; les premières gelées en ont amené
25 l'ouverture;[1] le pampre grillé, laissant la grappe à découvert,
étale aux yeux les dons du père Lyée,[2] et semble inviter les
mortels à s'en emparer. Toutes les vignes chargées de ce
fruit bienfaisant que le ciel offre aux infortunés pour leur
faire oublier leur misère; le bruit des tonneaux, des cuves,

[1] On vendange fort tard dans le pays de Vaud, parce que la principale
récolte est en vins blancs, et que la gelée leur est salutaire.

[2] Nom qu'on donne au pays de Vaud au père Bacchus. (L'éditeur
ne sait pas l'origine de cette appellation.)

des légrefass [1] qu'on relie de toutes parts; le chant des vendangeuses dont ces coteaux retentissent; la marche continuelle de ceux qui portent la vendange au pressoir; le rauque
son des instruments [2] rustiques qui les anime au travail;
l'aimable et touchant tableau d'une allégresse générale qui 5
semble en ce moment étendu sur la face de la terre; enfin
le voile de brouillard que le soleil élève au matin comme une
toile de théâtre pour découvrir à l'œil un si charmant spectacle: tout conspire à lui donner un air de fête; et cette
fête n'en devient que plus belle à la réflexion, quand on songe 10
qu'elle est la seule où les hommes aient su joindre l'agréable
à l'utile.

M. de Wolmar, dont ici le meilleur terrain consiste en vignobles, a fait d'avance tous les préparatifs nécessaires. Les
cuves, le pressoir, le cellier, les futailles, n'attendaient que la 15
douce liqueur pour laquelle ils sont destinés. Madame de
Wolmar s'est chargée de la récolte; le choix des ouvriers,
l'ordre et la distribution du travail la regardent. Madame
d'Orbe préside aux festins de vendange et au salaire des ouvriers selon la police établie, dont les lois ne s'enfreignent 20
jamais ici. Mon inspection à moi est de faire observer au
pressoir les directions de Julie, dont la tête ne supporte pas
la vapeur des cuves; et Claire n'a pas manqué d'applaudir
à cet emploi, comme étant tout à fait du ressort d'un buveur.[3]

Les tâches ainsi partagées, le métier commun pour remplir 25
les cuves vides est celui de vendangeur. Tout le monde est
sur pied de grand matin: on se rassemble pour aller à la
vigne. Madame d'Orbe, qui n'est jamais assez occupée

[1] Sorte de foudre ou de grand tonneau du pays.
[2] De longs cors employés pour des signaux aux vendangeurs à quelque
distance; ils ne sont plus en usage aujourd'hui; mais les touristes en Suisse
peuvent encore les entendre; on les sonne dans les vallées des Alpes pour
faire admirer aux étrangers les échos.
[3] Allusion à une scène du commencement du roman où le vin avait
rendu Saint-Preux indiscret (I, 50, 51, 52).

au gré de son activité, se charge, pour surcroît, de faire avertir
et tancer les paresseux, et je puis me vanter qu'elle s'acquitte
envers moi de ce soin avec une maligne vigilance ...

Depuis huit jours que cet agréable travail nous occupe,
5 on est à peine à la moitié de l'ouvrage. Outre les vins destinés pour la vente et pour les provisions ordinaires, lesquels
n'ont d'autre façon que d'être recueillis avec soin, la bienfaisante fée en prépare d'autres plus fins pour nos buveurs;
et j'aide aux opérations magiques dont je vous ai parlé, pour
10 tirer d'un même vignoble des vins de tous les pays. Pour
l'un, elle fait tordre la grappe quand elle est mûre et la laisse
flétrir au soleil sur la souche; pour l'autre, elle fait égrapper
le raisin et trier les grains avant de les jeter dans la cuve;
pour un autre, elle fait cueillir avant le lever du soleil du
15 raisin rouge, et le porter doucement sur le pressoir couvert
encore de sa fleur et de sa rosée pour en exprimer du vin blanc.
Elle prépare un vin de liqueur en mêlant dans les tonneaux
du moût réduit en sirop sur le feu; un vin sec, en l'empêchant
de cuver; un vin d'absinthe pour l'estomac; un vin muscat
20 avec des simples.[1] Tous ces vins différents ont leur apprêt
particulier; toutes ces préparations sont saines et naturelles:
c'est ainsi qu'une économe industrie supplée à la diversité
des terrains, et rassemble vingt climats en un seul.

Vous ne sauriez concevoir avec quel zèle, avec quelle gaieté
25 tout cela se fait. On chante, on rit toute la journée, et le
travail n'en va que mieux. Tout vit dans la plus grande
familiarité; tout le monde est égal, et personne ne s'oublie.
Les dames sont sans airs, les paysannes sont décentes, les
hommes badins et non grossiers. C'est à qui trouvera les
30 meilleures chansons, à qui fera les meilleurs contes, à qui
dira les meilleurs traits. L'union même engendre les folâtres
querelles; et l'on ne s'agace mutuellement que pour montrer
combien on est sûr les uns des autres. On ne revient point
ensuite faire chez soi les messieurs; on passe aux vignes toute

---

[1] *Simple* — nom général pour « plantes médicinales ».

la journée: Julie y a fait faire une loge où l'on va se chauffer
quand on a froid, et dans laquelle on se réfugie en cas de
pluie. On dîne avec les paysans et à leur heure, aussi bien
qu'on travaille avec eux. On mange avec appétit leur soupe
un peu grossière, mais bonne, saine, et chargée d'excellents 5
légumes. On ne ricane point orgueilleusement de leur
air gauche et de leurs compliments rustauds; pour les mettre
à leur aise, on s'y prête sans affectation. Ces complaisances
ne leur échappent pas, ils y sont sensibles; et voyant qu'on
veut bien sortir pour eux de sa place, ils s'en tiennent d'autant 10
plus volontiers dans la leur. A dîner, on amène les enfants,
et ils passent le reste de la journée à la vigne. Avec quelle
joie ces bons villageois les voient arriver! Ô bienheureux
enfants! disent-ils en les pressant dans leurs bras robustes,
que le bon Dieu prolonge vos jours aux dépens des nôtres! 15
ressemblez à vos pères et mères, et soyez comme eux la bénédiction du pays!...

Le soir, on revient gaiement tous ensemble. On nourrit
et loge les ouvriers tout le temps de la vendange; et même
le dimanche, après le prêche du soir, on se rassemble avec 20
eux et l'on danse jusqu'au souper...Ces saturnales sont
bien plus agréables et plus sages que celles des Romains.
Le renversement qu'ils affectaient était trop vain pour instruire le maître ni l'esclave; mais la douce égalité qui règne
ici rétablit l'ordre de la nature, forme une instruction pour 25
les uns, une consolation pour les autres, et un lien d'amitié
pour tous.

Le lieu de l'assemblée est une salle à l'antique avec une
grande cheminée où l'on fait bon feu. La pièce est éclairée
de trois lampes, auxquelles M. de Wolmar a seulement fait 30
ajouter des capuchons de fer-blanc pour intercepter la fumée
et réfléchir la lumière. Pour prévenir l'envie et les regrets,
on tâche de ne rien étaler aux yeux de ces bonnes gens qu'ils
ne puissent retrouver chez eux, de ne leur montrer d'autre
opulence que le choix du bon dans les choses communes, 35

et un peu plus de largesse dans la distribution. Le souper
est servi sur deux longues tables. Le luxe et l'appareil des
festins n'y sont pas, mais l'abondance et la joie y sont. Tout
le monde se met à table, maîtres, journaliers, domestiques;
5 chacun se lève indifféremment pour servir, sans exclusion,
sans préférence, et le service se fait toujours avec grâce et
avec plaisir. On boit à discrétion; la liberté n'a point d'autres bornes que l'honnêteté. La présence de maîtres si
respectés contient tout le monde, et n'empêche pas qu'on
10 ne soit à son aise et gai. Que s'il arrive à quelqu'un de
s'oublier, on ne trouble point la fête par des réprimandes;
mais il est congédié sans rémission dès le lendemain ...

Après le souper on veille encore une heure ou deux en
teillant du chanvre; chacun dit sa chanson tour à tour.
15 Quelquefois les vendangeuses chantent en chœur toutes
ensemble, ou bien alternativement à voix seule et en refrain.
La plupart de ces chansons sont de vieilles romances dont
les airs ne sont pas piquants; mais ils ont je ne sais quoi
d'antique et doux qui touche à la longue. Les paroles sont
20 simples, naïves, souvent tristes; elles plaisent pourtant.
Nous ne pouvons nous empêcher, Claire de sourire, Julie de
rougir, moi de soupirer, quand nous retrouvons dans ces
chansons des tours et des expressions dont nous nous sommes
servis autrefois. Alors, en jetant les yeux sur elles et me
25 rappelant les temps éloignés, un tressaillement me prend,
un poids insupportable me tombe tout à coup sur le cœur,
et me laisse une impression funeste qui ne s'efface qu'avec
peine. Cependant je trouve à ces veillées une sorte de charme
que je ne puis vous expliquer, et qui m'est pourtant fort
30 sensible. Cette réunion des différents états, la simplicité
de cette occupation, l'idée de délassement, d'accord, de
tranquillité, le sentiment de paix qu'elle porte à l'âme, a
quelque chose d'attendrissant qui dispose à trouver ces
chansons plus intéressantes. Ce concert de voix de femmes
35 n'est pas non plus sans douceur. Pour moi, je suis con-

vaincu que de toutes les harmonies il n'y en a point d'aussi
agréable que le chant à l'unisson, et que, s'il nous faut des
accords, c'est parce que nous avons le goût dépravé...

Voilà comment se passe la soirée. Quand l'heure de la
retraite approche, madame de Wolmar dit: Allons tirer le 5
feu d'artifice. A l'instant chacun prend son paquet de
chènevottes, signe honorable de son travail; on les porte en
triomphe au milieu de la cour, on les rassemble en un tas,
on en fait un trophée; on y met le feu; mais on n'a pas cet
honneur qui veut: Julie l'adjuge en présentant le flambeau à 10
celui ou celle qui a fait ce soir-là le plus d'ouvrage; fût-ce
elle-même, elle se l'attribue sans façon. L'auguste cérémonie est accompagnée d'acclamations et de battements
de mains. Les chènevottes font un feu clair et brillant qui
s'élève jusqu'aux nues, un vrai feu de joie, autour duquel 15
on saute, on rit. Ensuite on offre à boire à toute l'assemblée:
chacun boit à la santé du vainqueur, et va se coucher content
d'une journée passée dans le travail, la gaieté, l'innocence,
et qu'on ne serait pas fâché de recommencer le lendemain,
le surlendemain, et toute sa vie.   20

Sixième Partie

Une Catastrophe

Quelques mois encore se passent. Un jour, près du Château
de Chillon, à l'extrémité du lac, la famille était en promenade.
Le cadet des enfants de Julie, Marcellin, tombe à l'eau; sa mère
se jette après lui, et le sauve. L'enfant se rétablit, Julie languit
quelques jours et meurt. Mais elle est heureuse de mourir, car 25
elle n'était pas sûre de son cœur malgré tout. Elle laisse cette
lettre pour Saint-Preux, qui était en ce moment à Rome pour
les affaires de Lord Bomston.

LETTRE XII. — DE JULIE A SAINT-PREUX

Il faut renoncer à nos projets. Tout est changé, mon bon
ami: souffrons ce changement sans murmure; il vient d'une 30

main plus sage que nous. Nous songions à nous réunir:[1]
cette réunion n'était pas bonne. C'est un bienfait du ciel
de l'avoir prévenue; sans doute il prévient des malheurs.

Je me suis longtemps fait illusion. Cette illusion me fut
5 salutaire; elle se détruit au moment que je n'en ai plus besoin.
Vous m'avez crue guérie, et j'ai cru l'être. Rendons grâces
à celui qui fit durer cette erreur autant qu'elle était utile:
qui sait si, me voyant si près de l'abîme, la tête ne m'eût
point tourné? Oui, j'eus beau vouloir étouffer le premier
10 sentiment qui m'a fait vivre, il s'est concentré dans mon cœur.
Il s'y réveille au moment qu'il n'est plus à craindre; il me
soutient quand mes forces m'abandonnent; il me ranime
quand je me meurs. Mon ami, je fais cet aveu sans honte;
ce sentiment resté malgré moi fut involontaire: il n'a rien
15 coûté à mon innocence; tout ce qui dépend de ma volonté
fut pour mon devoir: si le cœur qui n'en dépend pas fut pour
vous, ce fut mon tourment et non pas mon crime. J'ai fait
ce que j'ai dû faire; la vertu me reste sans tache, et l'amour
m'est resté sans remords.

20 J'ose m'honorer du passé: mais qui m'eût pu répondre de
l'avenir? Un jour de plus peut-être, et j'étais coupable!
Qu'était-ce de la vie entière passée avec vous? Quels dangers
j'ai courus sans le savoir! à quels dangers plus grands j'allais
être exposée! Sans doute je sentais pour moi les craintes que
25 je croyais sentir pour vous. Toutes les épreuves ont été
faites; mais elles pouvaient trop revenir. N'ai-je pas assez
vécu pour le bonheur et pour la vertu? Que me restait-il
d'utile à tirer de la vie? En me l'ôtant, le ciel ne m'ôte
plus rien de regrettable, et met mon honneur à couvert. Mon
30 ami, je pars au moment favorable, contente de vous et de
moi; je pars avec joie, et ce départ n'a rien de cruel. Après
tant de sacrifices, je compte pour peu celui qui me reste à
faire: ce n'est que mourir une fois de plus . . .

---

[1] Saint-Preux devait venir s'établir tout-à-fait à Clarens pour s'occuper
de l'éducation des enfants.

Julie recommande à Saint-Preux d'épouser Claire d'Orbe,
veuve depuis plusieurs années; et elle lui laisse le soin d'élever
ses enfants.

Je n'ai qu'un mot à vous dire sur mes enfants. Je sais
quels soins va vous coûter leur éducation; mais je sais bien 5
aussi que ces soins ne vous seront pas pénibles. Dans les
moments de dégoût inséparables de cet emploi, dites-vous:
Ils sont les enfants de Julie; il ne vous coûtera plus rien.
M. de Wolmar vous remettra les observations que j'ai faites
sur votre mémoire[1] et sur le caractère de mes deux fils. Cet 10
écrit n'est que commencé: je ne vous le donne pas pour
règle, et je le soumets à vos lumières. N'en faites point
des savants, faites-en des hommes bienfaisants et justes.
Parlez-leur quelquefois de leur mère ... vous savez s'ils lui
étaient chers ... Dites à Marcellin qu'il ne m'en coûta pas 15
de mourir pour lui. Dites à son frère que c'était pour lui
que j'aimais la vie. Dites-leur ... Je me sens fatiguée.
Il faut finir cette lettre. En vous laissant mes enfants, je
m'en sépare avec moins de peine; je crois rester avec eux.

Adieu, adieu, mon doux ami ... Hélas! j'achève de vivre 20
comme j'ai commencé. J'en dis trop peut-être en ce moment
où le cœur ne déguise plus rien ... Eh! pourquoi craindrais-je
d'exprimer tout ce que je sens? Ce n'est plus moi qui te
parle; je suis déjà dans les bras de la mort. Quand tu verras
cette lettre, les vers rongeront le visage de ton amante, et 25
son cœur où tu ne seras plus. Mais mon âme existerait-
elle sans toi? sans toi quelle félicité goûterais-je? Non, je
ne te quitte pas, je vais t'attendre. La vertu qui nous
sépara sur la terre nous unira dans le séjour éternel. Je
meurs dans cette douce attente: trop heureuse d'acheter 30
au prix de ma vie le droit de t'aimer toujours sans crime,
et de te le dire encore une fois!

Le mariage proposé ne se fera pas. Claire s'y oppose car « un
homme qui fut aimé de Julie d'Étange et pourrait se résoudre à

[1] Un programme d'études pour les enfants.

en épouser une autre, n'est à mes yeux qu'un indigne et un lâche que je tiendrais à déshonneur d'avoir pour ennemi.» Et Saint-Preux pense comme Claire, et veut pouvoir se donner sans partage à l'éducation des enfants.

La Mort de Julie

5   Une très longue lettre de Wolmar (VI, 11), disant à Saint-Preux les circonstances de la mort de Julie, a été souvent rapprochée des lettres où Richardson fait raconter la mort touchante de son héroïne dans *Clarissa Harlowe* (V, 81-102). Il y a de nombreux points de ressemblance entre les deux fameux romans:[1] tous deux sont
10 composés de lettres, tous deux parlent d'un père inflexible pour l'amour naturel du cœur; Julie et Claire correspondent tout à fait à Clarissa et Nancy Howe. Il y a cette différence capitale que Saint-Preux est un homme vertueux, tandis que Lovelace était un vil séducteur; et par là l'esprit de tout l'ouvrage est
15 changé. Le sentimentalisme cependant est commun aux deux auteurs. Rousseau lui-même discute la comparaison à plusieurs reprises (*Œuvres*, I, 233; IX, 2; X, 242; XII, 16). Il rapproche aussi, à cause de la sincérité des sentiments du cœur, *La Nouvelle Héloïse* de *La Princesse de Clèves* par Madame de
20 LaFayette.

    Julie fut malade peu de jours et conserva jusqu'à la fin une lucidité d'esprit parfaite. La lettre de M. de Wolmar raconte les derniers entretiens avec Claire sa cousine et amie (Tous les autres biens que j'ai eus, dit-elle, « ont été donnés à mille autres; mais
25 celui-ci!... le ciel ne l'a donné qu'à moi: J'étais femme, et j'eus une amie... »); avec ses enfants; avec le pasteur protestant qui arrive en ami, et où elle expose au long sa croyance (qui sera la même que celle développée par Rousseau dans la « Profession de Foi du Vicaire Savoyard,» dans son livre *Émile*); et avec Wolmar
30 lui-même, qu'elle remercie de ses bontés. Enfin elle résume tout ce qu'elle a dans le cœur dans le dernier entretien où elle est seule avec Claire et Wolmar:

[1] Principaux livres à consulter: Erich Schmidt, *Richardson, Rousseau und Goethe* (1887); Joseph Texte, *Rousseau et les Origines du Cosmopolitisme Littéraire* (1895); W. U. D. Vreeland, *Étude sur les rapports littéraires entre Genève et l'Angleterre jusqu'à la publication de La Nouvelle Héloïse* (1901).

Elle remercia le ciel de lui avoir donné un cœur sensible
et porté au bien, un entendement sain, une figure prévenante;
de l'avoir fait naître dans un pays de liberté et non parmi les
esclaves, d'une famille honorable et non d'une race de malfaiteurs, dans une honnête fortune et non dans les grandeurs 5
du monde qui corrompent l'âme, ou dans l'indigence qui
l'avilit. Elle se félicita d'être née d'un père et d'une mère
tous deux vertueux et bons, pleins de droiture et d'honneur,
et qui, tempérant les défauts l'un de l'autre, avaient formé
sa raison sur la leur, sans lui donner leurs faiblesses ou leurs 10
préjugés. Elle vanta l'avantage d'avoir été élevée dans une
religion raisonnable et sainte, qui, loin d'abrutir l'homme,
l'ennoblit et l'élève; qui, ne favorisant ni l'impiété ni le
fanatisme, permet d'être sage et de croire, d'être humain et
pieux tout à la fois . . .   15

Voyez donc, continuait-elle, à quelle félicité je suis par-
venue. J'en avais beaucoup; j'en attendais davantage.
La prospérité de ma famille, une bonne éducation pour mes
enfants, tout ce qui m'était cher rassemblé autour de moi,
ou prêt à l'être. Le présent, l'avenir, me flattaient égale- 20
ment; la jouissance et l'espoir se réunissaient pour me rendre
heureuse; mon bonheur monté par degrés était au comble; il
ne pouvait plus que déchoir . . . Un état permanent est-il
fait pour l'homme? . . .

Ainsi, mourant en plein bonheur, et croyant à l'immortalité 25
de l'âme:

Mes derniers moments sont encore agréables, et j'ai de la
vigueur pour mourir; si même on peut appeler mourir de
laisser vivant ce qu'on aime. Non, mes amis, non, mes
enfants, je ne vous quitte pas pour ainsi dire; je reste avec 30
vous; en vous laissant tous unis, mon esprit, mon cœur
vous demeurent. Vous me verrez sans cesse entre vous;
vous vous sentirez sans cesse environnés de moi . . .
Et puis, nous nous rejoindrons, j'en suis sûre; le bon

Wolmar [1] lui-même ne m'échappera pas. Mon retour à
Dieu tranquillise mon âme et m'adoucit un moment pénible;
il me promet pour vous le même destin qu'à moi. Mon
sort me suit et s'assure. Je fus heureuse, je le suis, je
5 vais l'être: mon bonheur est fixé, je l'arrache à la fortune,
il n'y a plus de bornes que l'éternité ...

Ainsi se passèrent les entretiens de cette journée, où la
sécurité, l'espérance, le repos de l'âme, brillèrent plus que
jamais dans celle de Julie ... Jamais elle ne fut plus tendre,
10 plus vraie, plus caressante, plus aimable, en un mot plus
elle-même ... Point de prétention, point d'apprêt, point de
sentences ... elle se laissait consoler ... elle consolait les
autres ... Sa gaieté n'était point contrainte, sa plaisanterie
même était touchante; on avait le sourire à la bouche et les
15 yeux en pleurs. Ôtez cet effroi qui ne permet pas de jouir
de ce qu'on va perdre; elle plaisait plus, elle était plus aimable
qu'en santé même, et le dernier jour de sa vie en fut aussi le
plus charmant ...

La Première Partie du manuscrit de *La Nouvelle Héloïse* fut
20 envoyée à l'imprimeur Rey, à Amsterdam, le 18 avril 1759, et la
Sixième et dernière, le 1 février 1760. Le roman parut en février
1761, au commencement du Carnaval.

Il souleva à Paris un enthousiasme considérable. Sans doute le
clergé, le Parlement ne l'approuvèrent pas; et les « Philosophes »,
25 comprenant que Rousseau les avait définitivement abandonnés
et même s'était tourné contre eux (prêchant la supériorité du
cœur sur la raison, et de la religion sur la philosophie) l'attaquèrent
aussi. Mais le public s'arracha le livre. Les 4000 exemplaires de
la première édition furent immédiatement vendus. Pour le lire,
30 il fallait louer l'ouvrage; les libraires demandaient 12 sous pour
l'heure et pour un volume seulement, et on ne le prêtait que pour
une heure à la fois. La Dauphine voulut le lire aussitôt, et la
duchesse de Polignac, son amie, écrivit à Madame Verdelin de lui

---

[1] Wolmar était incroyant, mais parfaitement honnête homme; Julie
espérait ardemment l'amener à sa foi à elle; Rousseau laisse entendre
qu'elle a réussi.

procurer un portrait de l'héroïne. Cette dame n'était pas la
seule à ne pouvoir accepter l'idée que l'histoire ne fût point véritable. Bref, Madame de Luxembourg avait exprimé le sentiment
de beaucoup quand elle disait: « Votre Julie est le plus beau livre
qu'il y ait au monde.»   5

A Genève, comme à Paris, les gens du monde officiel furent
sévères. Le Consistoire (Conseil d'église) qui avait lu le roman
avant la mise en vente, dénonça celui-ci aux Magistrats du Conseil comme « fort dangereux pour les mœurs ». Et le gouvernement « fait, défense aux loueurs et loueuses de livres de louer le   10
dit livre à personne » (26 janvier 1761).[1] Cependant, à Genève
comme à Paris, les applaudissements couvrirent les voix des
critiques chagrins.

Le succès continua. Un savant, D. Mornet, compte près de
soixante-dix éditions avant 1800 (*Civilisation française*, Nov.-Déc.   15
1919).

ÉMILE ou DE L'ÉDUCATION

C'est à l'occasion de la publication de ce livre que Rousseau
fit plus intimément connaissance avec M. de Malesherbes, qui
remplissait les fonctions de Directeur de la Librairie. Madame
de Luxembourg voulait faire obtenir à Rousseau des conditions   20
avantageuses pour la vente de son manuscrit. Elle demanda
à M. de Malesherbes de trouver un imprimeur. Ce qu'il fit.
Rousseau obtint 6000 francs. Mais l'impression d'*Émile* fut toute
une histoire, car Rousseau soupçonnait qu'on communiquait
ses épreuves à des ennemis (surtout aux Jésuites). M. de Males-   25
herbes alla même visiter le philosophe à Montmorency, en janvier
1762. Le livre parut en mai de cette année.

Émile fut écrit, comme *l'Essai sur l'Éducation* de Montaigne,
à la demande d'une mère, « une bonne mère qui sait penser »
(Madame de Chenonceaux).   30

Émile est le nom donné par Rousseau à l'enfant imaginaire
qu'il s'agit d'élever, et dont il sera lui-même, en imagination, le
précepteur.

L'idée centrale du traité est la même que nous retrouvons toujours chez Rousseau: combattre les influences néfastes de la   35

[1] Voir Maugras, *Voltaire et J.-J. Rousseau* (1886) chap. VI.

société civilisée, et rendre à la nature ses droits. L'auteur
commence par cette phrase fameuse:

*Tout est bien, sortant des mains de l'auteur des choses; tout
dégénère entre les mains de l'homme.* Il force une terre à
5 nourrir les productions d'une autre, un arbre à porter les
fruits d'un autre; il mêle et confond les climats, les éléments,
les saisons; il mutile son chien, son cheval, son esclave; il
bouleverse tout, il défigure tout; il aime la difformité, les
monstres; il ne veut rien tel que l'a fait la nature,.pas même
10 l'homme; il le faut dresser pour lui comme un cheval de
manège; il le faut contourner comme un arbre de son jardin . . .

On a souvent mal compris Rousseau. Même s'il croyait que
l'état de nature est plus heureux que l'état civilisé, il ne proposa
15 jamais d'y retourner; il savait que ce serait inutile et que les
hommes n'y consentiraient point. Il affirme d'autre part ceci:
le développement naturel et normal des facultés humaines n'est
pas incompatible avec l'état civilisé; le malheur a été que, dans
l'état civilisé, l'éducation s'est égarée dans des voies qui dévelop-
20 pèrent d'une façon non-naturelle ces facultés humaines chez l'enfant; la Société oubliant, ou ignorant, que l'enfant vit tout d'abord
seulement par ses sensations, s'est acharnée à lui donner des
préoccupations étrangères à son âge, qui présupposaient des
sentiments, une raison, et des aspirations qu'il n'avait point
25 encore (telles que, briller par des talents de société, accumuler
une érudition vaine, sauver son âme); bref, elle a substitué les
activités et les goûts des adultes aux activités et aux goûts des
enfants; elle a voulu faire raisonner l'enfant trop tôt, sentir trop
tôt,[1] prier trop tôt. En faisant cela, la société lui a non seulement
30 ravi son droit de jouir en enfant, mais, en négligeant le bien-être
physique de l'enfant, sa santé, elle a compromis pour la vie
entière toute possibilité de bonheur.

Il faut être bien clair ici pour être sûr de ne pas se rendre coupable

---

[1] Ne pas confondre le « sentir » du sentiment, dont il s'agit ici,
avec le « sentir » de la sensation — par la vue, l'ouïe, l'odorat, le goût,
le toucher.

ÉMILE,

OU

DE L'ÉDUCATION.

PAR J. J. ROUSSEAU,
Citoyen de Geneve.

Sanabilibus ægrotamus malis ; ipsaque nos in rectum
genitos natura , si emendari velimus , juvat.

Sen. de irâ. L. II. c. 13.

TOME SECOND.

A AMSTERDAM
Chez MARC-MICHEL REY.

M. DCC. LXXVII.

*Avec Privilege de Nosseigneurs les Etats de
Hollande & de Westfrise.*

L'ÉDITION REY D'ÉMILE. 1777

de critiques faciles et superficielles (comme Voltaire dans la lettre citée plus haut): « Il ne faut pas confondre — dit explicitement Rousseau — ce qui est naturel à l'état sauvage et ce qui est naturel à l'état civil.» Et ailleurs: « Voulant former *l'homme de la nature*, il ne s'agit pas pour cela d'en faire un sauvage; mais 5 enfermé dans le tourbillon social, il suffit qu'il ne s'y laisse pas entraîner, ni par les passions, ni par les opinions des hommes; qu'il voie par ses yeux [pas par ceux de la société], qu'il sente par son cœur [pas par l'imagination de la société] qu'aucune autorité ne le gouverne hors celle de sa propre raison [raison 10 d'enfant].»

L'éducation proposée par Rousseau — toute négative, il ne cesse de le répéter lui-même — consistera donc à écarter de la voie de l'enfant tout ce qui pourrait contrarier le développement naturel des sens et des facultés de l'enfant. Si on ne contrarie 15 pas ces facultés, elles se développeront spontanément, — comme l'eau du ruisseau coule spontanément de la montagne dans la vallée. Les institutions des hommes et des préjugés séculaires constituent des obstacles si forts que cette éducation, même négative, sollicite toutes les énergies du « gouverneur » d'Émile. 20

LE PREMIER ÂGE (*Puer Infans*)

(De la naissance à l'âge où l'enfant « apprend à parler
et à marcher »)

L'Enfant au Maillot

L'usage était de serrer fortement l'enfant dans son maillot, contraignant la nature, empêchant le libre jeu de ses membres. (Cet usage est très généralement abandonné aujourd'hui.)

Toute notre sagesse consiste en préjugés serviles; tous nos usages ne sont qu'assujettissement, gêne et contrainte. 25 L'homme civil naît, vit et meurt dans l'esclavage: à sa naissance, on le coud dans un maillot: à sa mort on le cloue dans une bière; tant qu'il garde la figure humaine, il est enchaîné par nos institutions.

On dit que plusieurs sages-femmes prétendent, en pétris- 30 sant la tête des enfants nouveau-nés, lui donner une forme

plus convenable: et on le souffre!   Nos têtes seraient mal de
la façon de l'auteur de notre être: il nous les faut façonnées
au dehors par les sages-femmes, et au dedans par les philosophes.   Les Caraïbes[1] sont de la moitié plus heureux que nous.

5   « A peine l'enfant est-il sorti du sein de la mère, et à peine
jouit-il de la liberté de mouvoir et d'étendre ses membres,
qu'on lui donne de nouveaux liens.   On l'emmaillotte, on le
couche la tête fixée et les jambes allongées, les bras pendants
à côté du corps; il est entouré de linges et de bandages de
10 toute espèce, qui ne lui permettent pas de changer de situation.   Heureux si on ne l'a pas serré au point de l'empêcher
de respirer, et si on a eu la précaution de le coucher sur le
côté, afin que les eaux qu'il doit rendre par la bouche puissent
tomber d'elles-mêmes; car il n'aurait pas la liberté de tourner
15 la tête sur le côté pour en faciliter l'écoulement. »   (Buffon,
Hist. nat., t. IV, p. 190, in-12.)

L'enfant nouveau-né a besoin d'étendre et mouvoir ses
membres pour les tirer de l'engourdissement où, rassemblés
en un peloton, ils ont resté si longtemps.   On les étend, il
20 est vrai, mais on les empêche de se mouvoir; on assujettit
la tête même par des têtières: il semble qu'on a peur qu'il
n'ait l'air d'être en vie.

Ainsi l'impulsion des parties internes d'un corps qui tend
à l'accroissement trouve un obstacle insurmontable aux
25 mouvements qu'elle lui demande.   L'enfant fait continuellement des efforts inutiles, qui épuisent ses forces ou retardent
leurs progrès.   Il était moins à l'étroit, moins gêné, moins
comprimé dans l'amnios, qu'il n'est dans ses langes: je ne
vois pas ce qu'il a gagné à naître.

30   L'inaction, la contrainte où l'on retient les membres d'un
enfant ne peuvent que gêner la circulation du sang, des humeurs, empêcher l'enfant de se fortifier, de croître, et altérer
sa constitution.   Dans les lieux où l'on n'a point ces pré-

---

[1] Peuples anthropophages des Petites Antilles, aujourd'hui presque
complètement disparus.

cautions extravagantes, les hommes sont tous grands, forts, bien proportionnés. Les pays où l'on emmaillotte les enfants sont ceux qui fourmillent de bossus, de boiteux, de cagneux, de noués, de rachitiques, de gens contrefaits de toute espèce. De peur que les corps ne se déforment par des mouvements 5 libres, on se hâte de les déformer en les mettant en presse. On les rendrait volontiers perclus pour les empêcher de s'estropier.

Une contrainte si cruelle pourrait-elle ne pas influer sur leur humeur ainsi que sur leur tempérament? Leur premier 10 sentiment est un sentiment de douleur et de peine: ils ne trouvent qu'obstacles à tous les mouvements dont ils ont besoin: plus malheureux qu'un criminel aux fers, ils font de vains efforts, ils s'irritent, ils crient. Leurs premières voix, dites-vous, sont des pleurs? Je le crois bien: vous les con- 15 trariez dès leur naissance; les premiers dons qu'ils reçoivent de vous sont des chaînes; les premiers traitements qu'ils éprouvent sont des tourments. N'ayant rien de libre que la voix, comment ne s'en serviraient-ils pas pour se plaindre? Ils crient du mal que vous leur faites: ainsi garrottés, vous 20 crieriez plus fort qu'eux.

D'où vient cet usage déraisonnable? D'un usage dénaturé. Depuis que les mères, méprisant leur premier devoir, n'ont plus voulu nourrir leurs enfants, il a fallu les confier à des femmes mercenaires, qui, se trouvant ainsi mères d'en- 25 fants étrangers, pour qui la nature ne leur disait rien, n'ont cherché qu'à s'épargner de la peine. Il eût fallu veiller sans cesse sur un enfant en liberté: mais, quand il est bien lié, on le jette dans un coin sans s'embarrasser de ses cris. Pourvu qu'il n'y ait pas de preuves de la négligence de la 30 nourrice, pourvu que le nourrisson ne se casse ni bras ni jambes, qu'importe au surplus qu'il périsse, ou qu'il demeure infirme le reste de ses jours? On conserve ses membres aux dépens de son corps; et, quoi qu'il arrive, la nourrice est disculpée

Ces douces mères, qui, débarrassées de leurs enfants, se
livrent gaiement aux amusements de la ville, savent-elles
cependant quel traitement l'enfant dans son maillot reçoit
au village? Au moindre tracas qui survient, on le suspend
5 à un clou comme un paquet de hardes; et tandis que, sans
se presser, la nourrice vaque à ses affaires, le malheureux
reste ainsi crucifié. Tous ceux qu'on a trouvés dans cette
situation avaient le visage violet: la poitrine fortement com-
primée; ne laissant pas circuler le sang, il remontait à la tête;
10 et l'on croyait le patient fort tranquille, parce qu'il n'avait
pas la force de crier. J'ignore combien d'heures un enfant
peut rester dans cet état sans perdre la vie, mais je doute que
cela puisse aller fort loin. Voilà, je pense, une des plus
grandes commodités du maillot.

15 On prétend que les enfants en liberté pourraient prendre
de mauvaises situations, et se donner des mouvements capables de nuire à la bonne conformation de leurs membres.
C'est là un de ces vains raisonnements de notre fausse sagesse,
et que jamais aucune expérience n'a confirmés. De cette
20 multitude d'enfants qui, chez des peuples plus sensés que
nous, sont nourris dans toute la liberté de leurs membres,
on n'en voit pas un seul qui se blesse ni s'estropie; ils ne
sauraient donner à leurs mouvements la force qui peut les
rendre dangereux, et quand ils prennent une situation vio-
25 lente, la douleur les avertit bientôt d'en changer.

Nous ne nous sommes pas encore avisés de mettre au maillot les petits des chiens ni des chats; voit-on qu'il résulte
pour eux quelque inconvénient de cette négligence? Les
enfants sont plus lourds; d'accord: mais à proportion ils
30 sont aussi plus faibles. A peine peuvent-ils se mouvoir;
comment s'estropieraient-ils? Si on les étendait sur le dos,
ils mourraient dans cette situation, comme la tortue, sans
pouvoir jamais se retourner.

L'Allaitement

La question de l'allaitement par une autre que la mère a été l'objet de législation en France dès 1350 (Ordonnances du Roi Jean); ces ordonnances ont été révisées en 1611 et en 1715, sous Louis XIII et Louis XIV. Il y eut de nouvelles lois en 1727, 1757 et 1762 — l'année où parut *Émile*. C'était donc un sujet 5 discuté. Le plaidoyer de Rousseau pour l'allaitement par la mère fit grande impression. On dit que les mères apportaient leurs nourrissons en société, et jusqu'au théâtre. Un édit du 28 juillet 1769 était destiné à opérer une réforme radicale en ces matières; les pages de Rousseau n'y furent peut-être pas étran- 10 gères. Le problème continue à préoccuper l'opinion en France, car la mortalité des enfants est toujours très grande avec ce système. Parmi les auteurs récents qui ont traité le sujet, on peut citer, au théâtre, François Coppée, dans *La Nourrice* (1886), Eugène Brieux, dans *Les Remplaçantes* (1901); et dans le roman, 15 R. Bazin, dans *Donatienne* (1902).

Le devoir des femmes n'est pas douteux; mais on dispute si, dans le mépris qu'elles en font, il est égal pour les enfants d'être nourris de leur lait ou d'un autre? Je tiens cette question, dont les médecins sont les juges, pour décidée au souhait 20 des femmes; et, pour moi, je penserais bien aussi qu'il vaut mieux que l'enfant suce le lait d'une nourrice en santé que d'une mère gâtée, s'il avait quelque nouveau mal à craindre du même sang dont il est formé.

Mais la question doit-elle s'envisager seulement par le 25 côté physique, et l'enfant a-t-il moins besoin des soins d'une mère que de sa mamelle! D'autres femmes, des bêtes même pourront lui donner le lait qu'elle lui refuse: la sollicitude maternelle ne se supplée point. Celle qui nourrit l'enfant d'une autre au lieu du sien est une mauvaise mère; comment 30 sera-t-elle une bonne nourrice? Elle pourra le devenir, mais lentement; il faudra que l'habitude change la nature; et l'enfant mal soigné aura le temps de périr cent fois avant que sa nourrice ait pris pour lui une tendresse de mère.

De cet avantage même résulte un inconvénient, qui seul devrait ôter à toute femme sensible le courage de faire nourrir son enfant par une autre: c'est celui de partager le droit de mère, ou plutôt de l'aliéner; de voir son enfant aimer une autre femme autant et plus qu'elle; de sentir que la tendresse qu'il conserve pour sa propre mère est une grâce, et que celle qu'il a pour sa mère adoptive est un devoir: car où j'ai trouvé les soins d'une mère, ne dois-je pas trouver l'attachement d'un fils?

La manière dont on remédie à cet inconvénient est d'inspirer aux enfants du mépris pour leur nourrice, en les traitant en véritables servantes. Quand leur service est achevé, on retire l'enfant, ou l'on congédie la nourrice; à force de la mal recevoir, on la rebute de venir voir son nourrisson. Au bout de quelques années, il ne la voit plus, il ne la connaît plus. La mère, qui croit se substituer à elle et réparer sa négligence par sa cruauté, se trompe. Au lieu de faire un tendre fils d'un nourrisson dénaturé, elle l'exerce à l'ingratitude; elle lui apprend à mépriser un jour celle qui lui donna la vie, comme celle qui l'a nourri de son lait.

Combien j'insisterais sur ce point s'il était moins décourageant de rebattre en vain des sujets utiles! Ceci tient à plus de choses qu'on ne pense. Voulez-vous rendre chacun à ses premiers devoirs? commencez par les mères; vous serez étonné des changements que vous produirez. Tout vient successivement de cette première dépravation: tout l'ordre moral s'altère; le naturel s'éteint dans tous les cœurs; l'intérieur des maisons prend un air moins vivant; le spectacle touchant d'une famille naissante n'attache plus les maris, n'impose plus d'égards aux étrangers; on respecte moins la mère dont on ne voit point les enfants; il n'y a point de résidence dans les familles; l'habitude ne renforce plus les liens du sang; il n'y a plus ni pères, ni mères, ni enfants, ni frères, ni sœurs; tous se connaissent à peine, comment s'aimeraient-ils? Chacun ne songe plus qu'à soi. Quand

la maison n'est qu'une triste solitude, il faut bien aller s'é-
gayer ailleurs.

Mais que les mères daignent nourrir leurs enfants, les
mœurs vont se réformer d'elles-mêmes, les sentiments de la
nature se réveiller dans tous les cœurs; l'état va se repeupler; 5
ce premier point, ce point seul va tout réunir. L'attrait
de la vie domestique est le meilleur contrepoison des mauvaises mœurs. Le tracas des enfants qu'on croit importun
devient agréable; il rend le père et la mère plus nécessaires,
plus chers l'un à l'autre; il resserre entre eux le lien conjugal. 10
Quand la famille est vivante et animée, les soins domestiques
font la plus chère occupation de la femme et le plus doux
amusement du mari. Ainsi de ce seul abus corrigé résul-
terait bientôt une réforme générale; bientôt la nature aurait
repris tous ses droits. Qu'une fois les femmes redeviennent 15
mères, bientôt les hommes redeviendront pères et maris.

Le Gouverneur

La mère doit s'occuper de l'enfant aux premiers mois de la
vie. Mais le père doit ensuite prendre sa part dans l'éducation.
Aux siècles d'avant la Révolution, il ne le faisait pas généralement.
S'il était fortuné, et désirait pour son fils mieux que l'éducation des 20
écoles d'alors, il choisissait un « gouverneur ». C'est une grande
faute, dit Rousseau, mais au moins, si le père se soustrait à ses
devoirs naturels, que le gouverneur ne soit pas un mercenaire.[1]

(On se souvient que c'est comme ami que Saint-Preux devait se
charger de l'éducation des enfants de Julie.)   25

Mais que fait cet homme riche, ce père de famille si affairé,
et forcé selon lui de laisser ses enfants à l'abandon? Il paye
un autre homme pour remplir ses soins qui lui sont à charge.
Âme vénale! crois-tu donner à ton fils un autre père avec de

---

[1] Montaigne estimait que le système de « gouverneur » était toujours
préférable; les parents, le père comme la mère, aiment trop leurs enfants,
et en conséquence les élèvent trop tendrement . . . la vie est alors trop
dure pour eux (*Essai sur l'Institution des Enfants*).

l'argent?　Ne t'y trompe point; ce n'est pas même un maître que tu lui donnes, c'est un valet.　Il en formera bientôt un second.

On raisonne beaucoup sur les qualités d'un bon gouverneur.
5 La première que j'en exigerais, et celle-là seule en suppose beaucoup d'autres, c'est de n'être point un homme à vendre. Il y a des métiers si nobles, qu'on ne peut les faire pour de l'argent sans se montrer indigne de le faire: tel est celui de l'homme de guerre; tel est celui de l'instituteur.　Qui donc
10 élèvera mon enfant?　Je te l'ai déjà dit, toi-même.　Je ne le peux!... Fais-toi donc un ami.　Je ne vois point d'autre ressource.

Un gouverneur! ô quelle âme sublime...!　En vérité, pour faire un homme, il faut être ou père ou plus qu'homme
15 soi-même.　Voilà la fonction que vous confiez tranquillement à des mercenaires.

Pour la commodité de son exposé, Rousseau imagine Émile orphelin de père et de mère; et que « chargé de tous leurs devoirs, je succède à tous leurs droits.»

L'Art du Médecin est Condamné [1]

20 Pour la même raison — la commodité de son exposé — Rousseau suppose à son élève un « esprit commun », mais physiquement, il le considère d'emblée comme « un enfant bien formé, vigoureux et sain.»

Un corps débile affaiblit l'âme.　De là l'empire de la méde-
25 cine, art plus pernicieux aux hommes que tous les maux qu'il prétend guérir.　Je ne sais, pour moi, de quelle maladie nous guérissent les médecins; mais je sais qu'ils nous en donnent de bien funestes; la lâcheté, la pusillanimité, la crédu-

---

[1] Rousseau avait d'illustres prédécesseurs pour ces attaques:　Rabelais, Montaigne, Molière.　John Locke, médecin lui-même et presque contemporain de Rousseau, craignait l'abus des médicaments.　Voir *Pensées sur l'Éducation*, Chap. I, 30.　(Cf. P. Villey, *Influence de Montaigne sur les idées pédagogiques de Locke et de Rousseau*, p. 175.)

lité, la terreur de la mort: s'ils guérissent le corps, ils tuent
le courage. Que nous importe qu'ils fassent marcher des
cadavres? Ce sont des hommes qu'il nous faut, et l'on
n'en voit point sortir de leurs mains.

La médecine est à la mode parmi nous; elle doit l'être. 5
C'est l'amusement des gens oisifs et désœuvrés, qui, ne sachant que faire de leur temps, le passent à se conserver. S'ils
avaient eu le malheur de naître immortels, ils seraient les
plus misérables des êtres. Une vie qu'ils n'auraient jamais
peur de perdre ne serait pour eux d'aucun prix. Il faut à 10
ces gens-là des médecins qui les menacent pour les flatter, et
qui leur donnent chaque jour le seul plaisir dont ils soient susceptibles, celui de n'être pas morts.

Je n'ai nul dessein de m'étendre ici sur la vanité de la
médecine: mon objet n'est que de la considérer par le côté 15
moral. Je ne puis pourtant m'empêcher d'observer que les
hommes font sur son usage les mêmes sophismes que sur la
recherche de la vérité. Ils supposent toujours qu'en traitant
un malade on le guérit, et qu'en cherchant une vérité on la
trouve: ils ne voient pas qu'il faut balancer l'avantage d'une 20
guérison que le médecin opère par la mort de cent malades
qu'il a tués, et l'utilité d'une vérité découverte par le tort
que font les erreurs qui passent en même temps. La science
qui instruit et la médecine qui guérit sont fort bonnes, sans
doute; mais la science qui trompe et la médecine qui tue 25
sont mauvaises. Apprenez-nous donc à les distinguer.
Voilà le nœud de la question. Si nous savions ignorer la
vérité, nous ne serions jamais les dupes du mensonge; si nous
savions ne vouloir pas guérir malgré la nature, nous ne mour-
rions jamais par la main du médecin. Ces deux abstinences 30
seraient sages; on gagnerait évidemment à s'y soumettre.
Je ne dispute donc pas que la médecine soit utile à quelques hommes, mais je dis qu'elle est funeste au genre
humain . . .

Pour moi, je n'appellerai jamais de médecin pour mon 35

Émile, à moins que sa vie ne soit dans un danger évident;
car alors il ne peut lui faire pis que de le tuer.

Je sais bien que le médecin ne manquera pas de tirer
avantage de ce délai. Si l'enfant meurt, on l'aura appelé
5 trop tard; s'il réchappe, ce sera lui qui l'aura sauvé. Soit:
que le médecin triomphe; mais surtout qu'il ne soit appelé
qu'à l'extrémité.

Faute de savoir se guérir, que l'enfant sache être malade;
cet art supplée à l'autre, et souvent réussit beaucoup mieux;
10 c'est l'art de la nature. Quand l'animal est malade, il souffre
en silence et se tient coi: or, on ne voit pas plus d'animaux
languissants que d'hommes. Combien l'impatience, la
crainte, l'inquiétude, et surtout les remèdes, ont tué de gens
que leur maladie aurait épargnés, et que le temps seul aurait
15 guéris? On me dira que les animaux, vivant d'une manière
plus conforme à la nature, doivent être sujets à moins de
maux que nous. Eh bien, cette manière de vivre est précisément celle que je veux donner à mon élève; il en doit
donc tirer le même profit.

20 La seule partie utile de la médecine est l'hygiène. Encore
l'hygiène est-elle moins une science qu'une vertu. La tempérance et le travail sont les deux vrais médecins de l'homme:
le travail aiguise son appétit, et la tempérance l'empêche
d'en abuser.

Le Langage des Pleurs

25 Quand l'enfant pleure, il est mal à son aise, il a quelque
besoin qu'il ne saurait satisfaire; on examine, on cherche ce
besoin, on le trouve, on y pourvoit. Quand on ne le trouve
pas, ou quand on n'y peut pourvoir, les pleurs continuent,
on en est importuné, on flatte l'enfant pour le faire taire, on
30 le berce, on lui chante pour l'endormir: s'il s'opiniâtre, on
s'impatiente, on le menace; des nourrices brutales le frappent
quelquefois. Voilà d'étranges leçons pour son entrée à la
vie.

Je n'oublierai jamais d'avoir vu un de ces incommodes
pleureurs ainsi frappé par sa nourrice.   Il se tut sur-le-champ,
je le crus intimidé.   Je me disais: Ce sera une âme servile
dont on n'obtiendra rien que par la rigueur.   Je me trompais;
le malheureux suffoquait de colère, il avait perdu la respira- 5
tion; je le vis devenir violet.   Un moment après vinrent les
cris aigus; tous les signes du ressentiment, de la fureur, du
désespoir de cet âge, étaient dans ses accents.   Je craignis
qu'il n'expirât dans cette agitation.   Quand j'aurais douté
que le sentiment du juste et de l'injuste fût inné dans le cœur 10
de l'homme, cet exemple seul m'aurait convaincu.   Je suis
sûr qu'un tison ardent tombé par hasard sur la main de cet
enfant lui eût été moins sensible que ce coup assez léger,
mais donné dans l'intention manifeste de l'offenser.

Cette disposition des enfants à l'emportement, au dépit, 15
à la colère, demande des ménagements excessifs.   Boer-
haave[1] pense que leurs maladies sont pour la plupart de la
classe des convulsives, parce que la tête étant proportionnellement plus grosse et le système des nerfs plus étendu
que dans les adultes, le genre nerveux est plus susceptible 20
d'irritation.   Éloignez d'eux avec le plus grand soin les domestiques qui les agacent, les irritent, les impatientent; ils
leur sont cent fois plus dangereux, plus funestes, que les in-
jures de l'air et des saisons.   Tant que les enfants ne trouveront de résistance que dans les choses, et jamais dans les 25
volontés, ils ne deviendront ni mutins ni colères, et se con-
serveront mieux en santé.   C'est ici une des raisons pourquoi
les enfants du peuple, plus libres, plus indépendants, sont
généralement moins infirmes, moins délicats, plus robustes
que ceux qu'on prétend mieux élever en les contrariant sans 30
cesse: mais il faut songer toujours qu'il y a bien de la différence entre leur obéir et ne les pas contrarier.

Les premiers pleurs des enfants sont des prières: si on

[1] Médecin hollandais, d'une grande célébrité au temps de Rousseau
(1668–1738).

n'y prend garde, elles deviennent bientôt des ordres; ils commencent par se faire assister, ils finissent par se faire servir. Ainsi de leur propre faiblesse, d'où vient d'abord le sentiment de leur dépendance, naît ensuite l'idée de l'empire et de la
5 domination; mais cette idée étant moins excitée par leurs besoins que par nos services, ici commencent à se faire apercevoir les effets moraux dont la cause immédiate n'est pas dans la nature, et l'on voit déjà pourquoi, dès ce premier âge, il importe de démêler l'intention secrète que dicte le geste
10 ou le cri.

Quand l'enfant tend la main avec effort sans rien dire, il croit atteindre à l'objet, parce qu'il n'en estime pas la distance; il est dans l'erreur: mais quand il se plaint et crie en tendant la main, alors il ne s'abuse plus sur la distance, il
15 commande à l'objet de s'approcher, ou à vous de le lui apporter. Dans le premier cas, portez-le à l'objet lentement et à petits pas: dans le second, ne faites pas seulement semblant de l'entendre; plus il criera, moins vous devez l'écouter. Il importe de l'accoutumer de bonne heure à ne commander,
20 ni aux hommes, car il n'est pas leur maître, ni aux choses, car elles ne l'entendent point. Ainsi, quand un enfant désire quelque chose qu'il voit qu'on veut lui donner, il vaut mieux porter l'enfant à l'objet que d'apporter l'objet à l'enfant; il tire de cette pratique une conclusion qui est de son âge,
25 et il n'y a pas d'autre moyen de la lui suggérer.

LE DEUXIÈME ÂGE (*Des Sensations*)

(De l'âge où Émile « apprend à parler et à marcher », 4 ou
5 ans, jusqu'à 12 ou 13 ans)

Émile jusqu'ici — *vitae nescius ipse suae*[1] — ne faisait guère que continuer la vie animale du sein de sa mère. Il va peu à peu entrer en contact avec son entourage: (*a*) Mentalement — le langage rudimentaire et indirect des larmes sera remplacé par

---

[1] Ovide, *Tristia*, I, 3.

le langage articulé et direct de la parole; il cessera d'être *Puer infans*, c'est à dire, ne parlant pas (de *in* privatif, et *fari*, parler); il pleurera donc moins dorénavant puisque « un langage est substitué à l'autre.» (*b*) Physiquement — car:

Émile apprend à Marcher

Notre manie enseignante et pédantesque est toujours d'apprendre aux enfants ce qu'ils apprendraient beaucoup mieux d'eux-mêmes, et d'oublier ce que nous aurions pu seuls leur enseigner.   Y a-t-il rien de plus sot que la peine qu'on prend pour leur apprendre à marcher, comme si l'on en avait vu quelqu'un qui, par la négligence de sa nourrice, ne sût pas marcher étant grand?   Combien voit-on de gens, au contraire, marcher mal toute leur vie, parce qu'on leur a mal appris à marcher? 5

Émile n'aura ni bourrelets, ni paniers roulants, ni chariots, ni lisières, ou du moins, dès qu'il commencera de savoir mettre un pied devant l'autre, on ne le soutiendra que sur les lieux pavés, et l'on ne fera qu'y passer en hâte.[1]   Au lieu de le laisser croupir dans l'air usé d'une chambre, qu'on le mène journellement au milieu d'un pré.   Là, qu'il coure, qu'il s'ébatte, qu'il tombe cent fois le jour, tant mieux, il en apprendra plus tôt à se relever.   Le bien-être de la liberté rachète beaucoup de blessures.   Mon élève aura souvent des contusions; en revanche, il sera toujours gai: si les vôtres en ont moins, ils sont toujours contrariés, toujours enchaînés, toujours tristes.   Je doute que le profit soit de leur côté. 10 15 20 25

Un autre progrès rend aux enfants la plainte moins nécessaire, c'est celui de leurs forces.   Pouvant plus par eux-mêmes, ils ont un besoin moins fréquent de recourir à autrui.

---

[1] Il n'y a rien de plus ridicule et de plus mal assuré que la démarche des gens qu'on a trop menés par la lisière étant petits; c'est encore ici une des observations triviales à force d'être justes, et qui sont justes en plus d'un sens. (*Note de Rousseau.*)

Avec leur force se développe la connaissance qui les met en
état de la diriger. C'est à ce second degré que commence
proprement la vie de l'individu: c'est alors qu'il prend la
conscience de lui-même. La mémoire étend le sentiment
5 de l'identité sur tous les moments de son existence; il devient
véritablement un, le même, et par conséquent déjà capable
de bonheur ou de misère. Il importe donc de commencer
à le considérer ici comme un être moral.

Le Droit de l'Enfant à Jouir de la Vie

Dans cet éloquent appel, Rousseau formule sa plus radicale
10 et sa plus profonde réforme. L'éducation ne doit pas viser au
futur, au dépens du bonheur présent de l'enfant: « La nature
veut que les enfants soient enfants avant que d'être hommes.»
Wordsworth et Dickens en Angleterre, et surtout Victor Hugo en
France, sans compter les éducateurs de tous les pays, Pestalozzi,
15 Girard, Basedow, Frœbel, Herbart, etc. ont continué ce mouvement en faveur des droits de l'enfant — droits aujourd'hui si
bien établis.

Rien n'est plus incertain que la durée de la vie de chaque
homme en particulier; très peu parviennent à ce plus long
20 terme. Les plus grands risques de la vie sont dans son commencement: moins on a vécu, moins on doit espérer de vivre.
Des enfants qui naissent, la moitié, tout au plus, parvient à
l'adolescence; et il est probable que votre élève n'atteindra
pas l'âge d'homme.

25 Que faut-il donc penser de cette éducation barbare qui
sacrifie le présent à un avenir incertain, qui charge un enfant
de chaînes de toute espèce, et commence par le rendre misérable pour lui préparer au loin je ne sais quel prétendu
bonheur dont il est à croire qu'il ne jouira jamais? Quand
30 je supposerais cette éducation raisonnable dans son objet,
comment voir sans indignation de pauvres infortunés soumis
à un joug insupportable, et condamnés à des travaux continuels comme des galériens, sans être assuré que tant de

soins leur seront jamais utiles? L'âge de la gaieté se passe
au milieu des pleurs, des châtiments, des menaces, de l'esclavage. On tourmente le malheureux pour son bien, et l'on
ne voit pas la mort qu'on appelle, et qui va le saisir au milieu
de ce triste appareil. Qui sait combien d'enfants périssent 5
victimes de l'extravagante sagesse d'un père ou d'un maître?
Heureux d'échapper à sa cruauté, le seul avantage qu'ils
tirent des maux qu'il leur a fait souffrir est de mourir sans
regretter la vie, dont ils n'ont connu que les tourments.

Hommes, soyez humains, c'est votre premier devoir: 10
soyez-le pour tous les états, pour tous les âges, pour tout
ce qui n'est pas étranger à l'homme. Quelle sagesse y a-t-il
pour vous hors de l'humanité? Aimez l'enfance: favorisez
ses jeux, ses plaisirs, son aimable instinct. Qui de vous n'a
pas regretté quelquefois cet âge où le rire est toujours sur les 15
lèvres, et où l'âme est toujours en paix? Pourquoi voulez-
vous ôter à ces petits innocents la jouissance d'un temps si
court qui leur échappe, et d'un bien si précieux dont ils ne
sauraient abuser! Pourquoi voulez-vous remplir d'amertume
et de douleurs ces premiers ans si rapides, qui ne reviendront 20
pas plus pour eux qu'ils ne peuvent revenir pour vous?
Pères, savez-vous le moment où la mort attend vos enfants?
Ne vous préparez pas des regrets en leur ôtant le peu d'instants que la nature leur donne: aussitôt qu'ils peuvent sentir
le plaisir d'être, faites qu'ils en jouissent, faites qu'à quelque 25
heure que Dieu les appelle, ils ne meurent point sans avoir
goûté la vie.

Que de voix vont s'élever contre moi! J'entends de loin
les clameurs de cette fausse sagesse qui nous jette incessamment hors de nous, qui compte toujours le présent pour 30
rien, et, poursuivant sans relâche un avenir qui fuit à mesure
qu'on avance, à force de nous transporter où nous ne sommes
pas, nous transporte où nous ne serons jamais.

C'est, me répondez-vous, le temps de corriger les mauvaises
inclinations de l'homme; c'est dans l'âge de l'enfance, où les 35

peines sont le moins sensibles, qu'il faut les multiplier pour
les épargner dans l'âge de la raison.   Mais qui vous dit que
tout cet arrangement est à votre disposition, et que toutes
ces belles instructions, dont vous accablez le faible esprit
5 d'un enfant, ne lui seront pas un jour plus pernicieuses qu'u-
tiles? Qui vous assure que vous épargnez quelque chose
par les chagrins que vous lui prodiguez?   Pourquoi lui donnez vous plus de maux que son état n'en comporte, sans
être sûr que ces maux présents sont à la décharge de l'avenir?
10 Et comment me prouverez-vous que ces mauvais penchants,
dont vous prétendez le guérir, ne lui viennent pas de vos
soins mal entendus bien plus que de la nature? Malheureuse
prévoyance, qui rend un être actuellement misérable, sur
l'espoir bien ou mal fondé de le rendre heureux un jour!
15 Que si ces raisonneurs vulgaires confondent la licence avec
la liberté, et l'enfant qu'on rend heureux avec l'enfant qu'on
gâte, apprenez-leur à les distinguer.

Pour ne point courir après des chimères, n'oublions pas ce
qui convient à notre condition.   L'humanité a sa place dans
20 l'ordre des choses; l'enfance a la sienne dans l'ordre de la
vie humaine; il faut considérer l'homme dans l'homme et
l'enfant dans l'enfant.   Assigner à chacun sa place et l'y
fixer, ordonner les passions humaines selon la constitution de
l'homme est tout ce que nous pouvons faire pour son bien-
25 être.   Le reste dépend de causes étrangères, qui ne sont
point en notre pouvoir.[1]

---

[1] Ce plaidoyer pour le « droit au bonheur » de l'enfant a été entendu.
Pourtant pas assez encore.   Voir le touchant livre de Jean Aicard,
L'Âme d'un Enfant (2ᵐᵉ éd., 1907), et dans ce livre particulièrement
l'histoire navrante du Petit Durand qui mourut avant de sortir de
l'affreuse prison où on tua son bonheur d'enfant.   Ou d'autres romans
plus ou moins autobiographiques de notre temps: *Jack*, par A. Daudet
(1876); *Jacques Vingtras*, par J. Vallès (1879); *Poil de Carotte*, par J.
Renard (1894); *Sébastien Roch*, par O. Mirbeau (1906).   Ou les poètes:
Victor Hugo, Banville, Sully-Prudhomme, Aicard, Jean Rictus, etc.
Pour la mortalité de l'enfant, qui est à base de toute l'argumentation

Il ne faut pas Raisonner avec l'Enfant avant l'Âge
de la Raison

Faites que, tant qu'il n'est frappé que des choses sensibles, toutes ses idées s'arrêtent aux sensations; faites que de toutes parts il n'aperçoive autour de lui que le monde physique; sans quoi soyez sûr qu'il ne vous écoutera point du tout, ou qu'il se fera du monde moral dont vous lui parlez des no- 5 tions fantastiques que vous n'effacerez de la vie.

Raisonner avec les enfants était la grande maxime de Locke,[1] c'est la plus en vogue aujourd'hui; son succès ne me paraît pourtant pas fort propre à la mettre en crédit; et, pour moi, je ne vois rien de plus sot que ces enfants avec qui 10 l'on a tant raisonné. De toutes les facultés de l'homme, la raison qui n'est pour ainsi dire qu'un composé de toutes les autres, est celle qui se développe le plus difficilement et le plus tard, et c'est de celle-là qu'on veut se servir pour développer les premières! Le chef-d'œuvre d'une bonne 15 éducation est de faire un homme raisonnable, et l'on prétend élever un enfant par la raison! C'est commencer par la fin, c'est vouloir faire l'instrument de l'ouvrage. Si les enfants

---

de Rousseau en faveur du « droit au bonheur » des petits, Michelet dans son livre, *La Femme*, I, Chap. 4, compute ainsi les statistiques: « Un quart meurt avant un an — Un tiers meurt avant deux ans — La moitié (dans plusieurs pays) n'atteint pas la puberté . . . » C'était en 1859. Les tables adoptées aujourd'hui par les Compagnies d'Assurance en France (les *Tables C. R.*, 1889) computent ainsi: Sur 1000 enfants, 817 survivent la 1e année, 720 la 5e, 707 la 10e, et 670 la 20e. (*Grande Encyclopédie*). Les conditions étaient moins bonnes du temps de Rousseau qu'en 1859 et surtout qu'en 1889; mais on n'a pas de statistiques. En Amérique on compute différemment: En 1910, 33.2% — un tiers — de tous les morts de l'année (805,241, sur 63,843,896 habitants computés) sont au-dessous de 20 ans; et en 1918 le chiffre est tombé à 29.84% (1,471,367 morts sur 81,868,104). Voir *Bulletin, Bureau of Census*, Washington.

[1] *Thoughts on Education* (1693). Rousseau a probablement connu la traduction française par Coste, (Amsterdam, 1705).

entendaient raison ils n'auraient pas besoin d'être élevés; mais, en leur parlant dès leur bas âge une langue qu'ils n'entendent point, on les accoutume à se payer de mots, à contrôler tout ce qu'on leur dit, à se croire aussi sages que leurs
5 maîtres, à devenir disputeurs et mutins; et tout ce qu'on pense obtenir d'eux par des motifs raisonnables, on ne l'obtient jamais que par ceux de convoitise, ou de crainte, ou de vanité, qu'on est toujours forcé d'y joindre.

. . . .

La nature veut que les enfants soient enfants avant que
10 d'être hommes. Si nous voulons pervertir cet ordre, nous produirons des fruits précoces, qui n'auront ni maturité ni saveur, et ne tarderont pas à se corrompre: nous aurons de jeunes docteurs et de vieux enfants. L'enfance a des manières de voir, de penser, de sentir, qui lui sont propres; rien n'est
15 moins sensé que d'y vouloir substituer les nôtres; et j'aimerais autant exiger qu'un enfant eût cinq pieds de haut que du jugement à dix ans. En effet, à quoi lui servirait la raison à cet âge? Elle est le frein de la force, et l'enfant n'a pas besoin de ce frein.

20 En essayant de persuader à vos élèves le devoir de l'obéissance, vous joignez à cette prétendue persuasion la force et les menaces, ou, qui pis est, la flatterie et les promesses. Ainsi donc, amorcés par l'intérêt ou contraints par la force, ils font semblant d'être convaincus par la raison. Ils voient
25 très bien que l'obéissance leur est avantageuse et la rébellion nuisible aussitôt que vous vous apercevez de l'une ou de l'autre; mais, comme vous n'exigez rien d'eux qui ne leur soit désagréable, et qu'il est toujours pénible de faire les volontés d'autrui, ils se cachent pour faire les leurs, persuadés
30 qu'ils font bien si l'on ignore leur désobéissance; mais prêts à convenir qu'ils font mal, s'ils sont découverts, de crainte d'un plus grand mal. La raison du devoir n'étant pas de leur âge, il n'y a homme au monde qui vînt à bout de la leur rendre vraiment sensible; mais la crainte du châtiment,

l'espoir du pardon, l'importunité, l'embarras de répondre,
leur arrachent tous les aveux qu'on exige; et l'on croit les
avoir convaincus quand on ne les a qu'ennuyés ou
intimidés.

.   .   .   .

Oserai-je exposer ici la plus grande, la plus importante, 5
la plus utile règle de toute l'éducation? Ce n'est pas de
gagner du temps, c'est d'en perdre. Lecteurs vulgaires,
pardonnez-moi mes paradoxes: il en faut faire quand on
réfléchit; et, quoi que vous puissiez dire, j'aime mieux être
homme à paradoxes qu'homme à préjugés. Le plus dange- 10
reux intervalle de la vie humaine est celui de la naissance à
l'âge de douze ans. C'est le temps où germent les erreurs
et les vices, sans qu'on ait encore aucun instrument pour les
détruire; et, quand l'instrument vient, les racines sont si
profondes, qu'il n'est plus temps de les arracher. Si les 15
enfants sautaient tout d'un coup de la mamelle à l'âge de
raison, l'éducation qu'on leur donne pourrait leur convenir;
mais, selon le progrès naturel, il leur en faut une toute contraire. Il faudrait qu'ils ne fissent rien de leur âme jusqu'à
ce qu'elle eût toutes les facultés; car il est impossible qu'elle 20
aperçoive le flambeau que vous lui présentez tandis qu'elle
est aveugle, et qu'elle suive dans l'immense plaine des idées
une route que la raison trace encore si légèrement pour les
meilleurs yeux.

La première éducation doit donc être purement négative. 25
Elle consiste, non point à enseigner la vertu ni la vérité, mais
à garantir le cœur du vice et l'esprit de l'erreur. Si vous
pouviez ne rien faire et ne rien laisser faire; si vous pouviez
amener votre élève sain et robuste à l'âge de douze ans, sans
qu'il sût distinguer sa main droite de sa main gauche, dès 30
vos premières leçons les yeux de son entendement s'ouvri-
raient à la raison; sans préjugé, sans habitude, il n'aurait
rien en lui qui pût contrarier l'effet de vos soins. Bientôt
il deviendrait entre vos mains le plus sage des hommes; et,

en commençant par ne rien faire, vous auriez fait un prodige
d'éducation.

Prenez le contre-pied de l'usage, et vous ferez presque
toujours bien. Comme on ne veut pas faire d'un enfant un
5 enfant, mais un docteur, les pères et les maîtres n'ont jamais
assez tôt tancé, corrigé, réprimandé, flatté, menacé, promis,
instruit, parlé raison. Faites mieux; soyez raisonnable, et
ne raisonnez point avec votre élève, surtout pour lui faire
approuver ce qui lui déplaît; car, amener ainsi toujours la
10 raison dans les choses désagréables, ce n'est que la lui rendre
ennuyeuse, et la décréditer de bonne heure dans un esprit
qui n'est pas encore en état de l'entendre.

On verra par cet intéressant extrait que Rousseau distingue
entre « raison » et « intelligence ». Il ne refuse pas l'intelligence à
15 l'enfant; puisque tout à l'heure il la prêtait même à l'enfant qui
ne sait pas encore parler (l'enfant comprend par les concessions
que ses gardiens font à ses cris, la domination qu'il peut exercer
sur ses alentours); dans une Note, Rousseau lui-même écrit
ceci: « Tantôt je dis que les enfants sont incapables de raisonne-
20 ment, et tantôt je les fais raisonner avec assez de finesse. Je ne
crois pas en cela me contredire dans mes idées, mais je ne puis
disconvenir que je me contredise souvent dans mes expressions.»
Il est difficile, en effet, d'analyser la différence que Rousseau fait
entre l'intelligence et la raison; mais il semble que l'application
25 de « l'intelligence » de l'enfant aux expériences de sensation, résulte finalement en ce que Rousseau appelle tantôt « raison »,
tantôt « bon sens », tantôt « sens commun ». Citons ces lignes où
il parle « d'une espèce de sixième sens » :

« Il me reste à parler dans les livres suivants de la culture
30 d'une espèce de sixième sens, appelé *sens commun*, moins parce
qu'il est commun à tous les hommes, que parce qu'il résulte de
l'usage bien réglé des autres sens, et qu'il nous instruit de la
nature des choses par le concours de toutes leurs apparences.
Ce sixième sens n'a point par conséquent d'organe particulier: il ne
35 réside que dans le cerveau; et ses sensations purement internes
s'appellent *perceptions* ou *idées*. C'est par le nombre de ces idées

que se mesure l'étendue de nos connaissances; c'est leur netteté,
leur clarté, qui fait la justesse de l'esprit; c'est l'art de les comparer entre elles qu'on appelle *raison humaine*. Ainsi ce que
j'appelais raison sensitive ou puérile consiste à former des idées
simples par le concours de plusieurs sensations; et ce que j'appelle   5
raison intellectuelle ou humaine consiste à former des idées complexes par le concours de plusieurs idées simples.»

En d'autre termes, la raison serait un résultat de l'emploi de
l'intelligence.

Le Tien et le Mien, ou le Droit de la Propriété

Même en vivant à la campagne, aussi loin de la Société que   10
possible, il y a certaines idées morales que l'enfant doit acquérir
aussi tôt que possible. Mais il faut les inculquer par des faits
et non par des théories abstraites. Telle est l'idée de justice,
que Rousseau fait saisir à Émile au moyen du sens inné de la
propriété.   15

Le premier sentiment de la justice ne nous vient pas de celle
que nous devons, mais de celle qui nous est due; et c'est
encore un des contre-sens des éducations communes, que,
parlant d'abord aux enfants de leurs devoirs, jamais de leurs
droits, on commence par leur dire le contraire de ce qu'il   20
faut, ce qu'ils ne sauraient entendre et ce qui ne peut les
intéresser . . .

L'enfant, vivant à la campagne, aura pris quelque notion
des travaux champêtres; il ne faut pour cela que des yeux,
du loisir, et il aura l'un et l'autre. Il est de tout âge, surtout   25
du sien, de vouloir créer, imiter, produire, donner des signes
de puissance et d'activité. Il n'aura pas vu deux fois labourer un jardin, semer, lever, croître des légumes, qu'il
voudra jardiner à son tour.

Je ne m'oppose point à son envie, au contraire, je la favorise,   30
je partage son goût, je travaille avec lui, non pour son plaisir,
mais pour le mien; du moins il le croit ainsi. Je deviens
son garçon jardinier; en attendant qu'il ait des bras, je

laboure pour lui la terre; il en prend possession en y plantant
une fève, et sûrement cette possession est plus sacrée et
plus respectable que celle que prenait Nunès Balboa [1] de
l'Amérique méridionale au nom du roi d'Espagne, en plantant
5 son étendard sur les côtes de la mer du Sud.

On vient tous les jours arroser les fèves, on les voit lever
dans des transports de joie. J'augmente cette joie en lui
disant: Cela vous appartient; et, lui expliquant alors ce
terme d'appartenir, je lui fais sentir qu'il a mis là son temps,
10 son travail, sa peine, sa personne enfin; qu'il y a dans cette
terre quelque chose de lui-même qu'il peut réclamer contre
qui que ce soit, comme il pourrait retirer son bras de la main
d'un autre homme qui voudrait le retenir malgré lui.

Un beau jour, il arrive empressé et l'arrosoir à la main.
15 Ô spectacle! ô douleur! toutes les fèves sont arrachées, tout
le terrain est bouleversé, la place même ne se reconnaît plus.
Ah! qu'est donc devenu mon travail, mon ouvrage, le doux
fruit de mes soins et de mes sueurs? Qui m'a ravi mon
bien? qui m'a pris mes fèves? Ce jeune cœur se soulève;
20 le premier sentiment de l'injustice y vient verser sa triste
amertume; les larmes coulent en ruisseaux; l'enfant désolé
remplit l'air de gémissements et de cris. On prend part à
sa peine, à son indignation; on cherche, on s'informe, on
fait des perquisitions. Enfin, l'on découvre que le jardinier
25 a fait le coup, on le fait venir.

Mais nous voici bien loin de compte. Le jardinier, apprenant de quoi l'on se plaint, commence à se plaindre plus
haut que nous.

— Quoi! messieurs, c'est vous qui m'avez ainsi gâté mon
30 ouvrage! J'avais semé là des melons de Malte dont la
graine m'avait été donnée comme un trésor, et desquels
j'espérais vous régaler quand ils seraient mûrs; mais voilà
que, pour y planter vos misérables fèves, vous m'avez détruit

---

[1] Officier et navigateur espagnol qui découvrit l'Océan Pacifique en
1513.

mes melons déjà tout levés, et que je ne remplacerai jamais. Vous m'avez fait un tort irréparable, et vous vous êtes privés vous-mêmes du plaisir de manger des melons exquis. — JEAN-JACQUES. Excusez-nous, mon pauvre Robert. Vous aviez mis là votre travail, votre peine. Je vois bien que nous avons eu tort de gâter votre ouvrage; mais nous vous ferons venir d'autre graine de Malte, et nous ne travaillerons plus la terre avant que de savoir si quelqu'un n'y a point mis la main avant nous. — ROBERT. Oh bien! messieurs, vous pouvez donc vous reposer; car il n'y a plus guère de terre en friche. Moi, je travaille celle que mon père a bonifiée; chacun en fait autant de son côté, et toutes les terres que vous voyez sont occupées depuis longtemps. — ÉMILE. Monsieur Robert, il y a donc souvent de la graine de melon perdue? — ROBERT. Pardonnez-moi, mon jeune cadet; car il ne nous vient pas souvent des petits messieurs aussi étourdis que vous. Personne ne touche au jardin de son voisin; chacun respecte le travail des autres, afin que le sien soit en sûreté. — ÉMILE. Mais moi je n'ai point de jardin. — ROBERT. Que m'importe? si vous gâtez le mien, je ne vous y laisserai plus promener; car, voyez-vous, je ne veux pas perdre ma peine. — JEAN-JACQUES. Ne pourrait-on pas proposer un arrangement au bon Robert? Qu'il nous accorde, à mon petit ami et à moi, un coin de son jardin pour le cultiver, à condition qu'il aura la moitié du produit. — ROBERT. Je vous l'accorde sans condition. Mais souvenez-vous que j'irai labourer vos fèves si vous touchez à mes melons.

Dans cet essai de la manière d'inculquer aux enfants les notions primitives, on voit comment l'idée de la propriété remonte naturellement au droit de premier occupant par le travail. Cela est clair, net, simple, et toujours à la portée de l'enfant. De là jusqu'au droit de propriété et aux échanges il n'y a plus qu'un pas, après lequel il faut s'arrêter tout court.

35

Pas d'Enseignement de l'Histoire avant l'Âge de Douze Ans

On fait étudier aux enfants les langues, la géographie beaucoup trop tôt. Ces études « tendent à des objets entièrement étrangers à leurs esprits. Qu'on juge de l'attention qu'ils y peuvent donner. »

5   Par une erreur encore plus ridicule, on leur fait étudier l'histoire: on s'imagine que l'histoire est à leur portée parce qu'elle n'est qu'un recueil de faits. Mais qu'entend-on par ce mot de faits? croit-on que les rapports qui déterminent les faits historiques soient si faciles à saisir, que les idées
10 s'en forment sans peine dans l'esprit des enfants? Croit-on que la véritable connaissance des événements soit séparable de celle de leurs causes, de leurs effets, et que l'historique tienne si peu au moral qu'on puisse connaître l'un sans l'autre? Si vous ne voyez dans les actions des hommes que les mouve-
15 ments extérieurs et purement physiques, qu'apprenez-vous dans l'histoire? absolument rien; et cette étude, dénuée de tout intérêt, ne vous donne pas plus de plaisir que d'in-struction. Si vous voulez apprécier ces actions par leurs rapports moraux, essayez de faire entendre ces rapports à
20 vos élèves, et vous verrez alors si l'histoire est de leur âge.[1]

L'Immoralité des *Fables* de La Fontaine pour les Enfants avant l'Âge de Douze Ans

Un des « paradoxes » les plus connus de Rousseau.

On fait apprendre les fables de La Fontaine à tous les enfants, et il n'y en a pas un seul qui les entende. Quand ils les entendraient, ce serait encore pis; car la morale en est
25 tellement mêlée et disproportionnée à leur âge, qu'elle les

---

[1] C'est ici que la postérité a le moins suivi Rousseau. Elle a estimé que la puissance de la mémoire diminuant avec l'âge, il est bon de se servir des jeunes années pour accumuler des connaissances, lesquelles seront à la disposition de l'homme adulte quand il en aura besoin. C'est comme un trésor accumulé.

porterait plus au vice qu'à la vertu. Ce sont encore là, direz-vous, des paradoxes. Soit, mais voyons si ce sont des vérités.

Je dis qu'un enfant n'entend point les fables qu'on lui fait apprendre, parce que, quelque effort qu'on fasse pour 5 les rendre simples, l'instruction qu'on en veut tirer force d'y faire entrer des idées qu'il ne peut saisir, et que le tour même de la poésie, en les lui rendant plus faciles à retenir, les lui rend plus difficiles à concevoir; en sorte qu'on achète l'agrément aux dépens de la clarté. Sans citer cette multitude de 10 fables qui n'ont rien d'intelligible ni d'utile pour les enfants, et qu'on leur fait indiscrètement apprendre avec les autres, parce qu'elles s'y trouvent mêlées, bornons-nous à celles que l'auteur semble avoir faites spécialement pour eux.

Je ne connais dans tout le recueil de La Fontaine que 15 cinq ou six fables où brille éminemment la naïveté puérile; de ces cinq ou six, je prends pour exemple la première de toutes,[1] parce que c'est celle dont la morale est le plus de tout âge, celle que les enfants saisissent le mieux, celle qu'ils apprennent avec le plus de plaisir, enfin celle que pour cela 20 même l'auteur a mise par préférence à la tête de son livre. En lui supposant réellement l'objet d'être entendu des enfants, de leur plaire et de les instruire, cette fable est assurément son chef-d'œuvre: qu'on me permette donc de la suivre et de l'examiner en peu de mots.

25

LE CORBEAU ET LE RENARD

FABLE

Maître corbeau, sur un arbre perché,

Maître![2] que signifie ce mot en lui-même? que signifie-t-il devant un nom propre? quel sens a-t-il dans cette occasion?

---

[1] C'est la seconde et non la première.

[2] Ici, titre donné aux siècles passés aux hommes de robe (avocats, magistrats) pour flatter la sagesse dont leur robe au moins témoigne.

Qu'est-ce qu'un corbeau?

Qu'est-ce qu'*un arbre perché?* L'on ne dit pas *sur un arbre perché*, l'on dit *perché sur un arbre*. Par conséquent il faut parler des inversions de la poésie: il faut dire ce que
5 c'est que prose et que vers.

Tenait en son bec un fromage.

Quel fromage? était-ce un fromage de Suisse, de Brie ou de Hollande? Si l'enfant n'a point vu de corbeaux, que gagnez-vous à lui en parler? s'il en a vu, comment concevra-t-il qu'ils tiennent un fromage[1] à leur bec? Faisons toujours
10 des images d'après nature.

Maître renard, par l'odeur alléché,

Encore un maître! mais pour celui-ci c'est à bon titre: il est maître passé dans les tours de son métier. Il faut dire ce que c'est qu'un renard, et distinguer son vrai naturel du caractère de convention qu'il a dans les fables.

15 *Alléché.* Ce mot n'est pas usité. Il le faut expliquer; il faut dire qu'on ne s'en sert plus qu'en vers. L'enfant demandera pourquoi l'on parle autrement en vers qu'en prose. Que lui répondrez-vous?

Alléché par l'odeur d'un fromage! Ce fromage, tenu par
20 un corbeau perché sur un arbre, devait avoir beaucoup d'odeur pour être senti par le renard dans un taillis ou dans son terrier. Est-ce ainsi que vous exercez votre élève à cet esprit de critique judicieuse qui ne s'en laisse imposer qu'à bonnes enseignes, et sait discerner la vérité du mensonge dans
25 les narrations d'autrui?

Lui tint à peu près ce langage:

Ce langage! Les renards parlent donc? ils parlent donc la même langue que les corbeaux? Sage précepteur, prends

---

[1] Ceux nommés par Rousseau, et qui se présentent à l'esprit de maint lecteur, sont beaucoup trop grands pour être tenus dans un bec de corbeau.

garde à toi: pèse bien ta réponse avant de la faire; elle importe plus que tu n'as pensé.

Eh! bonjour, monsieur le corbeau!

Monsieur! titre que l'enfant voit tourner en dérision, même avant qu'il sache que c'est un titre d'honneur. Ceux qui disent *monsieur du Corbeau* auront bien d'autres affaires avant que d'avoir expliqué ce *du*.

Que vous êtes joli! que vous me semblez beau!

Cheville, redondance inutile. L'enfant, voyant répéter la même chose en d'autres termes, apprend à parler lâchement. Si vous dites que cette redondance est un art de l'auteur, qu'elle entre dans le dessein du renard qui veut paraître multiplier les éloges avec les paroles, cette excuse sera bonne pour moi, mais non pas pour mon élève.

Sans mentir, si votre ramage

Sans mentir! On ment donc quelquefois? Où en sera l'enfant si vous lui apprenez que le renard ne dit *sans mentir* que parce qu'il ment?

Répondait à votre plumage,

Répondait! Que signifie ce mot? Apprenez à l'enfant à comparer des qualités aussi différentes que la voix et le plumage; vous verrez comme il vous entendra.

Vous seriez le phénix des hôtes de ces bois.

Le phénix! Qu'est-ce qu'un phénix? Nous voici tout à coup jetés dans la menteuse antiquité, presque dans la mythologie.

Les hôtes de ces bois! Quel discours figuré! Le flatteur ennoblit son langage, et lui donne plus de dignité pour le rendre plus séduisant. Un enfant entendra-t-il cette finesse? sait-il seulement, peut-il savoir ce que c'est qu'un style noble et un style bas?

A ces mots, le corbeau ne se sent pas de joie,

Il faut avoir éprouvé déjà des passions bien vives pour sentir cette expression proverbiale.

Et pour montrer sa belle voix,

N'oubliez pas que, pour entendre ce vers et toute la fable, l'enfant doit savoir ce que c'est que la belle voix du corbeau.

Il ouvre un large bec, laisse tomber sa proie.

5　Ce vers est admirable: l'harmonie seule en fait image. Je vois un grand vilain bec ouvert; j'entends tomber le fromage à travers les branches: mais ces sortes de beautés sont perdues pour les enfants.

Le renard s'en saisit, et dit: Mon bon monsieur,

Voilà donc déjà la bonté transformée en bêtise. Assuré-
10 ment on ne perd pas de temps pour instruire les enfants.

Apprenez que tout flatteur

Maxime générale; nous n'y sommes plus.

Vit aux dépens de celui qui l'écoute.

Jamais enfant de dix ans n'entendit ce vers-là.

Cette leçon vaut bien un fromage, sans doute.

Ceci s'entend, et la pensée est très bonne. Cependant il y aura encore bien peu d'enfants qui sachent comparer une
15 leçon à un fromage, et qui ne préférassent le fromage à la leçon. Il faut donc leur faire entendre que ce propos n'est qu'une raillerie. Que de finesse pour des enfants!

Le corbeau, honteux et confus,

Autre pléonasme; mais celui-ci est inexcusable.

Jura, mais un peu tard, qu'on ne l'y prendrait plus.

Jura! Quel est le sot de maître qui ose expliquer à l'enfant
20 ce que c'est qu'un serment?

Voilà bien des détails, bien moins cependant qu'il n'en faudrait pour analyser toutes les idées de cette fable, et les

réduire aux idées simples et élémentaires dont chacune
d'elles est composée. Mais qui est-ce qui croit avoir
besoin de cette analyse pour se faire entendre à la jeunesse? Nul de nous n'est assez philosophe pour savoir se
mettre à la place d'un enfant. Passons maintenant à la ₅
morale.

Je demande si c'est à des enfants de six ans qu'il faut
apprendre qu'il y a des hommes qui flattent et mentent pour
leur profit? On pourrait tout au plus leur apprendre qu'il
y a des railleurs qui persiflent les petits garçons, et se moquent ₁₀
en secret de leur sotte vanité: mais le fromage gâte tout;
on leur apprend moins à ne pas le laisser tomber de leur bec
qu'à le faire tomber du bec d'un autre. C'est ici mon second
paradoxe, et ce n'est pas le moins important.

Suivez les enfants apprenant leurs fables, et vous verrez ₁₅
que, quand ils sont en état d'en faire l'application, ils en font
presque toujours une contraire à l'intention de l'auteur, et
qu'au lieu de s'observer sur le défaut dont on les veut guérir
ou préserver, ils penchent à aimer le vice avec lequel on tire
parti des défauts des autres. Dans la fable précédente, les ₂₀
enfants se moquent du corbeau, mais ils s'affectionnent tous
au renard; dans la fable qui suit, vous croyez leur donner la
cigale pour exemple, et point du tout, c'est la fourmi qu'ils
choisiront. On n'aime point à s'humilier: ils prendront
toujours le beau rôle; c'est le choix de l'amour-propre, c'est ₂₅
un choix très naturel. Or, quelle horrible leçon pour l'enfance! Le plus odieux de tous les monstres serait un enfant
avare et dur, qui saurait ce qu'on lui demande et ce qu'on
lui refuse. La fourmi fait plus encore, elle lui apprend à
railler dans ses refus.
                                                        ₃₀
Dans toutes les fables où le lion est un des personnages,
comme c'est d'ordinaire le plus brillant, l'enfant ne manque
point de se faire lion, et, quand il préside à quelque partage,
bien instruit par son modèle, il a grand soin de s'emparer de
tout. Mais quand le moucheron terrasse le lion, c'est une ₃₅

autre affaire, alors l'enfant n'est plus lion, il est moucheron.
Il apprend à tuer un jour à coups d'aiguillon ceux qu'il n'oserait attaquer de pied ferme.

Dans la fable du loup maigre et du chien gras, au lieu d'une
leçon de modération qu'on prétend lui donner, il en prend
une de licence. Je n'oublierai jamais d'avoir vu beaucoup
pleurer une petite fille qu'on avait désolée avec cette fable,
tout en lui prêchant toujours la docilité. On eut peine à
savoir la cause de ses pleurs: on la sut enfin. La pauvre
enfant s'ennuyait d'être à la chaîne; elle se sentait le cou
pelé; elle pleurait de n'être pas loup.

Ainsi donc la morale de la première fable citée est pour
l'enfant une leçon de la plus basse flatterie; celle de la seconde
une leçon d'inhumanité; celle de la troisième une leçon
d'injustice; celle de la quatrième une leçon de satire; celle
de la cinquième une leçon d'indépendance. Cette dernière
leçon, pour être superflue à mon élève, n'en est pas plus
convenable aux vôtres. Quand vous leur donnez des préceptes qui se contredisent, quel fruit espérez-vous de vos
soins? Mais peut-être, à cela près, toute cette morale qui
me sert d'objection contre les fables fournit-elle autant de
raisons de les conserver. Il faut une morale en paroles et
une en actions dans la société, et ces deux morales ne se
ressemblent point. La première est dans le catéchisme,
où on la laisse; l'autre est dans les fables de la Fontaine pour
les enfants, et dans ses contes[1] pour les mères. Le même
auteur suffit à tout.

Composons, monsieur de La Fontaine. Je promets, quant
à moi, de vous lire avec choix, de vous aimer, de m'instruire
dans vos fables; car j'espère ne pas me tromper sur leur
objet: mais, pour mon élève, permettez que je ne lui en laisse
pas étudier une seule jusqu'à ce que vous m'ayez prouvé
qu'il est bon pour lui d'apprendre des choses dont il ne com-

---

[1] Charmants, mais licencieux, et dans lesquels Rousseau voit un produit de la civilisation frivole qu'il combat.

prendra pas le quart; que dans celles qu'il pourra comprendre il ne prendra jamais le change, et qu'au lieu de se corriger sur la dupe, il ne se formera pas sur le fripon.

Naturellement, ayant de telles opinions, Rousseau demande qu'on supprime, à cet âge, tous les livres, « instruments de la plus grande misère des enfants ».

Mais après avoir dit ce qu'il ne faut pas faire avec l'enfant avant 12 ans, Rousseau dit ce que la nature prescrit de faire: développer le corps au moyen duquel l'enfant agira un jour.

Le Vêtement Conforme à la Nature

Qu'on compare les peintures représentant les enfants des XVIIme et XVIIIme siècles, et la façon dont les artistes modernes dessinent et peignent les enfants, et on verra comment Rousseau a prévu et contribué à préparer le monde moderne.

Les membres d'un corps qui croît doivent être tous au large dans leur vêtement, rien ne doit gêner leur mouvement ni leur accroissement: rien de trop juste, rien qui colle au corps; point de ligatures. L'habillement français gênant et malsain pour les hommes, est pernicieux surtout aux enfants. Les humeurs, stagnantes, arrêtées dans leur circulation, croupissent dans un repos qu'augmente la vie inactive et sédentaire, se corrompent, et causent le scorbut, maladie tous les jours plus commune parmi nous, et presque ignorée des anciens, que leur manière de se vêtir et de vivre en préservait. L'habillement de houssard, loin de remédier à cet inconvénient, l'augmente, et, pour sauver aux enfants quelques ligatures, les presse par tout le corps. Ce qu'il y a de mieux à faire est de les laisser en jaquette aussi longtemps qu'il est possible, puis de leur donner un vêtement fort large, et de ne se point piquer de marquer leur taille, ce qui ne sert qu'à la déformer. Leurs défauts du corps et de l'esprit viennent presque tous de la même cause; on les veut faire hommes avant le temps.

Il y a des couleurs gaies et des couleurs tristes: les premières sont plus du goût des enfants; elles leur siéent mieux
aussi; et je ne vois pas pourquoi l'on ne consulterait pas
en ceci des convenances si naturelles: mais du moment
5 qu'ils préfèrent une étoffe parce qu'elle est riche, leurs cœurs
sont déjà livrés au luxe, à toutes les fantaisies de l'opinion;
et ce goût ne leur est sûrement pas venu d'eux-mêmes. On
ne saurait dire combien le choix des vêtements et les motifs
de ce choix influent sur l'éducation. Non seulement d'a-
10 veugles mères promettent à leurs enfants des parures pour
récompense, on voit même d'insensés gouverneurs menacer
leurs élèves d'un habit plus grossier et plus simple, comme
d'un châtiment. « Si vous n'étudiez mieux, si vous ne con-
servez mieux vos hardes, on vous habillera comme ce petit
15 paysan. » C'est comme s'ils leurs disaient: «Sachez que
l'homme n'est rien que par ses habits, que votre prix est tout
dans les vôtres. » Faut-il s'étonner que de si sages leçons
profitent à la jeunesse, qu'elle n'estime que la parure, et
qu'elle ne juge du mérite que sur le seul extérieur?
20 Si j'avais à remettre la tête d'un enfant ainsi gâté, j'aurais
soin que ses habits les plus riches fussent les plus incommodes, qu'il y fût toujours gêné, toujours contraint, toujours
assujetti de mille manières; je ferais fuir la liberté, la gaieté,
devant sa magnificence: s'il voulait se mêler aux jeux d'autres
25 enfants plus simplement mis, tout cesserait, tout disparaî-
trait à l'instant. Enfin je l'ennuierais, je le rassasierais tellement de son faste, je le rendrais tellement l'esclave de son
habit doré, que j'en ferais le fléau de sa vie, et qu'il verrait
avec moins d'effroi le plus noir cachot que les apprêts de sa
30 parure. Tant qu'on n'a pas asservi l'enfant à nos préjugés,
être à son aise et libre est toujours son premier désir; le
vêtement le plus simple, le plus commode, celui qui l'assujettit
le moins, est toujours le plus précieux pour lui.

Il faut Exercer les Cinq Sens

Ici Rousseau a donné d'avance la théorie de nos « sports » modernes, qui ont remplacé les exercices des armes. Il parle successivement du développement des cinq sens, le toucher, la vue, l'ouïe, le goût, l'odorat. Voici un extrait sur le toucher.[1]

Exercer les sens n'est pas seulement en faire usage; c'est 5 apprendre à bien juger par eux, c'est apprendre, pour ainsi dire, à sentir, car nous ne savons ni toucher, ni voir, ni entendre, que comme nous avons appris.

Il y a un exercice purement naturel et mécanique, qui sert à rendre le corps robuste sans donner aucune prise au 10 jugement: nager, courir, sauter, fouetter un sabot,[2] lancer des pierres; tout cela est fort bien: mais n'avons-nous que des bras et des jambes? n'avons-nous pas aussi des yeux, des oreilles? et ces organes sont-ils superflus à l'usage des premiers? N'exercez donc pas seulement les forces, exercez 15 tous les sens qui les dirigent; tirez de chacun d'eux tout le parti possible, puis vérifiez l'impression de l'un par l'autre. Mesurez, comptez, pesez, comparez. N'employez la force qu'après avoir estimé la résistance: faites toujours en sorte que l'estimation de l'effet précède l'usage des moyens. In- 20 téressez l'enfant à ne jamais faire d'efforts insuffisants ou superflus. Si vous l'accoutumez à prévoir ainsi l'effet de tous ses mouvements, et à redresser ses erreurs par l'expérience, n'est-il pas clair que plus il agira, plus il deviendra judicieux?   25

S'agit-il d'ébranler une masse? s'il prend un levier trop long, il dépensera trop de mouvement; s'il le prend trop

---

[1] Rousseau adopte ici l'ordre d'importance pratique, tandis que Condillac, pendant quelque temps son ami, et l'auteur du célèbre *Traité des Sensations* (1754), adopte l'ordre d'importance psychologique: la statue imaginée par Condillac reçoit d'abord l'odorat, qui suffit pour donner le sentiment de l'existence, puis viennent l'ouïe, le goût, et la vue; le toucher enfin, très important car il est le seul sens qui juge par lui-même des objets extérieurs.   [2] Toupie.

court, il n'aura pas assez de force: l'expérience lui peut
apprendre à choisir précisément le bâton qu'il lui faut. Cette
sagesse n'est donc pas au-dessus de son âge. S'agit-il de
porter un fardeau? s'il veut le prendre aussi pesant qu'il
5 peut le porter, et n'en point essayer qu'il ne soulève, ne sera-
t-il pas forcé d'en estimer le poids à la vue? Sait-il comparer
des masses de même matière et de différentes grosseurs? qu'il
choisisse entre des masses de même grosseur et de différentes
matières; il faudra bien qu'il s'applique à comparer leurs
10 poids spécifiques. J'ai vu un jeune homme très bien élevé,
qui ne voulut croire qu'après l'épreuve qu'un seau plein de
gros copeaux de bois de chêne fût moins pesant que le même
seau rempli d'eau.

Nous ne sommes pas également maîtres de l'usage de tous
15 nos sens. Il y en a un, savoir le toucher, dont l'action n'est
jamais suspendue durant la veille; il a été répandu sur la
surface entière de notre corps, comme une garde continuelle,
pour nous avertir de tout ce qui peut l'offenser. C'est aussi
celui dont, bon gré, mal gré, nous acquérons le plus tôt l'ex-
20 périence par cet exercice continuel, et auquel, par conséquent,
nous avons moins besoin de donner une culture particulière.
Cependant nous observons que les aveugles ont le tact plus
sûr et plus fin que nous, parce que, n'étant pas guidés par la
vue, ils sont forcés d'apprendre à tirer uniquement du premier
25 sens les jugements que nous fournit l'autre. Pourquoi donc
ne nous exerce-t-on pas à marcher comme eux dans l'obscurité, à connaître les corps que nous pouvons atteindre,
à juger des objets qui nous environnent, à faire en un mot,
de nuit et sans lumière, tout ce qu'ils font de jour et sans
30 yeux? Tant que le soleil luit, nous avons sur eux l'avantage;
dans les ténèbres, ils sont nos guides à leur tour. Nous
sommes aveugles la moitié de la vie, avec la différence que
les vrais aveugles savent toujours se conduire, et que nous
n'osons faire un pas au cœur de la nuit. On a de la lumière,
35 me dira-t-on. Eh quoi! toujours des machines! Qui vous

répond qu'elles vous suivront partout au besoin? Pour moi, j'aime mieux qu'Émile ait des yeux au bout de ses doigts que dans la boutique d'un chandelier.

La Course, le Sens de la Vue, et la Générosité du « Sportsman »

Il s'agissait d'exercer à la course un enfant indolent et paresseux,[1] qui ne se portait pas de lui-même à cet exercice 5 ni à aucun autre, quoiqu'on le destinât à l'état militaire; il s'était persuadé, je ne sais comment, qu'un homme de son rang ne devait rien faire ni rien savoir, et que sa noblesse devait lui tenir lieu de bras, de jambes, ainsi que de toute espèce de mérite. A faire d'un tel gentilhomme un Achille 10 au pied léger, l'adresse de Chiron même eût eu peine à suffire. La difficulté était d'autant plus grande, que je ne voulais lui prescrire absolument rien; j'avais banni de mes droits les exhortations, les promesses, les menaces, l'émulation, le désir de briller; comment lui donner celui de courir sans lui 15 rien dire? Courir moi-même eût été un moyen peu sûr et sujet à inconvénient. D'ailleurs, il s'agissait encore de tirer de cet exercice quelque objet d'instruction pour lui, afin d'accoutumer les opérations de la machine et celles du juge-ment à marcher toujours de concert. Voici comment je 20 m'y pris: moi, c'est-à-dire celui qui parle dans cet exemple.

En m'allant promener avec lui les après-midi, je mettais quelquefois dans ma poche deux gâteaux d'une espèce qu'il aimait beaucoup: nous en mangions chacun un à la pro-menade, et nous revenions fort contents. Un jour il s'aperçut 25 que j'avais trois gâteaux; il en aurait pu manger six sans s'incommoder: il dépêche promptement le sien pour me

---

[1] Il s'agit probablement du jeune Dupin, que la mère, protectrice de Rousseau, avait confié à celui-ci pendant qu'elle était sans autre « gou-verneur » pour l'enfant. Rousseau n'en a pas conservé un excellent souvenir (*Confessions*, VIIe. Éd. Hachette, VIII, 206).

demander le troisième. « Non, lui dis-je: je le mangerais fort
bien moi-même, ou nous le partagerions; mais j'aime mieux
le voir disputer à la course par ces deux petits garçons que
voilà. » Je les appelai, je leur montrai le gâteau et leur pro-
5 posai la condition. Ils ne demandèrent pas mieux. Le
gâteau fut posé sur une grande pierre qui servit de but; la
carrière fut marquée; nous allâmes nous asseoir: au signal
donné, les petits garçons partirent; le victorieux se saisit
du gâteau, et le mangea sans miséricorde aux yeux des spec-
10 tateurs et du vaincu.

Cet amusement valait mieux que le gâteau; mais il ne prit
pas d'abord et ne produisit rien. Je ne me rebutai ni ne me
pressai: l'institution [1] des enfants est un métier où il faut
savoir perdre du temps pour en gagner. Nous continuâmes
15 nos promenades; souvent on prenait trois gâteaux, quelquefois quatre, et de temps à autre il y en avait un, même deux,
pour les coureurs. Si le prix n'était pas grand, ceux qui le
disputaient n'étaient pas ambitieux: celui qui le remportait
était loué, fêté; tout se faisait avec appareil. Pour don-
20 ner lieu aux révolutions et augmenter l'intérêt, je marquais
la carrière plus longue, j'y souffrais plusieurs concurrents.
A peine étaient-ils dans la lice, que tous les passants s'arrê-
taient pour les voir: les acclamations, les cris, les battements
des mains les animaient: je voyais quelquefois mon petit
25 bonhomme tressaillir, se lever, s'écrier quand l'un était près
d'atteindre ou de passer l'autre; c'étaient pour lui ses jeux
olympiques.

Cependant les concurrents usaient quelquefois de super-
cherie: ils se retenaient mutuellement, ou se faisaient tomber,
30 ou poussaient des cailloux au passage l'un de l'autre. Cela
me fournit un sujet de les séparer, et de les faire partir de
différents termes, quoique également éloignés du but: on

---

[1] Rousseau emploie le mot dans son ancien sens d'éducation ou instruction (*Institution chrétienne* de Calvin, Essai de Montaigne *sur l'Institution des Enfants*).

verra bientôt la raison de cette prévoyance, car je dois traiter
cette importante affaire dans un grand détail.

Ennuyé de voir toujours manger sous ses yeux des gâteaux
qui lui faisaient grande envie, monsieur le chevalier s'avisa
de soupçonner enfin que bien courir pouvait être bon à quelque
chose, et, voyant qu'il avait aussi deux jambes, il commença
de s'essayer en secret. Je me gardai d'en rien voir; mais
je compris que mon stratagème avait réussi. Quand il se
crut assez fort, et je lus avant lui dans sa pensée, il affecta
de m'importuner pour avoir le gâteau restant. Je le refuse;
il s'obstine, et d'un air dépité il me dit à la fin: « Eh bien!
mettez-le sur la pierre, marquez le champ, et nous verrons.
— Bon! lui dis-je en riant, est-ce qu'un chevalier sait courir?
Vous gagnerez plus d'appétit, et non de quoi le satisfaire. »
Piqué de ma raillerie, il s'évertue, et remporte le prix, d'autant plus aisément que j'avais fait la lice très courte et pris
soin d'écarter le meilleur coureur. On conçoit comment, ce
premier pas étant fait, il me fut aisé de le tenir en haleine.
Bientôt il prit un tel goût à cet exercice, que, sans faveur, il
était presque sûr de vaincre mes polissons à la course, quelque
longue que fut la carrière.

Cet avantage obtenu en produisit un autre auquel je n'avais
pas songé. Quand il remportait rarement le prix, il le man-
geait presque toujours seul, ainsi que faisaient ses concurrents; mais en s'accoutumant à la victoire il devint généreux,
et partageait souvent avec les vaincus. Cela me fournit
à moi-même une observation morale, et j'appris par là quel
était le vrai principe de la générosité.

En continuant avec lui de marquer en différents lieux les
termes d'où chacun devait partir à la fois, je fis, sans qu'il
s'en aperçut, les distances inégales, de sorte que l'un, ayant
à faire plus de chemin que l'autre pour arriver au même
but, avait un désavantage visible: mais, quoique je laissasse
le choix à mon disciple, il ne savait pas s'en prévaloir. Sans
s'embarrasser de la distance, il préférait toujours le plus

beau chemin: de sorte que, prévoyant aisément son choix, j'étais à peu près le maître de lui faire perdre ou gagner le gâteau à ma volonté; et cette adresse avait aussi son usage à plus d'une fin. Cependant, comme mon dessein était 5 qu'il s'aperçût de la différence, je tâchais de la lui rendre sensible: mais, quoique indolent dans le calme, il était si vif dans ses jeux, et se défiait si peu de moi, que j'eus toutes les peines du monde à lui faire apercevoir que je le trichais. Enfin j'en vins à bout malgré son étourderie; il m'en fit des 10 reproches. Je lui dis: « De quoi vous plaignez-vous? dans un don que je veux bien faire, ne suis-je pas maître de mes conditions? Qui vous force à courir? vous ai-je promis de faire les lices égales? n'avez-vous pas le choix? Prenez la plus courte, on ne vous en empêche point. Comment ne 15 voyez-vous pas que c'est vous que je favorise, et que l'inégalité dont vous murmurez est tout à votre avantage si vous savez vous en prévaloir? » Cela était clair; il le comprit, et, pour choisir, il fallut y regarder de plus près. D'abord on voulut compter les pas; mais la mesure des pas d'un 20 enfant est lente et fautive; de plus, je m'avisai de multiplier les courses dans un même jour; et alors, l'amusement devenant une espèce de passion, l'on avait regret de perdre à mesurer les lices le temps destiné à les parcourir. La vivacité de l'enfance s'accommode mal de ces lenteurs: on s'exerça 25 donc à mieux voir, à mieux estimer une distance à la vue. Alors j'eus peu de peine à étendre et nourrir ce goût. Enfin quelques mois d'épreuves et d'erreurs corrigées lui formèrent tellement le compas visuel, que, quand je lui mettais par la pensée un gâteau sur quelque objet éloigné, il avait le coup 30 d'œil presque aussi sûr que la chaîne d'un arpenteur.

Comme la vue est de tous les sens celui dont on peut le moins séparer les jugements de l'esprit, il faut beaucoup de temps pour apprendre à voir......

Émile à Douze Ans

Sa figure, son port, sa contenance, annoncent l'assurance
et le contentement; la santé brille sur son visage; ses pas
affermis lui donnent un air de vigueur; son teint, délicat
encore sans être fade, n'a rien d'une mollesse efféminée; l'air
et le soleil y ont déjà mis l'empreinte honorable de son sexe; 5
ses muscles, encore arrondis, commencent à marquer quelques
traits d'une physionomie naissante; ses yeux, que le feu du
sentiment n'anime point encore, ont au moins toute leur
sérénité native: de longs chagrins ne les ont point ob-
scurcis, des pleurs sans fin n'ont point sillonné ses joues. 10
Voyez dans ses mouvements prompts, mais sûrs, la vivacité
de son âge, la fermeté de l'indépendance, l'expérience des
exercices multipliés. Il a l'air ouvert et libre, mais non pas
insolent ni vain; son visage, qu'on n'a pas collé sur des livres,
ne tombe pas sur son estomac: on n'a pas besoin de lui dire: 15
Levez la tête; la honte ni la crainte ne la lui firent jamais
baisser.....

N'attendez pas de lui des propos agréables, ni qu'il vous
dise ce que je lui aurai dicté; n'en attendez que la vérité
naïve et simple, sans ornement, sans apprêt, sans vanité. 20
Il vous dira le mal qu'il a fait ou celui qu'il pense, tout aussi
librement que le bien, sans s'embarrasser en aucune sorte
de l'effet que fera sur vous ce qu'il aura dit; il usera de la
parole dans toute la simplicité de sa première institution.....

Ses idées sont bornées, mais nettes; s'il ne sait rien par 25
cœur, il sait beaucoup par expérience; s'il lit moins bien
qu'un autre enfant dans nos livres, il lit mieux dans celui
de la nature; son esprit n'est pas dans sa langue, mais dans
sa tête; il a moins de mémoire que de jugement; il ne sait
parler qu'un langage, mais il entend ce qu'il dit; et, s'il ne 30
dit pas si bien que les autres disent, en revanche il fait mieux
qu'ils ne font.....

Qu'il s'occupe ou qu'il s'amuse, l'un et l'autre est égal pour

lui; ses jeux sont ses occupations, il n'y sent point de différence. Il met à tout ce qu'il fait un intérêt qui fait rire et
une liberté qui plaît, en montrant à la fois le tour de son
esprit et la sphère de ses connaissances. N'est-ce pas le
5 spectacle de cet âge, un spectacle charmant et doux, de voir
un joli enfant, l'œil vif et gai, l'air content et serein, la physionomie ouverte et riante, faire, en se jouant, les choses les
plus sérieuses, ou profondément occupé des plus frivoles
amusements?

10   Voulez-vous à présent le juger par comparaison? Mêlez-le
avec d'autres enfants, et laissez-le faire. Vous verrez bientôt
lequel est le plus vraiment formé, lequel approche le mieux
de la perfection de leur âge. Parmi les enfants de la ville,
nul n'est plus adroit que lui, mais il est plus fort qu'aucun
15 autre. Parmi de jeunes paysans, il les égale en force et les
passe en adresse. Dans tout ce qui est à portée de l'enfance,
il juge, il raisonne, il prévoit mieux qu'eux tous. Est-il
question d'agir, de courir, de sauter, d'ébranler des corps,
d'enlever des masses, d'estimer des distances, d'inventer
20 des jeux, d'emporter des prix? On dirait que la nature est
à ses ordres, tant il sait aisément plier toute chose à ses
volontés. Il est fait pour guider, pour gouverner ses égaux:
le talent, l'expérience, lui tiennent lieu de droit et d'autorité.
Donnez-lui l'habit et le nom qu'il vous plaira, peu importe,
25 il primera partout, il deviendra partout le chef des autres:
ils sentiront toujours sa supériorité sur eux: sans vouloir
commander il sera le maître, sans croire obéir ils obéiront.

Il est parvenu à la maturité de l'enfance, il a vécu de la
vie d'un enfant, il n'a point acheté sa perfection aux dépens
30 de son bonheur; au contraire, ils ont concouru l'un à l'autre.
En acquérant toute la raison de son âge, il a été heureux et
libre autant que sa constitution lui permettait de l'être. Si
la fatale faux vient moissonner en lui la fleur de nos espérances, nous n'aurons point à pleurer à la fois sa vie et sa mort,
35 nous n'aigrirons point nos douleurs du souvenir de celles que

nous lui aurons causées; nous nous dirons: Au moins il a joui de son enfance; nous ne lui avons rien fait perdre de ce que la nature lui avait donné.

Le grand inconvénient de cette première éducation est qu'elle n'est sensible qu'aux hommes clairvoyants, et que, 5 dans un enfant élevé avec tant de soin, des yeux vulgaires ne voient qu'un polisson.

Le moment est venu maintenant pour l'enfant « sain, vigoureux, bien formé pour son âge » d'entrer en rapport avec le monde. Dans le Troisième âge, il entrera en rapport avec le monde phy- 10 sique, ou la nature; dans le Quatrième âge, avec le monde moral (des êtres pensants et sentants) ou la Société, et avec Dieu.

LE TROISIÈME ÂGE (*De la Raison*)

(De douze ans à quinze ou seize ans)

« A 12 ou 13 ans, les forces de l'enfant se développent bien plus rapidement que ses besoins ... Voici donc le temps des travaux, des instructions et des études; et remarquez que ce n'est pas moi 15 qui fais arbitrairement ce choix, c'est la nature elle-même qui l'indique.»

LES ÉTUDES

L'enfant est curieux par nature.   Il faut satisfaire ce penchant.

Que saura Émile ?   La fameuse réponse de Rousseau est: *Il ne s'agit pas de savoir ce qui est, mais seulement ce qui est utile.* 20 Mais: « Distinguons toujours les penchants qui viennent de la nature de ceux qui viennent de l'opinion.   Il est une ardeur de savoir qui n'est fondée que sur le désir d'être estimé savant; il en est une autre qui naît d'une curiosité naturelle à l'homme pour tout ce qui peut l'intéresser de près ou de loin.»   Rousseau parle 25 de la seconde seulement.[1]

---

[1] Cette expression « ce qui est utile » n'a pas un sens égoïstement utilitaire.   Rousseau admet l'existence d'une faculté innée de sympathie que l'homme est appelé impérieusement à satisfaire, et à laquelle se rapporte aussi ce mot.   Émile doit *savoir* ce qui est *utile* pour satisfaire son instinct de généreux humanitarisme; seulement le sentiment ne

Comment Émile apprendra-t-il ? Rousseau répond encore: Ne lui faites pas apprendre par les livres, mais faites travailler son intelligence directement sur les faits: « En général ne substituez jamais le signe à la chose; car le signe absorbe l'attention
5 de l'enfant et lui fait oublier la chose représentée.»

La Première Leçon de Cosmographie

Rendez votre élève attentif aux phénomènes de la nature, bientôt vous le rendrez curieux; mais, pour nourrir sa curiosité, ne vous pressez jamais de la satisfaire. Mettez les questions à sa portée, et laissez-les-lui résoudre. Qu'il ne
10 sache rien parce que vous le lui avez dit, mais parce qu'il l'a compris lui-même; qu'il n'apprenne pas la science, qu'il l'invente. Si jamais vous substituez dans son esprit l'autorité à la raison, il ne raisonnera plus; il ne sera plus que le jouet de l'opinion des autres.

15 Vous voulez apprendre la géographie à cet enfant, et vous lui allez chercher des globes, des sphères, des cartes: que de machines! Pourquoi toutes ces représentations? Que ne commencez-vous par lui montrer l'objet même, afin qu'il sache au moins de quoi vous lui parlez!

20 Une belle soirée, on va se promener dans un lieu favorable, où l'horizon bien découvert laisse voir à plein le soleil couchant, et l'on observe les objets qui rendent reconnaissable le lieu de son coucher. Le lendemain, pour respirer le frais, on retourne au même lieu avant que le soleil se lève. On
25 le voit s'annoncer de loin par les traits de feu qu'il lance au devant de lui. L'incendie augmente, l'orient paraît tout en flammes: à leur éclat on attend l'astre longtemps avant qu'il se montre: à chaque instant, on croit le voir paraître; on le voit enfin. Un point brillant part comme un éclair et

---

s'éveillera en Émile qu'au 4me âge; au 3me âge, le mot utile garde donc le sens strictement utilitaire. C'est le problème moderne du Pragmatisme. Voir Albert Schinz, *J.-J. Rousseau, a Forerunner of Pragmatism* (Open Court Press, 1909).

remplit aussitôt tout l'espace; le voile des ténèbres s'efface
et tombe. L'homme reconnaît son séjour et le trouve embelli.
La verdure a pris durant la nuit une vigueur nouvelle; le
jour naissant qui l'éclaire, les premiers rayons qui la dorent,
la montrent couverte d'un brillant réseau de rosée, qui réflé- 5
chit à l'œil la lumière et les couleurs. Les oiseaux en chœur
se réunissent et saluent de concert le père de la vie; en ce
moment, pas un seul ne se tait; leur gazouillement, faible
encore, est plus lent et plus doux que dans le reste de la
journée, il se sent de la langueur d'un paisible réveil. Le 10
concours de tous ces objets porte aux sens une impression de
fraîcheur qui semble pénétrer jusqu'à l'âme. Il y a là une
demi-heure d'enchantement, auquel nul homme ne résiste:
un spectacle si grand, si beau, si délicieux, n'en laisse aucun
de sang-froid. 15

Plein de l'enthousiasme qu'il éprouve, le maître veut le
communiquer à l'enfant: il croit l'émouvoir en le rendant
attentif aux sensations dont il est ému lui-même. Pure
bêtise! C'est dans le cœur de l'homme qu'est la vie du
spectacle de la nature: pour le voir il faut le sentir. L'en- 20
fant aperçoit les objets; mais il ne peut apercevoir les rapports
qui les lient, il ne peut entendre la douce harmonie de leur
concert. Il faut une expérience qu'il n'a point acquise, il
faut des sentiments qu'il n'a point éprouvés, pour sentir
l'impression composée qui résulte à la fois de toutes ces sen- 25
sations. S'il n'a longtemps parcouru des plaines arides, si
des sables ardents n'ont brûlé ses pieds, si la réverbération
suffocante des rochers frappés du soleil ne l'oppressa jamais,
comment goûtera-t-il l'air frais d'une belle matinée? comment
le parfum des fleurs, le charme de la verdure, l'humide vapeur 30
de la rosée, le marcher mol et doux sur la pelouse, enchante-
ront-ils ses sens? Comment le chant des oiseaux lui causera-
t-il une émotion voluptueuse, si les accents de l'amour et du
plaisir lui sont encore inconnus? Avec quels transports
verra-t-il naître une si belle journée, si son imagination ne 35

sait pas lui peindre ceux dont on peut la remplir? Enfin
comment s'attendrira-t-il sur la beauté du spectacle de la
nature, s'il ignore quelle main prit soin de l'orner?

Ne tenez point à l'enfant des discours qu'il ne peut enten-
5 dre.   Point de descriptions, point d'éloquence, point de fi-
gures, point de poésie. Il n'est pas maintenant question de
sentiment ni de goût.   Continuez d'être clair, simple et froid;
le temps ne viendra que trop tôt de prendre un autre
langage.

10   Élevé dans l'esprit de nos maximes, accoutumé à tirer tous
ses instruments de lui-même, et à ne recourir jamais à autrui
qu'après avoir reconnu son insuffisance, à chaque nouvel
objet qu'il voit il l'examine longtemps sans rien dire. Il
est pensif et non questionneur.   Contentez-vous donc de
15 lui présenter à propos les objets; puis, quand vous verrez
sa curiosité suffisamment occupée, faites-lui quelque question
laconique qui le mette sur la voie de la résoudre.

Dans cette occasion, après avoir bien contemplé avec lui
le soleil levant, après lui avoir fait remarquer du même côté
20 les montagnes et les autres objets voisins, après l'avoir laissé
causer là-dessus tout à son aise, gardez quelques moments le
silence comme un homme qui rêve, et puis vous lui direz:
Je songe que hier au soir le soleil s'est couché là, et qu'il
s'est levé là ce matin.   Comment cela peut-il se faire?
25 N'ajoutez rien de plus: s'il vous fait des questions, n'y répondez point; parlez d'autre chose.   Laissez-le à lui-même,
et soyez sûr qu'il y pensera.

Pour qu'un enfant s'accoutume à être attentif, et qu'il
soit bien frappé de quelque vérité sensible, il faut qu'elle lui
30 donne quelques jours d'inquiétude avant de la découvrir.
S'il ne conçoit pas assez celle-ci de cette manière, il y a moyen
de la lui rendre plus sensible encore, et ce moyen c'est de
retourner la question.   S'il ne sait comment le soleil parvient
de son coucher à son lever, il sait au moins comment il parvient
35 de son lever à son coucher, ses yeux seuls le lui apprennent.

Éclaircissez donc la première question par l'autre: ou votre
élève est absolument stupide, ou l'analogie est trop claire
pour lui pouvoir échapper. Voilà sa première leçon de
cosmographie.

Comme nous procédons toujours lentement d'idée sensible 5
en idée sensible, que nous nous familiarisons longtemps avec
la même avant de passer à une autre, et qu'enfin nous ne for-
çons jamais notre élève d'être attentif, il y a loin de cette
première leçon à la connaissance du cours du soleil et de la
figure de la terre: mais, comme tous les mouvements ap- 10
parents des corps célestes tiennent au même principe, et que
la première observation mène à toutes les autres, il faut
moins d'effort, quoiqu'il faille plus de temps, pour arriver
d'une révolution diurne au calcul des éclipses, que pour bien
comprendre le jour et la nuit. 15

Nous avons vu lever le soleil à la Saint-Jean; nous l'allons
voir aussi lever à Noël ou quelque autre beau jour d'hiver;
car on sait que nous ne sommes pas paresseux, et que nous
nous faisons un jeu de braver le froid. J'ai soin de faire
cette seconde observation dans le même lieu où nous avons 20
fait la première; et, moyennant quelque adresse pour préparer la remarque, l'un ou l'autre ne manquera pas de s'écrier:
« Oh! oh! voilà qui est plaisant! le soleil ne se lève plus à la
même place! Ici sont nos anciens renseignements, et à présent il s'est levé là, etc. . . . Il y a donc un orient d'été et un 25
orient d'hiver, etc. . . . » Jeune maître, vous voilà sur la voie.
Ces exemples vous doivent suffire pour enseigner très clairement la sphère, en prenant le monde pour le monde, et le
soleil pour le soleil.

En général, ne substituez jamais le signe à la chose que 30
quand il vous est impossible de la montrer; car le signe
absorbe l'attention de l'enfant, et lui fait oublier la chose
représentée.

L'Utilité de l'Astronomie

A quoi cela est-il bon? Voilà désormais le mot sacré, le
mot déterminant entre lui et moi dans toutes les actions de
notre vie; voilà la question qui de ma part suit infailible-
ment toutes ses questions, et qui sert de frein à ces multitudes
5 d'interrogations sottes et fastidieuses dont les enfants fa-
tiguent sans relâche et sans fruit tous ceux qui les environnent,
plus pour exercer sur eux quelque espèce d'empire que pour
en tirer quelque profit. Celui à qui, pour sa plus importante
leçon, l'on apprend à ne vouloir rien savoir que d'utile, in-
10 terroge comme Socrate; il ne fait pas une question sans s'en
rendre à lui-même la raison qu'il sait qu'on lui en va demander
avant que de la résoudre.

Voyez quel puissant instrument je vous mets entre les
mains pour agir sur votre élève. Ne sachant les raisons de
15 rien, le voilà presque réduit au silence quand il vous plaît;
et vous, au contraire, quel avantage vos connaissances et
votre expérience ne vous donnent-elles point pour lui montrer
l'utilité de tout ce que vous lui proposez? Car, ne vous y
trompez pas, lui faire cette question, c'est lui apprendre à
20 vous la faire à son tour; et vous devez compter, sur tout ce
que vous lui proposerez dans la suite, qu'à votre exemple
il ne manquera pas de dire: *A quoi cela est-il bon?*

. . . .

Nous observions la position de la forêt au nord de Montmorency, quand il m'a interrompu par son importune ques-
25 tion: «*A quoi sert cela?* — Vous avez raison, lui dis-je; il y
faut penser à loisir; et si nous trouvons que ce travail n'est
bon à rien, nous ne le reprendrons plus, car nous ne manquons
pas d'amusements utiles. » On s'occupe d'autre chose, et il
n'est plus question de géographie du reste de la journée.
30   Le lendemain matin, je lui propose un tour de promenade
avant le déjeuner; il ne demande pas mieux; pour courir,
les enfants sont toujours prêts, et celui-ci a de bonnes jambes.

Nous montons dans la forêt, nous parcourons les champeaux,[1]
nous nous égarons, nous ne savons plus où nous sommes, et,
quand il s'agit de revenir, nous ne pouvons plus retrouver
notre chemin.   Le temps se passe, la chaleur vient, nous
avons faim; nous nous pressons, nous errons vainement de   5
côté et d'autre, nous ne trouvons partout que des bois, des
carrières, des plaines, nul renseignement pour nous reconnaître.   Bien échauffés, bien recrus, bien affamés, nous ne
faisons avec nos courses que nous égarer davantage.   Nous
nous asseyons enfin pour nous reposer, pour délibérer.   Émile, 10
que je suppose élevé comme un autre enfant, ne délibère
point, il pleure; il ne sait pas que nous sommes à la porte de
Montmorency, et qu'un simple taillis nous le cache; mais
ce taillis est une forêt pour lui, un homme de sa stature est
enterré dans des buissons.   15

Après quelques moments de silence, je lui dis d'un air
inquiet:

Mon cher Émile, comment ferons-nous pour sortir d'ici?
— ÉMILE, *en nage, et pleurant à chaudes larmes.*   Je n'en
sais rien.   Je suis las; j'ai faim; j'ai soif; je n'en puis plus. — 20
JEAN-JACQUES.   Me croyez-vous en meilleur état que vous,
et pensez-vous que je me fisse faute de pleurer si je pouvais
déjeuner de mes larmes?   Il ne s'agit pas de pleurer, il
s'agit de se reconnaître.   Voyons votre montre; quelle heure
est-il? — ÉMILE.   Il est midi, et je suis à jeun. — JEAN- 25
JACQUES.   Cela est vrai, il est midi, et je suis à jeun. —
ÉMILE.   Oh! que vous devez avoir faim! — JEAN-JACQUES.
Le malheur est que mon dîner ne viendra pas me trouver ici.
Il est midi, c'est justement l'heure où nous observions hier
de Montmorency la position de la forêt.   Si nous pouvions 30
de même observer de la forêt la position de Montmorency?
... — ÉMILE.   Oui; mais hier nous voyions la forêt, et

---

[1] *Champeaux*, de l'ancien adjectif « champal »: *près des champs*
par opposition à *près des rivières*.   Nom en usage dans quelques dé-
partements.

d'ici nous ne voyons pas la ville. — JEAN-JACQUES. Voilà le
mal . . . Si nous pouvions nous passer de la voir pour trouver sa position? . . . — ÉMILE. O mon bon ami! — JEAN-
JACQUES. Ne disions-nous pas que la forêt était? . . . —
5 ÉMILE. Au nord de Montmorency. — JEAN-JACQUES. Par
conséquent, Montmorency doit être . . . — ÉMILE. Au sud
de la forêt. — JEAN-JACQUES. Nous avons un moyen de
trouver le nord à midi. — ÉMILE. Oui, par la direction de
l'ombre. — JEAN-JACQUES. Mais le sud! — ÉMILE. Com-
10 ment faire? — JEAN-JACQUES. Le sud est l'opposé du nord.
— ÉMILE. Cela est vrai; il n'y a qu'à chercher l'opposé
de l'ombre. Oh! voilà le sud! voilà le sud! sûrement Montmorency est de ce côté; cherchons de ce côté. — JEAN-
JACQUES. Vous pouvez avoir raison, prenons ce sentier à
15 travers le bois. — ÉMILE, *frappant des mains et poussant
un cri de joie*. Ah! je vois Montmorency! le voilà tout
devant nous, tout à découvert. Allons déjeuner, allons dîner,
courons vite; l'astronomie est bonne à quelque chose.

Prenez garde que, s'il ne dit pas cette dernière phrase, il
20 la pensera; peu importe, pourvu que ce ne soit pas moi qui
la dise. Or, soyez sûr qu'il n'oubliera de sa vie la leçon de
cette journée; au lieu que, si je n'avais fait que lui supposer
tout cela dans sa chambre, mon discours eût été oublié dès
le lendemain.

Introduction à la Physique — L'Histoire du Bateleur

25 Depuis longtemps nous nous étions aperçus, mon élève et
moi, que l'ambre, le verre, la cire, divers corps frottés, attiraient les pailles, et que d'autres ne les attiraient pas. Par
hasard nous en trouvons un qui a une vertu plus singulière
encore; c'est d'attirer à quelque distance, et sans être frotté,
30 la limaille et d'autres brins de fer. Combien de temps cette
qualité nous amuse sans que nous puissions y rien voir de
plus! Enfin nous trouvons qu'elle se communique au fer
même aimanté dans un certain sens. Un jour nous allons à

la foire;[1] un joueur de gobelets attire avec un morceau de
pain un canard de cire flottant sur un bassin d'eau. Fort
surpris, nous ne disions pourtant pas: c'est un sorcier, car
nous ne savons ce que c'est qu'un sorcier. Sans cesse frappés d'effets dont nous ignorons les causes, nous ne nous pres- 5
sons de juger de rien, et nous restons en repos dans notre
ignorance jusqu'à ce que nous trouvions l'occasion d'en
sortir.

De retour au logis, à force de parler du canard de la foire,
nous allons nous mettre en tête de l'imiter: nous prenons 10
une bonne aiguille bien aimantée, nous l'entourons de cire
blanche, que nous façonnons de notre mieux en forme de
canard, de sorte que l'aiguille traverse le corps et que la tête
fasse le bec. Nous posons sur l'eau le canard, nous approchons du bec un anneau de clef, et nous voyons avec une joie 15
facile à comprendre que notre canard suit la clef précisément
comme celui de la foire suivait le morceau de pain. Observer dans quelle direction le canard s'arrête sur l'eau quand
on l'y laisse en repos, c'est ce que nous pourrons faire une
autre fois. Quant à présent, tout occupés de notre objet, 20
nous n'en voulons pas davantage.

Dès le même soir, nous retournons à la foire avec du pain
préparé dans nos poches; et sitôt que le joueur de gobelets
a fait son tour, mon petit docteur, qui se contenait à peine,
lui dit que ce tour n'est pas difficile, et que lui-même en fera 25
bien autant. Il est pris au mot: à l'instant, il tire de sa poche
le pain où est caché le morceau de fer; en approchant de la
table, le cœur lui bat: il présente le pain presque en tremblant; le canard vient et le suit: l'enfant s'écrie et tressaille
d'aise. Aux battements de mains, aux acclamations de 30
l'assemblée, la tête lui tourne, il est hors de lui. Le bateleur
interdit vient pourtant l'embrasser, le féliciter, et le prie de
l'honorer encore le lendemain de sa présence, ajoutant qu'il

---

[1] Cette petite scène était arrangée, et le bateleur était instruit du rôle
qu'il avait à faire.

aura soin d'assembler plus de monde encore pour applaudir
à son habileté.   Mon petit naturaliste enorgueilli veut babil-
ler; mais sur-le-champ je lui ferme la bouche, et l'emmène
comblé d'éloges.

5   L'enfant, jusqu'au lendemain, compte les minutes avec
une risible inquiétude.   Il invite tout ce qu'il rencontre; il
voudrait que tout le genre humain fût témoin de sa gloire;
il attend l'heure avec peine, il la devance: on vole au rendez-
vous; la salle est déjà pleine.   En entrant, son jeune cœur
10 s'épanouit.   D'autres jeux doivent précéder; le joueur de
gobelets se surpasse et fait des choses surprenantes.   L'enfant ne voit rien de tout cela; il s'agite, il sue, il respire à
peine; il passe son temps à manier dans sa poche son morceau
de pain d'une main tremblante d'impatience.   Enfin son
15 tour vient; le maître l'annonce au public avec pompe.   Il
s'approche un peu honteux, il tire son pain ... Nouvelle
vicissitude des choses humaines! le canard, si privé la veille,
est devenu sauvage aujourd'hui; au lieu de présenter le bec,
il tourne la queue et s'enfuit; il évite le pain et la main qui
20 le présente avec autant de soin qu'il les suivait auparavant.
Après mille essais inutiles et toujours hués, l'enfant se plaint,
dit qu'on le trompe, que c'est un autre canard qu'on a substitué au premier, et défie le joueur de gobelets d'attirer
celui-ci.

25   Le joueur de gobelets, sans répondre, prend un morceau de
pain, le présente au canard; à l'instant, le canard suit le pain,
et vient à la main qui le retire.   L'enfant prend le même
morceau de pain; mais, loin de réussir mieux qu'auparavant,
il voit le canard se moquer de lui et faire des pirouettes tout
30 autour du bassin: il s'éloigne enfin tout confus, et n'ose
plus s'exposer aux huées.

Alors le joueur de gobelets prend le morceau de pain que
l'enfant avait apporté, et s'en sert avec autant de succès
que du sien: il en tire le fer devant tout le monde, autre
35 risée à nos dépens; puis de ce pain ainsi vidé il attire le ca-

nard comme auparavant. Il fait la même chose avec un
autre morceau coupé devant tout le monde par une main
tierce; il en fait autant avec son gant, avec le bout de son
doigt: enfin il s'éloigne au milieu de la chambre, et, du ton
d'emphase propre à ces gens-là, déclarant que son canard 5
n'obéira pas moins à sa voix qu'à son geste, il lui parle, et
le canard obéit; il lui dit d'aller à droite et il va à droite, de
revenir et il revient, de tourner et il tourne; le mouvement
est aussi prompt que l'ordre. Les applaudissements re-
doublés sont autant d'affronts pour nous. Nous nous éva- 10
dons sans être aperçus, et nous nous renfermons dans notre
chambre sans aller raconter nos succès à tout le monde,
comme nous l'avions projeté.

Le lendemain matin, l'on frappe à notre porte: j'ouvre;
c'est l'homme aux gobelets. Il se plaint modestement de 15
notre conduite. Que nous avait-il fait pour nous engager
à vouloir décréditer ses jeux et lui ôter son gagnepain?
Qu'y a-t-il donc de si merveilleux dans l'art d'attirer un
canard de cire, pour acheter cet honneur aux dépens de la
subsistance d'un honnête homme? « Ma foi, messieurs, si 20
j'avais quelque autre talent pour vivre, je ne me glorifierais
guère de celui-ci. Vous deviez croire qu'un homme qui a
passé sa vie à s'exercer à cette chétive industrie en sait là-
dessus plus que vous qui ne vous en occupez que quelques
moments. Si je ne vous ai pas d'abord montré mes coups 25
de maître, c'est qu'il ne faut pas se presser d'étaler étourdiment ce qu'on sait: j'ai toujours soin de conserver mes
meilleurs tours pour l'occasion, et après celui-ci j'en ai
d'autres encore pour arrêter de jeunes indiscrets. Au
reste, Messieurs, je viens de bon cœur vous apprendre ce 30
secret qui vous a tant embarrassés, vous priant de n'en
pas abuser pour me nuire, et d'être plus retenus une autre
fois. »

Alors il nous montre sa machine, et nous voyons avec la
dernière surprise qu'elle ne consiste qu'en un aimant fort 35

et bien armé, qu'un enfant caché sous la table faisait mouvoir sans qu'on s'en aperçût.

L'homme replie sa machine; et, après lui avoir fait nos remercîments et nos excuses, nous voulons lui faire un présent;
5 il le refuse. « Non, Messieurs, je n'ai pas assez à me louer de vous pour accepter vos dons; je vous laisse obligés à moi malgré vous; c'est ma seule vengeance. Apprenez qu'il y a de la générosité dans tous les états; je fais payer mes tours et non mes leçons. »

10 En sortant il m'adresse à moi nommément et tout haut une réprimande. « J'excuse volontiers, me dit-il, cet enfant; il n'a péché que par ignorance. Mais vous, Monsieur, qui deviez connaître sa faute, pourquoi la lui avoir laissé faire? Puisque vous vivez ensemble, comme le plus âgé vous lui
15 devez vos soins, vos conseils; votre expérience est l'autorité qui doit le conduire. En se reprochant, étant grand, les torts de sa jeunesse, il vous reprochera sans doute ceux dont vous ne l'aurez pas averti. »[1]

Il part et nous laisse tous deux très confus. Je me blâme
20 de ma molle facilité; je promets à l'enfant de la sacrifier une autre fois à son intérêt, et de l'avertir de ses fautes avant qu'il en fasse; car le temps approche où nos rapports vont changer et où la sévérité du maître doit succéder à la complaisance du camarade; ce changement doit s'amener par degrés;
25 il faut tout prévoir, et tout prévoir de fort loin.

Le lendemain nous retournons à la foire pour revoir le tour dont nous avons appris le secret. Nous abordons avec un profond respect notre bateleur[2] Socrate; à peine osons-nous lever les yeux sur lui; il nous comble d'honnêtetés, et
30 nous place avec une distinction qui nous humilie encore.

---

[1] Ai-je dû supposer quelque lecteur assez stupide pour ne pas sentir dans cette réprimande un discours dicté mot à mot par le gouverneur pour aller à ses vues ? (*Note de Rousseau.*)

[2] *Bateleur*, dérivé de « bâton-de-magie. » Aujourd'hui on dit plutôt prestidigitateur, c. à. d., preste de ses doigts (legerdemain).

Il fait ses tours comme à l'ordinaire; mais il s'amuse et se complaît longtemps à celui du canard, en nous regardant souvent d'un air assez fier. Nous savons tout et nous ne soufflons pas. Si mon élève osait seulement ouvrir la bouche, ce serait un enfant à écraser.   5

Tout le détail de cet exemple importe plus qu'il ne semble. Que de leçons dans une seule! Que de suites mortifiantes attire le premier mouvement de vanité! Jeune maître, épiez ce premier mouvement avec soin. Si vous savez en faire sortir ainsi l'humiliation, soyez sûr qu'il n'en reviendra 10 de longtemps un second. Que d'apprêts! direz-vous. J'en conviens, et le tout pour nous faire une boussole qui nous tienne lieu de méridienne.

Ayant appris que l'aimant agit à travers les autres corps, nous n'avons rien de plus pressé que de faire une machine 15 semblable à celle que nous avons vue: une table évidée, un bassin très plat ajusté sur cette table, et rempli de quelques lignes d'eau, un canard fait avec un peu plus de soin, etc. Souvent attentifs autour du bassin, nous remarquons enfin que le canard en repos affecte toujours à peu près la même 20 direction. Nous suivons cette expérience, nous examinons cette direction; nous trouvons qu'elle est du midi au nord. Il n'en faut pas davantage; notre boussole est trouvée, ou autant vaut; nous voilà dans la physique.

Robinson Crusoé, le Premier « Boy Scout »

Je hais les livres; ils n'apprennent qu'à parler de ce qu'on 25 ne sait pas. On dit qu'Hermès grava sur des colonnes les éléments des sciences pour mettre ses découvertes à l'abri d'un déluge. S'il les eût imprimées dans la tête des hommes, elles s'y seraient conservées par tradition. Des cerveaux bien préparés sont les monuments où se gravent le plus sû- 30 rement les connaissances humaines.

N'y aurait-il point moyen de rapprocher tant de leçons éparses dans tant de livres, de les réunir sous un objet commun

qui pût être facile à voir, intéressant à suivre, et qui pût servir de stimulant, même à cet âge? Si l'on peut inventer une situation où tous les besoins naturels de l'homme se montrent d'une manière sensible à l'esprit d'un enfant, et
5 où les moyens de pourvoir à ces mêmes besoins se développent successivement avec la même facilité, c'est par la peinture vive et naïve de cet état qu'il faut donner le premier exercice à son imagination.

Philosophe ardent, je vois déjà s'allumer la vôtre. Ne
10 vous mettez pas en frais; cette situation est trouvée, elle est décrite, et, sans vous faire tort, beaucoup mieux que vous ne la décririez vous-même, du moins avec plus de vérité et de simplicité. Puisqu'il nous faut absolument des livres, il en existe un qui fournit, à mon gré, le plus heureux traité
15 d'éducation naturelle. Ce livre sera le premier que lira mon Émile; seul il composera durant longtemps toute sa bibliothèque et il y tiendra toujours une place distinguée. Il sera le texte auquel tous nos entretiens sur les sciences naturelles ne serviront que de commentaire. Il servira
20 d'épreuve durant nos progrès à l'état de notre jugement, et, tant que notre goût ne sera pas gâté, sa lecture nous plaira toujours. Quel est donc ce merveilleux livre? Est-ce Aristote? est-ce Pline? est-ce Buffon? Non: c'est *Robinson Crusoé*.

25 Robinson Crusoé dans son île, seul, dépourvu de l'assistance de ses semblables et des instruments de tous les arts, pourvoyant cependant à sa subsistance, à sa conservation, et se procurant même une sorte de bien-être; voilà un objet intéressant pour tout âge, et qu'on a mille moyens de rendre
30 agréable aux enfants. Voilà comment nous réalisons l'île déserte qui me servait d'abord de comparaison.

Cet état n'est pas, j'en conviens, celui de l'homme social; vraisemblablement il ne doit pas être celui d'Émile; mais c'est sur le même état qu'il doit apprécier tous les autres.
35 Le plus sûr moyen de s'élever au-dessus des préjugés et d'or-

donner ses jugements sur les vrais rapports des choses, est
de se mettre à la place d'un homme isolé et de juger de tout
comme cet homme en doit juger lui-même eu égard à sa
propre utilité.

Ce roman, débarrassé de tout son fatras,[1] commençant au
naufrage de Robinson près de son île, et finissant à l'arrivée
du vaisseau qui vient l'en tirer, sera tout à la fois l'amusement et l'instruction d'Émile durant l'époque dont il est ici
question. Je veux que la tête lui en tourne, qu'il s'occupe
sans cesse de son château, de ses chèvres, de ses plantations;
qu'il apprenne en détail, non dans des livres, mais sur les
choses, tout ce qu'il faut savoir en pareil cas; qu'il pense
être Robinson lui-même; qu'il se voie habillé de peaux, portant un grand bonnet, un grand sabre, tout le grotesque
équipage de la figure, au parasol près, dont il n'aura pas besoin.
Je veux qu'il s'inquiète des mesures à prendre si ceci ou cela
venait à lui manquer; qu'il examine la conduite de son
héros; qu'il cherche s'il n'a rien omis, s'il n'y avait rien de
mieux à faire; qu'il marque attentivement ses fautes et
qu'il en profite pour n'y pas tomber lui-même en pareil cas;
car ne doutez point qu'il ne projette d'aller faire un établissement semblable; c'est le vrai château en Espagne de cet
heureux âge, où l'on ne connaît d'autre bonheur que le nécessaire et la liberté.

Quelle ressource que cette folie pour un homme habile,
qui n'a su la faire naître qu'afin de la mettre à profit! L'enfant, pressé de se faire un magasin pour son île, sera plus
ardent pour apprendre que le maître pour enseigner. Il
voudra savoir tout ce qui est utile, et ne voudra savoir que
cela; vous n'aurez plus besoin de le guider, vous n'aurez
qu'à le retenir. Au reste, dépêchons-nous de l'établir dans
cette île tandis qu'il y borne sa félicité; car le jour approche

---

[1] Entre autres la longue introduction prêcheuse. C'est du reste ainsi,
« débarrassé du fatras », que l'on publie aujourd'hui le plus souvent
Robinson Crusoé.

où, s'il y veut vivre encore, il n'y voudra plus vivre seul, et où *Vendredi*, qui maintenant ne le touche guère, ne lui suffira pas longtemps.

La pratique des arts naturels, auxquels peut suffire un
5 seul homme, mène à la recherche des arts d'industrie.....

LES TRAVAUX

Émile Apprendra un Travail Manuel

Rousseau a affirmé avec force — avant la Révolution — que le travail n'est pas déshonorant. (John Locke,[1] avant lui, l'avait dit; il ne parlait pas cependant de l'homme en général comme Rousseau, mais de l'éducation spécialement du « Country gentle-
10 man.»)

Or, de toutes les occupations qui peuvent fournir la subsistance à l'homme, celle qui le rapproche le plus de l'état de la nature est le travail des mains; de toutes les conditions, la plus indépendante de la fortune et des hommes est celle
15 de l'artisan. L'artisan ne dépend que de son travail; il est libre, aussi libre que le laboureur est esclave; car celui-ci tient à son champ, dont la récolte est à la discrétion d'autrui. L'ennemi, le prince, un voisin puissant, un procès, lui peut enlever ce champ; par ce champ on peut le vexer en mille

---

[1] Il est très évident que Rousseau avait le fameux livre de Locke sous les yeux en écrivant cette page. Locke, dans ses *Thoughts on Education* (1693) écrivait pour l'éducation de la noblesse. Son élève est le fils de Lord Ashley, depuis Comte de Shaftesbury et Grand Chancelier d'Angleterre. Locke choisit un métier qui vise surtout à distraire l'élève, à préserver sa santé: « For a country gentleman I should propose one, or rather both these, viz. Gardening, or Husbandry in general, and working in wood, as a Carpenter, Joiner, Turner, these things being fit and healthy recreations for a man of study or business. » Et plus loin: « To the arts above mentioned may be added Perfuming, Varnishing, Graving, and several sorts of working in Iron, Brass, and Silver ... or he may learn to set precious stones, or employ himself in grinding and polishing Optical Glasses. » (Cf. P. Villey, *Influence de Montaigne sur Locke et Rousseau*, p. IX.)

manières; mais partout où l'on veut vexer l'artisan, son
bagage est bientôt fait: il emporte ses bras, et s'en va.
Toutefois l'agriculture est le premier métier de l'homme;
c'est le plus honnête, le plus utile, et par conséquent le plus
noble qu'il puisse exercer. Je ne dis pas à Émile: Ap- 5
prends l'agriculture, il la sait. Tous les travaux rustiques
lui sont familiers; c'est par eux qu'il a commencé; c'est à
eux qu'il revient sans cesse. Je lui dis donc: Cultive l'héritage de tes pères. Mais si tu perds cet héritage, ou si tu
n'en as point, que faire? Apprends un métier. 10

Un métier à mon fils! mon fils artisan. Monsieur, y pensez-
vous! J'y pense mieux que vous, madame, qui voulez le
réduire à ne pouvoir jamais être qu'un lord, un marquis,
un prince, et peut-être un jour moins que rien; moi, je lui
veux donner un rang qu'il ne puisse perdre, un rang qui 15
l'honore dans tous les temps; je veux l'élever à l'état
d'homme, et, quoi que vous en puissiez dire, il aura moins
d'égaux à ce titre qu'à tous ceux qu'il tiendra de vous.

La lettre tue et l'esprit vivifie. Il s'agit moins d'apprendre un métier pour savoir un métier que pour vaincre 20
les préjugés qui le méprisent. Vous ne serez jamais réduit
à travailler pour vivre. Eh! tant pis, tant pis pour vous!
Mais n'importe, ne travaillez point par nécessité, travaillez
par gloire. Abaissez-vous à l'état d'artisan pour être au-
dessus du vôtre. Pour vous soumettre la fortune et les choses, 25
commencez par vous en rendre indépendant. Pour régner
par l'opinion, commencez par régner sur elle.

Souvenez-vous que ce n'est point un talent que je vous
demande; c'est un métier, un vrai métier, un art purement
mécanique, où les mains travaillent plus que la tête, et qui ne 30
mène point à la fortune, mais avec lequel on peut s'en passer.
Dans des maisons fort au-dessus du danger de manquer de
pain, j'ai vu des pères pousser la prévoyance jusqu'à joindre au soin d'instruire leurs enfants celui de les pourvoir de
connaissances dont, à tout événement, ils pussent tirer parti 35

pour vivre. Ces pères prévoyants croient beaucoup faire,
ils ne font rien, parce que les ressources qu'ils pensent ménager à leurs enfants dépendent de cette même fortune au-
dessus de laquelle ils les veulent mettre. En sorte qu'avec
5 tous ces beaux talents, si celui qui les a ne se trouve dans
des circonstances favorables pour en faire usage, il périra
de misère comme s'il n'en avait aucun.

. . . .

Voyez donc combien toutes ces brillantes ressources sont
peu solides, et combien d'autres ressources vous sont
10 nécessaires pour tirer parti de celles-là. Et puis, que devien-
drez-vous dans ce lâche abaissement? Les revers, sans vous
instruire, vous avilissent; jouet plus que jamais de l'opinion
publique, comment vous élèverez-vous au-dessus des préjugés, arbitres de votre sort? Comment mépriserez-vous
15 la bassesse et les vices dont vous avez besoin pour subsister?
Vous ne dépendiez que des richesses, et maintenant vous
dépendez des riches; vous n'avez fait qu'empirer votre esclavage, et le surcharger de votre misère. Vous voilà pauvre
sans être libre; c'est le pire état où l'homme puisse
20 tomber.

Mais, au lieu de recourir pour vivre à ces hautes connaissances qui sont faites pour nourrir l'âme et non le corps,
si vous recourez, au besoin, à vos mains et à l'usage que vous
en savez faire, toutes les difficultés disparaissent, tous les
25 manèges deviennent inutiles; la ressource est toujours prête
au moment d'en user; la probité, l'honneur, ne sont plus un
obstacle à la vie; vous n'avez plus besoin d'être lâche et
menteur devant les grands, souple et rampant devant les
fripons, vil complaisant de tout le monde, emprunteur ou
30 voleur, ce qui est à peu près la même chose quand on n'a
rien: l'opinion des autres ne vous touche point; vous n'avez
à faire votre cour à personne, point de sot à flatter, point de
suisse à fléchir, point de courtisane à payer, et, qui pis est,
à encenser. Que des coquins mènent les grandes affaires,

peu vous importe; cela ne vous empêchera pas, vous, dans
votre vie obscure, d'être honnête homme et d'avoir du pain.
Vous entrez dans la première boutique du métier que vous
avez appris.   « Maître, j'ai besoin d'ouvrage. — Compagnon, mettez-vous là, travaillez. »   Avant que l'heure du 5
dîner soit venue, vous avez gagné votre dîner; si vous êtes
diligent et sobre, avant que huit jours se passent, vous aurez
de quoi vivre huit autres jours; vous aurez vécu libre, sain,
vrai, laborieux, juste.   Ce n'est pas perdre son temps que
d'en gagner ainsi. 10

Je veux absolument qu'Émile apprenne un métier.   Un
métier honnête, au moins, direz-vous.   Que signifie ce mot?
Tout métier utile au public n'est-il pas honnête?   Je ne veux
point qu'il soit brodeur, ni doreur, ni vernisseur, comme le
gentilhomme de Locke; je ne veux qu'il soit ni musicien, ni 15
comédien, ni faiseur de livres.   A ces professions près, et les
autres qui leur ressemblent, qu'il prenne celle qu'il voudra;
je ne prétends le gêner en rien.   J'aime mieux qu'il soit
cordonnier que poète; j'aime mieux qu'il pave les grands
chemins que de faire des fleurs de porcelaine.   Mais, direz- 20
vous, les archers, les espions, les bourreaux, sont des gens
utiles.   Il ne tient qu'au gouvernement qu'ils ne le soient
point.   Mais passons, j'avais tort; il ne suffit pas de choisir
un métier utile, il faut encore qu'il n'exige pas des gens qui
l'exercent des qualités d'âme odieuses et incompatibles 25
avec l'humanité.   Ainsi revenant au premier mot, prenons
un métier honnête; mais souvenons-nous toujours qu'il n'y
a point d'honnêteté sans l'utilité.

.   .   .   .

Quand on a le choix, et que rien d'ailleurs ne nous détermine, pourquoi ne consulterait-on pas l'agrément, l'inclina- 30
tion, la convenance, entre les professions de même rang?
Les travaux des métaux sont utiles, et même les plus utiles
de tous; cependant, à moins qu'une raison particulière ne
m'y porte, je ne ferai point de votre fils un maréchal, un

serrurier, un forgeron; je n'aimerais pas à lui voir, dans
sa forge, la figure d'un cyclope. De même, je n'en ferai
pas un maçon, encore moins un cordonnier. Il faut que
tous les métiers se fassent; mais qui peut choisir doit avoir
5 égard à la propreté, car il n'y a point là d'opinion; sur ce
point, les sens nous décident. Enfin je n'aimerais pas ces
stupides professions dont les ouvriers, sans industrie et presque automates, n'exercent jamais leurs mains qu'au même
travail; les tisserands, les faiseurs de bas, les scieurs de pierre;
10 à quoi sert d'employer à ces métiers des hommes de sens?
c'est une machine qui en mène une autre.

Tout bien considéré, le métier que j'aimerais le mieux qui
fût du goût de mon élève est celui de menuisier. Il est propre,
il est utile, il peut s'exercer dans la maison; il tient suf-
15 fisamment le corps en haleine; il exige dans l'ouvrier de l'a-
dresse et de l'industrie; et, dans la forme des ouvrages que
l'utilité détermine, l'élégance et le goût ne sont pas
exclus.

Que si par hasard le génie de votre élève était décidément
20 tourné vers les sciences spéculatives, alors je ne blâmerais
pas qu'on lui donnât un métier conforme à ses inclinations;
qu'il apprît, par exemple, à faire des instruments de mathématiques, des lunettes, des télescopes, etc.

Le Quatrième Âge (*Du Sentiment*)

(De quinze ou seize ans à vingt ans)

Émile étant devenu sain et vigoureux physiquement (2me âge),
25 et « réunissant l'usage de ses membres à celui de ses facultés ...
un être agissant et pensant » (3me âge), « il ne reste plus que de
faire de lui, pour achever l'homme, un être aimant et sensible.»
Jusqu'ici Émile n'a de vertu que « ce qui se rapporte à lui-même »;
mais entrant dans l'âge de l'adolescence, il cesse d'être un enfant.
30 « C'est ici la seconde naissance ... C'est ici que l'homme naît
véritablement à la vie et que rien d'humain ne lui est étranger.»

Une faculté nouvelle va alors se développer, qui embrasse à la fois le domaine moral et religieux, le *sentiment*.[1]

L'Étude de l'Histoire

Les passions naissantes étant dangereuses, et la société étant corrompue: «Il importe — dit Rousseau — de prendre une route opposée à celle que nous avons suivie jusqu'à présent, et d'instruire plutôt le jeune homme par l'expérience d'autrui que par la sienne.» Ce sera le moment pour Émile d'étudier l'histoire, qui fera connaître les mobiles qui font agir les hommes et les sociétés.

Malheureusement cette étude a ses dangers, ses inconvénients de plus d'une espèce. Il est difficile de se mettre dans un point de vue d'où l'on puisse juger ses semblables avec équité. Un des grands vices de l'histoire est qu'elle peint beaucoup plus les hommes par leurs mauvais côtés que par les bons: comme elle n'est intéressante que par les révolutions, les catastrophes, tant qu'un peuple croît et prospère dans le calme d'un paisible gouvernement elle n'en dit rien; elle ne commence à en parler que quand, ne pouvant plus se suffire à lui-même, il prend part aux affaires de ses voisins, ou les laisse prendre part aux siennes: elle ne l'illustre que quand il est déjà sur son déclin: toutes nos histoires commencent où elles devraient finir. Nous avons fort exactement celle des peuples qui se détruisent; ce qui nous manque est celle des peuples qui se multiplient; ils sont assez heureux et assez sages pour qu'elle n'ait rien à dire d'eux: et en effet, nous voyons, même de nos jours, que les gouvernements qui se conduisent le mieux sont ceux dont on parle le moins. Nous ne savons donc que le mal, à peine le bien fait-il époque. Il n'y a que les méchants de célèbres, les bons sont oubliés ou tournés en ridicule; et voilà comment l'histoire, ainsi que la philosophie, calomnie sans cesse le genre humain.

---

[1] Le sentiment esthétique n'est pas étudié spécialement par Rousseau, comme avant lui, par Platon, et après lui par maint philosophe du XIXme siècle.

De plus, il s'en faut bien que les faits décrits dans l'histoire ne soient la peinture exacte des mêmes faits tels qu'ils sont arrivés: ils changent de forme dans la tête de l'historien; ils se moulent sur ses intérêts; ils prennent la teinte de ses
5 préjugés. Qui est-ce qui sait mettre exactement le lecteur au lieu de la scène pour voir un événement tel qu'il s'est passé? L'ignorance ou la partialité déguise tout. Sans altérer même un trait historique, en étendant ou resserrant des circonstances qui s'y rapportent, que de faces différentes
10 on peut lui donner! Mettez un même objet à divers points de vue, à peine paraîtra-t-il le même, et pourtant rien n'aura changé que l'œil du spectateur. Suffit-il, pour l'honneur de la vérité, de me dire un fait véritable en me le faisant voir tout autrement qu'il n'est arrivé? Combien de fois un arbre
15 de plus ou de moins, un rocher à droite ou à gauche, un tourbillon de poussière élevé par le vent, ont décidé de l'événement d'un combat sans que personne s'en soit aperçu! Cela empêche-t-il que l'historien ne vous dise la cause de la défaite ou de la victoire avec autant d'assurance que s'il
20 eût été partout? Or, que m'importent les faits en eux-même, quand la raison m'en reste inconnue? et quelles leçons puis-je tirer d'un événement dont j'ignore la vraie cause? L'historien m'en donne une, mais il la controuve; et la critique elle-même, dont on fait tant de bruit, n'est qu'un
25 art de conjecturer, l'art de choisir entre plusieurs mensonges celui qui ressemble le mieux à la vérité. . . . .

Ajoutez à toutes ces réflexions que l'histoire montre bien plus les actions que les hommes, parce qu'elle ne saisit ceux-ci que dans certains moments choisis, dans leurs vêtements
30 de parade; elle n'expose que l'homme public qui s'est arrangé pour être vu; elle ne le suit point dans sa maison, dans son cabinet, dans sa famille, au milieu de ses amis; elle ne le peint que quand il représente; c'est plus son habit que sa personne qu'elle peint.

35 J'aimerais mieux la lecture des vies particulières pour

commencer l'étude du cœur humain; car alors l'homme a
beau se dérober, l'historien le poursuit partout; il ne lui
laisse aucun moment de relâche, aucun recoin pour éviter
l'œil perçant du spectateur; et c'est quand l'un croit mieux
se cacher que l'autre le fait mieux connaître.   5

Il faut encore ici recourir aux anciens, par les raisons que
j'ai déjà dites; et, de plus, parce que tous les détails familiers
et bas, mais vrais et caractéristiques, étant bannis du style
moderne, les hommes sont aussi parés par nos auteurs dans
leurs vies privées que sur la scène du monde. La décence,   10
non moins sévère dans les écrits que dans les actions, ne
permet plus de dire en public que ce qu'elle permet d'y faire,
et comme on ne peut montrer les hommes que représentant
toujours, on ne les connaît pas plus dans nos livres que sur
nos théâtres. On aura beau faire et refaire cent fois la vie 15
des rois, nous n'aurons plus de Suétone.

Plutarque excelle par ces mêmes détails dans lesquels
nous n'osons plus entrer. Il a une grâce inimitable à peindre
les grands hommes dans les petites choses; il est si heureux
dans le choix de ses traits, que souvent un mot, un sourire, 20
un geste, lui suffit pour caractériser son héros. Avec un mot
plaisant, Annibal[1] rassure son armée effrayée, et la fait
marcher en riant à la bataille qui lui livra l'Italie; Agésilas,[2] à cheval sur un bâton, me fait aimer le vainqueur du

[1] C'était avant la bataille de Cannes, l'an 216 avant J.-C. Annibal est
monté sur une colline pour observer les ennemis qui forment leurs rangs.
« Un de ceux qui l'accompagnent, Giscon, homme de son rang, lui dit
qu'il est étonné du nombre des ennemis. Annibal, fronçant le sourcil:
Il y a autre chose, Giscon, qui à ton insu, est plus étonnante encore. —
Laquelle? dit Giscon. — *C'est,* dit Annibal, *que dans tout ce monde il n'y
ait pas un homme qui se nomme Giscon.* Ce bon mot inattendu excite un
rire général . . . A cette vue, les Carthaginois se sentent pleins de confiance, persuadés que leur général devait avoir un grand et souverain
mépris des ennemis pour rire de la sorte et plaisanter en face du péril. »
(*Vie de Fabius Maximus.*)

[2] *Agésilas* (445–361 av. J.-C.), roi de Sparte pendant 41 ans, avec la
réputation du 'plus grand et du plus puissant des Grecs'. « Or, Agésilas

grand roi; César,[1] traversant un pauvre village, et causant
avec ses amis, décèle, sans y penser, le fourbe qui disait ne
vouloir qu'être l'égal de Pompée; Alexandre [2] avale une médecine, et ne dit pas un seul mot; c'est le plus beau moment
5 de sa vie; Aristide [3] écrit son propre nom sur une coquille et

---

aimait beaucoup ses enfants, et l'on raconte que, quand ils étaient tout
petits, il partageait leurs jeux, et allait, comme eux, à cheval sur un
bâton.   Un de ses amis l'ayant trouvé dans cette posture, il le pria de
n'en rien dire à personne avant d'être lui-même devenu père. » (*Vie
d'Agésilas.*)

[1] C'était après que Marius et Sylla s'étaient disputé le pouvoir à
Rome, et à la veille de la rivalité de Pompée et de César.   Ce dernier,
encore jeune, nommé propréteur en Espagne, part pour sa province.
Passant par une petite ville de Barbares, habitée par quelques hommes
en haillons, César dit d'un ton sérieux: « Pour ma part j'aimerais
mieux être le premier chez ces gens-là que le second à Rome. » (*Vie
de Jules César.*)

[2] « Un seul [de ses médecins], Philippe d'Acarnanie, voyant tout
désespéré autour de lui . . . voulut essayer, pour sa guérison, les derniers
remèdes . . . Dans le même moment, Parménion [guerrier d'Alexandre]
lui envoie du camp une lettre où il l'engage à se tenir en garde contre
Philippe, qui, séduit par les riches présents de Darius et par la main de
sa fille, a promis de faire mourir Alexandre . . . Au temps voulu, Philippe,
accompagné des amis du roi, entre, portant le breuvage dans une coupe.
Alexandre lui donne la lettre et prend à son tour le breuvage bravement
et sans soupçon.   Ce fut un spectacle admirable de voir l'un lisant, l'autre
buvant, et se regardant tous deux, mais avec bien de la différence . . . »
(*Vie d'Alexandre.*)

[3] *Aristide* (253–183 av. J.-C.) surnommé à Athènes, ‹le Juste›, ce qui
lui valut l'envie de certains compatriotes, et la peine de l'ostracisme.
« Au moment où l'on écrivait sur les coquilles, on dit qu'un paysan, vrai
rustre et ne sachant pas écrire, présenta la coquille à Aristide, qu'il prit
pour un homme du commun, et le pria d'y inscrire le nom d'Aristide.
Celui-ci, tout étonné, lui demande si Aristide lui a fait quelque mal:
Aucun, répond-il; *je ne connais point cet homme-là, mais je suis ennuyé
de l'entendre partout appelé le Juste.*   En entendant ces mots, Aristide
ne répond rien, inscrit son nom sur la coquille et la remet au paysan. »
(*Vie d'Aristide.*)

justifie ainsi son surnom; Philopœmène,[1] le manteau bas,
coupe du bois dans la cuisine de son hôte. Voilà le véritable
art de peindre. La physionomie ne se montre pas dans les
grands traits, ni le caractère dans les grandes actions; c'est
dans les bagatelles que le naturel se découvre. Les choses 5
publiques sont ou trop communes ou trop apprêtées, et
c'est presque uniquement à celles-ci que la dignité moderne
permet à nos auteurs de s'arrêter.

Un des plus grands hommes du siècle dernier fut incontestablement M. de Turenne. On a eu le courage de rendre 10
sa vie intéressante par de petits détails qui le font connaître
et aimer; mais combien s'est-on vu forcé d'en supprimer
qui l'auraient fait connaître et aimer davantage? Je n'en
citerai qu'un, que je tiens de bon lieu, et que Plutarque n'eût
eu garde d'omettre, mais que Ramsay[2] n'eût eu garde d'écrire 15
quand il l'aurait su.

Un jour d'été, qu'il faisait fort chaud, le vicomte de
Turenne, en petite veste blanche et en bonnet, était à la
fenêtre dans son antichambre: un de ses gens survient, et,
trompé par l'habillement, le prend pour un aide de cuisine 20
avec lequel ce domestique était familier. Il s'approche
doucement par derrière, et d'une main qui n'était pas légère
lui applique un grand coup sur les fesses. L'homme frappé
se retourne à l'instant. Le valet voit en frémissant le visage

---

[1] *Philopœmène* (253-183 av. J.-C.) surnommé ‹ le dernier des Hellènes ›,
et l'un des chefs de la ‹ Ligue des Achéens › pour maintenir l'unité de la
Grèce, était indifférent à la pompe de son rang. « Un jour, une femme
venait d'apprendre que le chef des Achéens allait venir chez elle: la voilà
toute troublée, préparant le dîner pendant l'absence fortuite de son mari.
Sur ce point Philopœmène arrive, vêtu d'une chlamyde toute simple;
elle le prend pour un des valets et le prie de lui donner un coup de main.
Philopœmène aussitôt jette sa chlamyde et fend du bois. » (*Vie de
Philopœmène.*)

[2] *André Michel de Ramsay*, né en Écosse (1686), mort à Paris (1743),
avait publié en 1735, en français et en anglais, une *Histoire de Turenne*,
en 2 vol., mais qui ne fait connaître que le grand général et non l'homme
doué de vertus sociales.

de son maître. Il se jette à genoux tout éperdu: « *Mon-seigneur, j'ai cru que c'était George* ... — *Et quand c'eût été George*, s'écrie Turenne en se frottant le derrière, *il ne fallait pas frapper si fort.* » Voilà donc ce que vous n'osez dire, misérable? Soyez donc à jamais sans naturel, sans entrailles; trempez, durcissez vos cœurs de fer dans votre vile décence; rendez-vous méprisables à force de dignité. Mais toi, bon jeune homme qui lis ce trait, et qui sens avec attendrissement toute la douceur d'âme qu'il montre, même dans le premier mouvement, lis aussi les petitesses de ce grand homme, dès qu'il était question de sa naissance et de son nom. Songe que c'est le même Turenne qui affectait de céder partout le pas à son neveu, afin qu'on vît bien que cet enfant était le chef d'une maison souveraine. Rapproche ces contrastes, aime la nature, méprise l'opinion, et connais l'homme.

PROFESSION DE FOI DU VICAIRE SAVOYARD

Le *Credo* moral et religieux auquel Rousseau est arrivé est contenu dans cet important traité, qui est un livre en lui-même.

Rousseau sait bien qu'il heurte toutes les opinions quand il refuse de parler de religion à Émile avant l'âge de 15 ou 18 ans.[1] Il s'explique ainsi.

[1] Ce problème avait été discuté par Fénelon dans son *Traité de l'Édu-cation de Filles* (1687); voir chapitre VII.

Il sera intéressant de comparer aux idées de Rousseau celles de Miche-let, dans son livre sur *La Femme* (Ière Partie, Chap. 4). M. croit qu'il faut mettre une croyance religieuse au cœur de l'enfant, mais qu'on écarte la Bible. Qu'on lise avec l'enfant les chants de Védah, « hymnes du matin riant »; aussi l'Iliade et l'Odyssée, « chants de nourrice »; peut-être un peu du naïf Hérodote, mais la Bible est seulement pour l'homme fait:

« C'est le soir, c'est dans la nuit, que semblent avoir été écrits la plupart des livres bibliques. Toutes les questions terribles qui troublent l'esprit humain y sont posées âprement, avec une crudité sauvage. Le divorce de l'homme avec Dieu, et du fils avec son père, le redoutable problème de l'origine du mal, toutes ces anxiétés du peuple dernier-né de l'Asie, je me

JEAN-JACQUES ROUSSEAU
D'après le dessein de Devosge

Je prévois combien de lecteurs seront surpris de me voir suivre tout le premier âge de mon élève sans lui parler de religion. A quinze ans, il ne savait s'il avait une âme, et peut-être à dix-huit n'est-il pas encore temps qu'il l'apprenne; car, s'il l'apprend plus tôt qu'il ne faut, il court risque de ne le savoir jamais.

Si j'avais à peindre la stupidité fâcheuse, je peindrais un pédant enseignant le catéchisme à des enfants; si je voulais rendre un enfant fou, je l'obligerais d'expliquer ce qu'il dit en disant son catéchisme. On m'objectera que la plupart des dogmes du christianisme étant des mystères, attendre que l'esprit humain soit capable de les concevoir, ce n'est pas attendre que l'enfant soit homme, c'est attendre que l'homme ne soit plus. A cela je réponds premièrement qu'il y a des mystères qu'il est non-seulement impossible à l'homme de concevoir, mais de croire, et que je ne vois pas ce qu'on gagne à les enseigner aux enfants, si ce n'est de leur apprendre à mentir de bonne heure. Je dis de plus que, pour admettre les mystères, il faut comprendre au moins qu'ils sont incompréhensibles; et les enfants ne sont pas même capables de cette conception-là. Pour l'âge où tout est mystère, il n'y a point de mystères proprement dits.

Il faut croire en Dieu pour être sauvé. Ce dogme mal entendu est le principe de la sanguinaire intolérance, et la cause de toutes ces vaines instructions qui portent le coup mortel à la raison humaine en l'accoutumant à se payer de

---

garderai d'en troubler trop tôt un jeune cœur. Que serait-ce, Grand Dieu! de lui lire les rugissements que David poussait dans l'ombre, en battant son cœur déchiré des souvenirs du meurtre d'Urie?

Le vin fort est pour les hommes et le lait pour les enfants. Je suis vieux et ne vaux guère. Ce livre [la Bible] me va. L'homme y tombe, se relève, et c'est pour tomber encore. Que de chutes! Comment ferais-je pour expliquer tout cela à ma chère innocente? Puisse-t-elle ignorer longtemps le combat de *l'homo duplex*! Ce n'est pas que ce livre-ci ait l'énervante mollesse des mystiques du moyen âge. Mais il est trop orageux, il est trouble, il est inquiet. »

mots. Sans doute il n'y a pas un moment à perdre póur mériter le salut éternel; mais si, pour l'obtenir, il suffit de répéter certaines paroles, je ne vois pas ce qui nous empêche de peupler le ciel de sansonnets et de pies, tout aussi bien
5 que d'enfants.

L'obligation de croire en suppose la possibilité. Le philosophe qui ne croit pas a tort, parce qu'il use mal de la raison qu'il a cultivée, et qu'il est en état d'entendre les vérités qu'il rejette. Mais l'enfant qui professe la religion chrétienne,
10 que croit-il? ce qu'il conçoit, et il conçoit si peu ce qu'on lui fait dire, que si vous lui dites le contraire il l'adoptera tout aussi volontiers. La foi des enfants et de beaucoup d'hommes est une affaire de géographie. Seront-ils récompensés d'être nés à Rome plutôt qu'à la Mecque? On dit à l'un que Maho-
15 met est le prophète de Dieu, et il dit que Mahomet est le prophète de Dieu; on dit à l'autre que Mahomet est un fourbe, et il dit que Mahomet est un fourbe. Chacun des deux eût affirmé ce qu'affirme l'autre, s'ils se fussent trouvés transposés. Peut-on partir de deux dispositions si semblables
20 pour envoyer l'un en paradis et l'autre en enfer? Quand un enfant dit qu'il croit en Dieu, ce n'est pas en Dieu qu'il croit, c'est à Pierre ou à Jacques, qui lui disent qu'il y a quelque chose qu'on appelle *Dieu;* et il le croit à la manière d'Euripide:

> Ô Jupiter! car de toi rien sinon
> Je ne connais seulement que le nom.[1]

25 Rousseau met ses idées dans la bouche d'un Vicaire savoyard [2] qui avait trouvé la paix intérieure en accomplissant les rites du culte catholique quand même certains dogmes lui paraissaient difficiles à accepter, et qui considérait comme fondamentaux

---

[1] Plutarque, *Traité de l'Amour*, trad. d'Amyot. C'est ainsi que commençait d'abord la tragédie de Mésalippe; mais les clameurs du peuple d'Athènes forcèrent Euripide à changer ce commencement.

[2] Il dit dans les *Confessions* qu'il a combiné pour composer cette figure, des traits de l'abbé Gaime, de Turin, et de l'abbé Gâtier, du Séminaire d'Annecy. (Voir I° Partie de ce livre.)

en religion seulement les dogmes révélés naturellement par la
« lumière intérieure » qui est en tout homme; d'où le nom de
‹ Religion Naturelle › :[1] « Au lieu de vous dire de mon chef ce
que je pense, je vous dirai ce que pensait un homme qui valait
mieux que moi. Je garantis la vérité des faits qui vont être rap-   5
portés; ils sont réellement arrivés à l'auteur du papier que je
vais transcrire: C'est à vous de voir si l'on peut en tirer des
réflexions utiles sur le sujet dont il s'agit. Je ne vous propose
point le sentiment d'un autre ou le mien pour règle; je vous
l'offre à examiner.» Cette précaution ne servit à rien, et sa   10
doctrine valut à Rousseau d'intolérables persécutions.

On était en été; nous nous levâmes à la pointe du jour.
Il me mena hors de la ville, sur une haute colline, au-dessous
de laquelle passait le Pô, dont on voyait le cours à travers
les fertiles rives qu'il baigne; dans l'éloignement, l'immense   15
chaîne des Alpes couronnait le paysage; les rayons du soleil
levant rasaient déjà les plaines et, projetant sur les champs
par longues ombres les arbres, les coteaux, les maisons, en-
richissaient de mille accidents de lumière le plus beau tableau
dont l'œil humain puisse être frappé. On eût dit que la   20
nature étalait à nos yeux toute sa magnificence pour en offrir le texte à nos entretiens. Ce fut là qu'après avoir quelque
temps contemplé ces objets en silence, l'homme de paix me
parla ainsi:

Mon enfant, n'attendez de moi ni des discours savants ni   25
de profonds raisonnements. Je ne suis pas un grand philosophe, et je me soucie peu de l'être. Mais j'ai quelquefois
du bon sens, et j'aime toujours la vérité. Je ne veux pas
argumenter avec vous, ni même tenter de vous convaincre;
il me suffit de vous exposer ce que je pense dans la simplicité   30
de mon cœur. Consultez le vôtre durant mon discours;

[1] Le terme de ‹ Religion Naturelle › se rencontre d'abord dans les
écrits de Jean Bodin. La conclusion de son livre, *De Republica*, écrit en
1588, est celle-ci: « N'est-il pas avantageux d'embrasser la plus humble,
la plus ancienne, et la plus vraie des religions, la religion naturelle (naturae
religionem)? » (Cité, Ducros, *Les Encyclopédistes*, p. 39.)

c'est tout ce que je vous demande. Si je me trompe, c'est
de bonne foi; cela suffit pour que mon erreur ne me soit pas
imputée à crime: quand vous vous tromperiez de même, il
y aurait peu de mal à cela. Si je pense bien, la raison nous
5 est commune, et nous avons le même intérêt à l'écouter:
pourquoi ne penseriez-vous pas comme moi?

Je suis né pauvre et paysan, destiné, par mon état, à cultiver la terre; mais on crut plus beau que j'apprisse à gagner
mon pain dans le métier de prêtre, et l'on trouva le moyen
10 de me faire étudier. Assurément, ni mes parents ni moi ne
songions guère à chercher en cela ce qui était bon, véritable,
utile, mais ce qu'il fallait savoir pour être ordonné. J'appris ce qu'on voulait que j'apprisse, je dis ce qu'on voulait
que je disse, je m'engageai comme on voulut, et je fus fait
15 prêtre. Mais je ne tardai pas à sentir qu'en m'obligeant de
n'être pas homme, j'avais promis plus que je ne pouvais
tenir.

La voix de la nature parle plus fort en l'abbé que la voix de la
société civilisée — il viole le vœu de chasteté du prêtre. Écouter
20 la voix de la nature — quand même celle-ci peut-être toujours
bonne en soi — n'est pas *dans la société*, toujours opportun ou
permissible; et la punition infligée au prêtre par l'Église au nom
de la société, lui fait douter de la sagesse des représentants de la
Divinité sur la terre; mais sa foi étant ébranlée, où trouvera-t-il
25 une vérité qui lui donne la paix de l'esprit?

La Lumière Intérieure

J'étais dans ces dispositions d'incertitude et de doute
que Descartes exige pour la recherche de la vérité. Cet
état est peu fait pour durer, il est inquiétant et pénible, il
n'y a que l'intérêt du vice ou la paresse de l'âme qui nous y
30 laisse. Je n'avais point le cœur assez corrompu pour m'y
plaire; et rien ne conserve mieux l'habitude de réfléchir
que d'être plus content de soi que de sa fortune.

Je méditais donc sur le triste sort des mortels flottants

sur cette mer des opinions humaines, sans gouvernail, sans
boussole, et livrés à leurs passions orageuses, sans autre
guide qu'un pilote inexpérimenté qui méconnaît sa route, et
qui ne sait ni d'où il vient ni où il va. Je me disais: J'aime
la vérité, je la cherche, et ne puis la reconnaître; qu'on me 5
la montre, et j'y demeure attaché: pourquoi faut-il qu'elle se
dérobe à l'empressement d'un cœur fait pour l'adorer!....

Je consultai les philosophes, je feuilletai leurs livres,
j'examinai leurs diverses opinions: je les trouvai tous fiers,
affirmatifs, dogmatiques, même dans leur scepticisme pré- 10
tendu, n'ignorant rien, ne prouvant rien, se moquant les uns
des autres; et ce point commun à tous me parut le seul sur
lequel ils ont tous raison. Triomphants quand ils atta-
quent, ils sont sans vigueur en se défendant. Si vous pesez
les raisons, ils n'en ont que pour détruire; si vous comptez 15
les voix, chacun est réduit à la sienne; ils ne s'accordent
que pour disputer: les écouter n'était pas le moyen de sortir
de mon incertitude.

Je conçus que l'insuffisance de l'esprit humain est la première cause de cette prodigieuse diversité de sentiments, et 20
que l'orgueil est la seconde. Nous n'avons point la mesure
de cette machine immense, nous n'en pouvons calculer les
rapports; nous n'en connaissons ni les premières lois ni la
cause finale; nous nous ignorons nous-mêmes; nous ne connaissons ni notre nature ni notre principe actif; à peine 25
savons-nous si l'homme est un être simple ou composé; des
mystères impénétrables nous environnent de toutes parts;
ils sont au-dessus de la région sensible;[1] pour les percer, nous
croyons avoir de l'intelligence, et nous n'avons que de l'imagination. Chacun se fraye, à travers ce monde imaginaire, 30
une route qu'il croit la bonne; nul ne peut savoir si la sienne
mène au but. Cependant nous voulons tout pénétrer, tout
connaître. La seule chose que nous ne savons point est d'ignorer ce que nous ne pouvons savoir. Nous aimons mieux

---

[1] Région des choses perçues par les sens

nous déterminer au hasard, et croire ce qui n'est pas, que
d'avouer qu'aucun de nous ne peut voir ce qui est. Petite
partie d'un grand tout dont les bornes nous échappent, et
que son auteur livre à nos folles disputes, nous sommes assez
5 vains pour vouloir décider ce qu'est ce tout en lui-même, et
ce que nous sommes par rapport à lui.

Rousseau vise dans les lignes suivantes si sévères, spécialement
les philosophes du XVIIIme siècle français. Ceux-ci, entraînés
par leur lutte contre les prêtres qui entretenaient la superstition
10 chez les peuples en sorte de les mieux dominer, choquaient les
esprits réfléchis comme Rousseau, par l'insolent dogmatisme
scientifique — le sensualisme — qu'ils opposaient aux dogmes ec-
clésiastiques. Quand Rousseau attaqua l'insuffisance des théories matérialistes de ces philosophes, ceux-ci l'accusèrent de
15 trahir leur cause, car un jour ils avaient cru Rousseau avec eux.
Rousseau faisait donc face à la fois aux deux grands groupes
d'adversaires qui divisaient les esprits au XVIIIme siècle, *les
prêtres* trahissant la religion, et les *philosophes* prétendant sotte-
ment réduire la vérité au niveau de leur intelligence. Seul le
20 vigoureux génie dialectique de Rousseau le sauva de l'écrasement
entre ces deux redoutables puissances de son temps.

Quand les philosophes seraient en état de découvrir la
vérité, qui d'entre eux prendrait intérêt à elle? Chacun
sait bien que son système n'est pas mieux fondé que les autres;
25 mais il le soutient parce qu'il est à lui. Il n'y en a pas un seul
qui, venant à connaître le vrai et le faux, ne préférât le mensonge qu'il a trouvé à la vérité découverte par un autre.
Où est le philosophe qui, pour sa gloire, ne tromperait pas
volontiers le genre humain? Où est celui qui, dans le secret
30 de son cœur, se propose un autre objet que de se distinguer?
Pourvu qu'il s'élève au-dessus du vulgaire, pourvu qu'il efface l'éclat de ses concurrents, que demande-t-il de plus?
L'essentiel est de penser autrement que les autres. Chez
les croyants il est athée, chez les athées il serait croyant.
35 Le premier fruit que je tirai de ces réflexions fut d'apprendre
à borner mes recherches à ce qui m'intéressait immédiate-

ment, à me reposer dans une profonde ignorance sur tout le
reste, et à ne m'inquiéter, jusqu'au doute, que des choses qu'il
m'importait de savoir.

Je compris encore que, loin de me délivrer de mes doutes
inutiles, les philosophes ne feraient que multiplier ceux qui
me tourmentaient, et n'en résoudraient aucun. Je pris donc
un autre guide, et je me dis: Consultons la lumière intérieure,
elle m'égarera moins qu'ils ne m'égarent, ou du moins, mon
erreur sera la mienne, et je me dépraverai moins en
suivant mes propres illusions qu'en me livrant à leurs
mensonges.

Alors, repassant dans mon esprit les diverses opinions qui
m'avaient tour à tour entraîné depuis ma naissance, je vis
que, bien qu'aucune d'elles ne fût assez évidente pour produire immédiatement la conviction, elles avaient divers
degrés de vraisemblance, et que l'assentiment intérieur s'y
prêtait ou s'y refusait à différentes mesures. Sur cette
première observation, comparant entre elles toutes ces différentes idées dans le silence des préjugés, je trouvai que la
première et la plus commune était aussi la plus simple et la
plus raisonnable, et qu'il ne lui manquait, pour réunir tous
les suffrages, que d'avoir été proposée la dernière. Ima-
ginez tous vos philosophes anciens et modernes ayant
d'abord épuisé leurs bizarres systèmes de forces, de chances,
de fatalité, de nécessité, d'atomes, de monde animé, de matière vivante, de matérialisme de toute espèce, et, après
eux tous, l'illustre Clarke [1] éclairant le monde, annonçant
enfin l'Être des êtres et le dispensateur des choses: avec
quelle universelle admiration, avec quel applaudissement
unanime, n'eût point été reçu ce nouveau système, si grand,
si consolant, si sublime, si propre à élever l'âme, à donner une
base à la vertu, et en même temps si frappant, si lumineux,
si simple, et, ce me semble, offrant moins de choses incompréhensibles à l'esprit humain qu'il n'en trouve d'absurdes

[1] Célèbre théologien anglais, mort en 1729.

en tout autre système! Je me disais: les objections in-
solubles sont communes à tous, parce que l'esprit de l'homme
est trop borné pour les résoudre; elles ne prouvent donc contre
aucun par préférence: mais quelle différence entre les
5 épreuves directes? celui-là seul qui explique tout ne doit-il
pas être préféré quand il n'a pas plus de difficulté que les
autres?

Un Premier Principe de Volonté

Portant donc en moi l'amour de la vérité pour toute philosophe, et pour toute méthode une règle facile et simple qui me
10 dispense de la vaine subtilité des arguments, je reprends sur
cette règle l'examen des connaissances qui m'intéressent,
résolu d'admettre pour évidentes toutes celles auxquelles,
dans la sincérité de mon cœur, je ne pourrai refuser mon
consentement, pour vraies toutes celles qui me paraîtront
15 avoir une raison nécessaire avec ces premières, et de laisser
toutes les autres dans l'incertitude, sans les rejeter ni les
admettre, et sans me tourmenter à les éclaircir quand elles
ne mènent à rien d'utile pour la pratique.

Mais qui suis-je? quel droit ai-je de juger les choses? et
20 qu'est-ce qui détermine mes jugements? S'ils sont entraînés,
forcés par les impressions que je reçois, je me fatigue en vain
à ces recherches; elles ne se feront point, ou se feront d'elles-
mêmes sans que je me mêle de les diriger. Il faut donc
tourner d'abord mes regards sur moi pour connaître l'instru-
25 ment dont je veux me servir, et jusqu'à quel point je puis
me fier à son usage.

J'existe, et j'ai des sens par lesquels je suis affecté. Voilà
la première vérité qui me frappe et à laquelle je suis forcé
d'acquiescer. Ai-je un sentiment propre de mon existence,
30 ou ne la sens-je que par mes sensations? Voilà mon premier
doute, qu'il m'est, quant à présent, impossible de résoudre.
Car, étant continuellement affecté de sensations, ou immédiatement, ou par la mémoire, comment puis-je savoir

si le sentiment du *moi* est quelque chose hors de ces mêmes
sensations, et s'il peut être indépendant d'elles?

. . . .

Apercevoir, c'est sentir; comparer, c'est juger; juger et
sentir ne sont pas la même chose.   Par la sensation les objets
s'offrent à moi séparés, isolés, tels qu'ils sont dans la nature; 5
par la comparaison je les remue, je les transporte pour ainsi
dire, je les pose l'un sur l'autre pour prononcer sur leur différence ou sur leur similitude, et généralement sur tous leurs
rapports.   Selon moi, la faculté distinctive de l'être actif
ou intelligent est de pouvoir donner un sens à ce mot *est*. 10
Je cherche en vain dans l'être purement sensitif cette force
intelligente qui superpose et puis qui prononce; je ne la
saurais voir dans sa nature.   Cet être passif sentira chaque
objet séparément, ou même il sentira l'objet total formé des
deux; mais, n'ayant aucune force pour les replier l'un sur 15
l'autre, il ne les comparera jamais, il ne les jugera point. . . . .

Je ne suis donc pas simplement un être sensitif et passif,
mais un être actif et intelligent, et, quoi qu'en dise la philosophie, j'oserai prétendre à l'honneur de penser.   Je sais seulement que la vérité est dans les choses et non pas dans mon 20
esprit qui les juge, et que, moins je mets du mien dans les jugements que j'en porte, plus je suis sûr d'approcher de la vérité;
ainsi ma règle de me livrer au sentiment plus qu'à la raison
est confirmée par la raison même.

M'étant, pour ainsi dire, assuré de moi-même, je commence 25
à regarder hors de moi et je me considère, avec une sorte de
frémissement, jeté, perdu dans ce vaste univers, et comme
noyé dans l'immensité des êtres, sans rien savoir de ce qu'ils
sont, ni entre eux, ni par rapport à moi.   Je les étudie, je
les observe, et, le premier objet qui se présente à moi pour 30
les comparer, c'est moi-même.

Tout ce que j'aperçois par les sens est matière . . . Je la
vois tantôt en mouvement et tantôt en repos, d'où j'infère
que ni le repos ni le mouvement ne lui sont essentiels; mais

le mouvement, étant une action, est l'effet d'une cause dont
le repos n'est que l'absence. . . . .

J'aperçois dans les corps deux sortes de mouvements,
savoir: mouvement communiqué et mouvement spontané ou
5 volontaire. Dans le premier, la cause motrice est étrangère au corps mû, et dans le second, elle est en lui-même . . .
Vous me demanderez encore comment je sais donc qu'il y
a des mouvements spontanés; je vous dirai que je le sais
parce que je le sens. Je veux mouvoir mon bras, et je le
10 meus, sans que ce mouvement ait d'autre cause immédiate
que ma volonté. C'est en vain qu'on voudrait raisonner
pour détruire en moi ce sentiment, il est plus fort que toute
évidence; autant vaudrait me prouver que je n'existe pas. . . . .

Cependant cet univers visible est matière, matière éparse
15 et morte,[1] qui n'a rien dans son tout de l'union, de l'organisation, du sentiment commun des parties d'un corps animé
puisqu'il est certain que nous qui sommes parties ne nous
sentons nullement dans le tout. Ce même univers est en
mouvement, et, dans ses mouvements réglés, uniformes,
20 assujétis à des lois constantes, il n'a rien de cette liberté
qui paraît dans les mouvements spontanés de l'homme et des
animaux. Le monde n'est donc pas un grand animal qui se
meuve de lui-même, il y a donc de ses mouvements quelque
cause étrangère à lui, laquelle je n'aperçois pas; mais la per-
25 suasion intérieure me rend cette cause tellement sensible que
je ne puis voir rouler le soleil sans imaginer une force qui le
pousse, ou que, si la terre tourne, je crois sentir une main qui
la fait tourner.

S'il faut admettre des lois générales dont je n'aperçois
30 point les rapports essentiels avec la matière, de quoi serai-je

---

[1] J'ai fait tous mes efforts pour concevoir une molécule vivante, sans
pouvoir en venir à bout. L'idée de la matière sentant sans avoir des sens
me paraît inintelligible et contradictoire. Pour adopter ou rejeter cette
idée, il faudrait commencer par la comprendre, et j'avoue que je n'ai pas
ce bonheur-là. (*Note de Rousseau.*)

avancé? Ces lois, n'étant point des êtres réels, des substances, ont donc quelque autre fondement qui m'est inconnu.
L'expérience et l'observation nous ont fait connaître les lois
du mouvement; ces lois déterminent les effets sans montrer
les causes; elles ne suffisent point pour expliquer le système 5
du monde et la marche de l'univers. Descartes avec des dés
formait le ciel et la terre; mais il ne put donner le premier
branle à ces dés, ni mettre en jeu sa force centrifuge qu'à
l'aide d'un mouvement de rotation. Newton a trouvé la
loi de l'attraction; mais l'attraction seule réduirait bientôt 10
l'univers en une masse immobile; à cette loi il a fallu joindre
une force projectile pour faire décrire des courbes aux corps
célestes. Que Descartes nous dise quelle loi physique a fait
tourner ses tourbillons; que Newton nous montre la main
qui lança les planètes sur la tangente de leurs orbites. 15

Les premières causes du mouvement ne sont point dans la
matière, elle reçoit le mouvement et le communique, mais
elle ne le produit pas. Plus j'observe l'action et réaction
des forces de la nature agissant les unes sur les autres, plus
je trouve que, d'effets à effets, il faut toujours remonter à 20
quelque volonté pour première cause; car supposer un progrès de causes à l'infini, c'est n'en point supposer du tout.
En un mot, tout mouvement qui n'est pas produit par un
autre ne peut venir que d'un acte spontané, volontaire; les
corps inanimés n'agissent que par le mouvement, et il n'y 25
a point de véritable action sans volonté; voilà mon premier
principe. Je crois donc qu'une volonté meut l'univers et
anime la nature; voilà mon premier dogme, ou mon premier
article de foi.

Un Premier Principe d'Intelligence

Si la matière mue me montre une volonté, la matière mue 30
selon de certaines lois me montre une intelligence; c'est
mon second article de foi. Agir, comparer, choisir, sont
les opérations d'un être actif et pensant, donc cet être existe.

Où le voyez-vous exister? m'allez-vous dire. Non-seulement dans les cieux qui roulent, dans l'astre qui nous
éclaire; non-seulement dans moi-même, mais dans la brebis
qui paît, dans l'oiseau qui vole, dans la pierre qui tombe,
5 dans la feuille qu'emporte le vent.

Je juge de l'ordre du monde, quoique j'en ignore la fin,
parce que, pour juger de cet ordre, il me suffit de comparer
les parties entre elles, d'étudier leur concours, leurs rapports,
d'en remarquer le concert. J'ignore pourquoi l'univers
10 existe; mais je ne laisse pas de voir comment il est
modifié; je ne laisse pas d'apercevoir l'intime correspondance
par laquelle les êtres qui le composent se prêtent un secours
mutuel. Je suis comme un homme qui verrait pour la première fois une montre ouverte, et qui ne laisserait pas d'en
15 admirer l'ouvrage, quoiqu'il ne connût pas l'usage de la
machine et qu'il n'eût point vu le cadran. Je ne sais, dirait-il,
à quoi le tout est bon, mais je vois que chaque pièce est faite
pour les autres; j'admire l'ouvrier dans le détail de son ouvrage, et je suis bien sûr que tous ces rouages ne marchent
20 ainsi de concert[1] que pour une fin commune qu'il m'est
impossible d'apercevoir.

Comparons les fins particulières, les moyens, les rapports
ordonnés de toute espèce, puis écoutons le sentiment intérieur; quel esprit sain peut se refuser à son témoignage?
25 A quels yeux non prévenus l'ordre sensible de l'univers n'an-
nonce-t-il pas une suprême intelligence, et que de sophismes
ne faut-il point entasser pour méconnaître l'harmonie des
êtres et l'admirable concours de chaque pièce pour la conservation des autres! Qu'on me parle tant qu'on voudra de
30 combinaisons et de chances; que vous sert de me réduire
au silence, si vous ne pouvez m'amener à la persuasion? et

---

[1] Rousseau est ici en parfait accord avec la philosophie spiritualiste
anglaise du XVIIIme siècle, et de Voltaire qui fit ces vers célèbres dans
son *Poème de la Nature:*

Et je ne puis songer
Que cette horloge existe et n'ait pas d'horloger.

comment m'ôterez-vous le sentiment involontaire qui vous
dément toujours malgré moi? Si les corps organisés se sont
combinés fortuitement de mille manières avant de prendre
des formes constantes, s'il s'est formé d'abord des estomacs
sans bouches, des pieds sans têtes, des mains sans bras, des 5
organes imparfaits de toute espèce qui sont péris faute de
pouvoir se conserver, pourquoi nul de ces informes essais ne
frappe-t-il plus nos regards? Pourquoi la nature s'est-elle
enfin prescrit des lois auxquelles elle n'était pas d'abord as-
sujétie? Je ne dois point être surpris qu'une chose arrive 10
lorsqu'elle est possible et que la difficulté de l'événement
est compensée par la quantité des jets; j'en conviens. Cependant si l'on me venait dire que des caractères d'impri-
merie, projetés au hasard, ont donné l'Énéide tout arrangée,
je ne daignerais pas faire un pas pour aller vérifier le men- 15
songe. Vous oubliez, me dira-t-on, la quantité des jets.[1]

---

[1] Argument souvent employé au XVIIIme siècle, et qui aujourd'hui
encore est estimé digne de discussion par certains savants. Voici cet
argument exposé par Diderot dans ses *Pensées Philosophiques:* « Quelle
que fût la somme finie des caractères avec laquelle on me proposerait
d'engendrer fortuitement l'Iliade, il y a telle somme finie de jets qui me
rendrait la proposition avantageuse; mon avantage serait même infini si
la quantité de jets accordée était infinie. Voulez-vous bien convenir
avec moi que la matière existe de toute éternité et que le mouvement lui
est essentiel. Pour répondre à cette faveur, je vais supposer avec vous
que le monde n'a point de bornes, que la multitude des atomes était
infinie, et cet ordre qui vous étonne ne se dément nulle part; or, de ces
aveux réciproques, il ne s'en suit autre chose sinon que la possibilité
d'engendrer fortuitement l'univers est fort petite, mais que la quantité
des jets est infinie; c'est à dire que la difficulté de l'événement est plus
que suffisamment compensée par la multitude des jets. Donc si quelque chose doit répugner à la raison, c'est la supposition que la matière
s'étant mue de toute éternité, et qu'y ayant peut-être dans la forme
infinie des combinaisons possibles un nombre infini d'arrangements admirables, il ne se soit rencontré aucun de ces arrangements admirables
dans la multitude infinie de ceux qu'elle a pris successivement. Donc
l'esprit doit être plus étonné de la durée hypothétique du chaos que de
la naissance réelle de l'univers. » (*Pensée* XXI.)

Mais de ces jets-là combien faut-il que j'en suppose pour
rendre la combinaison vraisemblable? Pour moi, qui n'en
vois qu'un seul, j'ai l'infini à parier contre un que son produit
n'est point l'effet du hasard. Ajoutez que des combinaisons
5 et des chances ne donneront jamais que des produits de même
nature que les éléments combinés, que l'organisation et la
vie ne résulteront point d'un jet d'atomes, et qu'un chimiste
combinant des mixtes ne les fera point sentir et penser dans
son creuset.

Le Dieu Puissant, Sage et Bon n'est Perçu que par le Sentiment

10   Je crois donc que le monde est gouverné par une volonté
puissante et sage, je le vois, ou plutôt je le sens, et cela m'importe à savoir. Mais ce même monde est-il éternel ou
créé? Y a-t-il un principe unique des choses? y en a-t-il
deux ou plusieurs? et quelle est leur nature? Je n'en sais
15 rien; et que m'importe? A mesure que ces connaissances
me deviendront intéressantes, je m'efforcerai de les acquérir; jusque-là je renonce à des questions oiseuses qui peuvent
inquiéter mon amour-propre, mais qui sont inutiles à ma
conduite et supérieures à ma raison.

20   Souvenez-vous toujours que je n'enseigne point mon
sentiment, je l'expose. Que la matière soit éternelle ou
créée, qu'il y ait un principe passif ou qu'il n'y en ait point,
toujours est-il certain que le tout est un, et annonce une intelligence unique; car je ne vois rien qui ne soit ordonné dans
25 le même système, et qui ne concoure à la même fin, savoir, la
conservation du tout dans l'ordre établi. Cet être qui veut
et qui peut, cet être actif par lui-même, cet être enfin, quel
qu'il soit, qui meut l'univers et ordonne toutes choses, je
l'appelle *Dieu*. Je joins à ce nom les idées d'intelligence,
30 de puissance, de volonté, que j'ai rassemblées, et celle de
bonté, qui en est une suite nécessaire; mais je n'en connais
pas mieux l'être auquel je l'ai donné; il se dérobe également

à mes sens et à mon entendement; plus j'y pense, plus
je me confonds; je sais très certainement qu'il existe, et
qu'il existe par lui-même; je sais que mon existence est subordonnée à la sienne, et que toutes les choses qui me sont connues sont absolument dans le même cas. J'aperçois Dieu 5
partout dans ses œuvres; je le sens en moi, je le vois tout
autour de moi; mais sitôt que je veux le contempler en lui-
même, sitôt que je veux chercher où il est, ce qu'il est, quelle
est sa substance, il m'échappe, et mon esprit troublé n'aperçoit plus rien. 10

Pénétré de mon insuffisance, je ne raisonnerai jamais sur
la nature de Dieu que je n'y sois forcé par le sentiment de
ses rapports avec moi. Ces raisonnements sont toujours
téméraires; un homme sage ne doit s'y livrer qu'en tremblant,
et sûr qu'il n'est pas fait pour les approfondir; car ce qu'il 15
y a de plus injurieux à la Divinité n'est pas de n'y point
penser, mais d'en mal penser.

L'Homme, Roi de la Création

Après avoir découvert ceux de ses attributs par lesquels
je conçois son existence, je reviens à moi, et je cherche quel
rang j'occupe dans l'ordre des choses qu'elle gouverne, et que 20
je puis examiner. Je me trouve incontestablement au premier
par mon espèce; car, par ma volonté et par les instruments
qui sont en mon pouvoir pour l'exécuter, j'ai plus de force
pour agir sur tous les corps qui m'environnent, ou pour me
prêter ou me dérober comme il me plaît à leur action, qu'aucun 25
d'eux n'en a pour agir sur moi malgré moi par la seule impulsion physique; et, par mon intelligence, je suis le seul qui
ait inspection sur le tout. Quel être ici-bas, hors l'homme,
sait observer tous les autres, mesurer, calculer, prévoir leurs
mouvements, leurs effets, et joindre, pour ainsi dire, le senti- 30
ment de l'existence commune à celui de son existence individuelle? Qu'y a-t-il de si ridicule à penser que tout est
fait pour moi, si je suis le seul qui sache tout rapporter à lui?

Il est donc vrai que l'homme est le roi de la terre qu'il habite; car non-seulement il dompte tous les animaux, non-seulement il dispose les éléments par son industrie, mais lui seul sur la terre en sait disposer, et il s'approprie encore, par la contemplation, les astres mêmes dont il ne peut approcher. Qu'on me montre un autre animal sur la terre qui sache faire usage du feu, et qui sache admirer le soleil. Quoi! je puis observer, connaître les êtres et leurs rapports; je puis sentir ce que c'est qu'ordre, beauté, vertu; je puis contempler l'univers, m'élever à la main qui le gouverne; je puis aimer le bien, le faire; et je me comparerais aux bêtes! Âme abjecte, c'est ta triste philosophie qui te rend semblable à elles; ou plutôt tu veux en vain t'avilir; ton génie dépose contre tes principes; ton cœur bienfaisant dément ta doctrine, et l'abus même de tes facultés prouve leur excellence en dépit de toi.

Pour moi, qui n'ai pas de système à soutenir, moi, homme simple et vrai que la fureur d'aucun parti n'entraîne et qui n'aspire point à l'honneur d'être chef de secte, content de la place où Dieu m'a mis, je ne vois rien, après lui, de meilleur que mon espèce; et si j'avais à choisir ma place dans l'ordre des êtres, que pourrais-je choisir de plus que d'être homme?

Cette réflexion m'enorgueillit moins qu'elle ne me touche; car cet état n'est pas de mon choix, et il n'était pas dû au mérite d'un être qui n'existait pas encore. Puis-je me voir ainsi distingué sans me féliciter de remplir ce poste honorable, et sans bénir la main qui m'y a placé? De mon premier retour sur moi naît dans mon cœur un sentiment de reconnaissance et de bénédiction pour l'auteur de mon espèce, et de ce sentiment mon premier hommage à la Divinité bienfaisante. J'adore la puissance suprême, et je m'attendris sur ses bienfaits. Je n'ai pas besoin qu'on m'enseigne ce culte, il m'est dicté par la nature elle-même.

La Liberté Morale

Mais quand, pour connaître ensuite ma place individuelle dans mon espèce, j'en considère les divers rangs et les hommes qui les remplissent, que deviens-je? Quel spectacle! Où est l'ordre que j'avais observé? Le tableau de la nature ne m'offrait qu'harmonie et proportions, celui du genre humain ne 5 m'offre que confusion, désordre! Le concert règne entre les éléments, et les hommes sont dans le chaos! Les animaux sont heureux, leur roi seul est misérable! Ô sagesse, où sont tes lois? Ô providence, est-ce ainsi que tu régis le monde? Être bienfaisant, qu'est devenu ton pouvoir? Je 10 vois le mal sur la terre.

Croiriez-vous, mon ami, que de ces tristes réflexions et de ces contradictions apparentes se formèrent dans mon esprit les sublimes idées de l'âme, qui n'avaient point jusque-là résulté de mes recherches? En méditant sur la nature de 15 l'homme, j'y crus découvrir deux principes distincts, dont l'un l'élevait à l'étude des vérités éternelles, à l'amour de la justice et du beau moral, aux régions du monde intellectuel, dont la contemplation fait les délices du sage, et dont l'autre le ramenait bassement en lui-même, l'asservissait à l'empire 20 des sens, aux passions qui sont leurs ministres, et contrariait par elles tout ce que lui inspirait le sentiment du premier. En me sentant entraîné, combattu par ces deux mouvements contraires, je me disais: Non, l'homme n'est point un; je veux et je ne veux pas, je me sens à la fois esclave et libre; 25 je vois le bien, je l'aime, et je fais le mal; je suis actif quand j'écoute la raison, passif quand mes passions m'entraînent, et mon pire tourment, quand je succombe, est de sentir que j'ai pu résister.

Jeune homme, écoutez avec confiance, je serai toujours 30 de bonne foi. Si la conscience est l'ouvrage des préjugés, j'ai tort sans doute, et il n'y a point de morale démontrée; mais si se préférer à tout est un penchant naturel à l'homme,

et si pourtant le premier sentiment de la justice est inné dans
le cœur humain, que celui qui fait de l'homme un être simple
lève ces contradictions, et je ne reconnais plus qu'une substance.

.   .   .   .

5   Nul être matériel n'est actif par lui-même, et moi je le suis.
On a beau me disputer cela, je le sens, et ce sentiment qui
me parle est plus fort que la raison qui le combat. J'ai un
corps sur lequel les autres agissent et qui agit sur eux; cette
action réciproque n'est pas douteuse, mais ma volonté est
10 indépendante de mes sens; je consens ou je résiste, je succombe ou je suis vainqueur, et je sens parfaitement en moi-
même quand je fais ce que j'ai voulu faire, ou quand je ne fais
que céder à mes passions. J'ai toujours la puissance de vouloir, non la force d'exécuter. Quand je me livre aux tenta-
15 tions, j'agis selon l'impulsion des objets externes. Quand
je me reproche cette faiblesse, je n'écoute que ma volonté;
je suis esclave par mes vices et libre par mes remords; le
sentiment de ma liberté ne s'efface en moi que quand je me
déprave et que j'empêche enfin la voix de l'âme de s'élever
20 contre la loi du corps. . . . .
   Le principe de toute action est dans la volonté d'un être
libre; on ne saurait remonter au delà. Ce n'est pas le mot
de liberté qui ne signifie rien, c'est celui de nécessité. Supposer quelque acte, quelque effet, qui ne dérive pas d'un
25 principe actif, c'est vraiment supposer des effets sans cause,
c'est tomber dans le cercle vicieux. Ou il n'y a point de
première impulsion, ou toute première impulsion n'a nulle
cause antérieure, et il n'y a point de véritable volonté
sans liberté. L'homme est donc libre dans ses actions,
30 et, comme tel, animé d'une substance immatérielle: c'est
mon troisième article de foi. De ces trois premiers vous
déduirez aisément tous les autres, sans que je continue à
les compter.

Le Mal Moral

Si l'homme est actif et libre, il agit de lui-même; tout ce qu'il fait librement n'entre point dans le système ordonné de la Providence, et ne peut lui être imputé. Elle ne veut point le mal que fait l'homme en abusant de la liberté qu'elle lui donne; mais elle ne l'empêche pas de le faire, soit que 5 de la part d'un être si faible ce mal soit nul à ses yeux, soit qu'elle ne pût l'empêcher sans gêner sa liberté et faire un mal plus grand en dégradant sa nature. Elle l'a fait libre afin qu'il fît non le mal, mais le bien par choix. Elle l'a mis en état de faire ce choix en usant bien des facultés dont 10 elle l'a doué; mais elle a tellement borné ses forces, que l'abus de la liberté qu'elle lui laisse ne peut troubler l'ordre général. Le mal que l'homme fait retombe sur lui sans rien changer au système du monde, sans empêcher que l'espèce humaine elle-même ne se conserve malgré qu'elle en 15 ait. Murmurer de ce que Dieu ne l'empêche pas de faire le mal, c'est murmurer de ce qu'il la fit d'une nature excellente, de ce qu'il mit à ses actions la moralité qui les ennoblit, de ce qu'il lui donna droit à la vertu. La suprême jouissance est dans le contentement de soi-même; c'est pour 20 mériter ce contentement que nous sommes placés sur la terre et doués de la liberté, que nous sommes tentés par les passions et retenus par la conscience. Que pouvait de plus en notre faveur la puissance divine elle-même? Pouvait-elle mettre de la contradiction dans notre nature, et donner le 25 prix d'avoir bien fait à qui n'eût pas le pouvoir de mal faire? Quoi! pour empêcher l'homme d'être méchant, fallait-il le borner à l'instinct et le faire bête? Non, Dieu de mon âme, je ne te reprocherai jamais de l'avoir faite à ton image, afin que je puisse être libre, bon et heureux comme toi. 30

Le Mal Physique

C'est l'abus de nos facultés qui nous rend malheureux et méchants. Nos chagrins, nos soucis, nos peines, nous vien-

nent de nous. Le mal moral est incontestablement notre
ouvrage, et le mal physique ne serait rien sans nos vices,
qui nous l'ont rendu sensible.   N'est-ce pas pour nous conserver que la nature nous fait sentir nos besoins?   La douleur
5 du corps n'est-elle pas un signe que la machine se dérange,
et un avertissement d'y pourvoir?   La mort ... Les méchants n'empoisonnent-ils pas leur vie et la nôtre?   Qui
est-ce qui voudrait toujours vivre?   La mort est le remède
aux maux que vous vous faites; la nature a voulu que vous
10 ne souffrissiez pas toujours.   Combien l'homme vivant dans
la simplicité primitive est sujet à peu de maux! il vit presque
sans maladies ainsi que sans passions, et ne prévoit ni ne
sent la mort; quand il la sent, ses misères la lui rendent
désirable; dès lors elle n'est plus un mal pour lui.   Si nous
15 nous contentions d'être ce que nous sommes, nous n'aurions
point à déplorer notre sort; mais pour chercher un bien-
être imaginaire, nous nous donnons mille maux réels.   Qui
ne sait pas supporter un peu de souffrance doit s'attendre
à beaucoup souffrir. Quand on a gâté sa constitution par une
20 vie déréglée, on la veut rétablir par des remèdes; au mal qu'on
sent on ajoute celui qu'on craint; la prévoyance de la mort la
rend horrible et l'accélère; plus on la veut fuir, plus on la sent;
et l'on meurt de frayeur durant toute sa vie, en murmurant
contre la nature, des maux qu'on s'est faits en l'offensant.

25   Homme, ne cherche plus l'auteur du mal; cet auteur,
c'est toi-même. Il n'existe point d'autre mal que celui que
tu fais ou que tu souffres, et l'un et l'autre te viennent de toi.
Le mal général ne peut être que dans le désordre, et je vois
dans le système du monde un ordre qui ne se dément point.
30 Le mal particulier n'est que dans le sentiment de l'être qui
souffre; et ce sentiment l'homme ne l'a pas reçu de la nature,
il se l'est donné. La douleur a peu de prise sur quiconque,
ayant peu réfléchi, n'a ni souvenir ni prévoyance. Ôtez
nos funestes progrès, ôtez nos erreurs et nos vices, ôtez l'ou-
35 vrage de l'homme, et tout est bien.

La Vie Future et l'Âme Immortelle

Où tout est bien rien n'est injuste. La justice est inséparable de la bonté; or, la bonté est l'effet nécessaire d'une
puissance sans borne et de l'amour de soi, essentiel à tout
être qui se sent. Celui qui peut tout étend, pour ainsi dire,
son existence avec celle des êtres. Produire et conserver 5
sont l'acte perpétuel de la puissance; elle n'agit point sur ce
qui n'est pas; Dieu n'est pas le dieu des morts, il ne pourrait être destructeur et méchant sans se nuire. Celui qui
peut tout ne peut vouloir que ce qui est bien.[1] Donc l'Être
souverainement bon, parce qu'il est souverainement puissant, 10
doit être aussi souverainement juste, autrement il se contre-
dirait lui-même, car l'amour de l'ordre qui le produit s'appelle *bonté*, et l'amour de l'ordre qui le conserve s'appelle
justice.

Dieu, dit-on, ne doit rien à ses créatures. Je crois qu'il 15
leur doit tout ce qu'il leur promit en leur donnant l'être.
Or, c'est leur promettre un bien que de leur en donner l'idée
et de leur en faire sentir le besoin. Plus je rentre en moi,
plus je me consulte, et plus je lis ces mots écrits dans mon
âme: *Sois juste et tu seras heureux*. Il n'en est rien pourtant, 20
à considérer l'état présent des choses; le méchant prospère,
et le juste reste opprimé. Voyez aussi quelle indignation
s'allume en nous quand cette attente est frustrée! La conscience s'élève et murmure contre son auteur; elle lui crie
en gémissant: Tu m'as trompé!   25

Je t'ai trompé, téméraire! et qui te l'a dit? Ton âme
est-elle anéantie! As-tu cessé d'exister? Ô Brutus![2] ô

---

[1] Quand les anciens appelaient *optimus maximus* le Dieu suprême,
ils disaient très vrai; mais en disant *maximus optimus* ils auraient parlé
plus exactement; puisque sa bonté vient de sa puissance, il est bon parce
qu'il est grand. (*Note de Rousseau*.)

[2] Sur le suicide de Brutus, voir note sur *Nouvelle Héloïse*, III, 22. On
attribue à Brutus ce mot qu'il aurait prononcé avant de se percer de son
épée: « Vertu, tu n'es qu'un nom! »

mon fils! ne souille point ta noble vie en la finissant, ne laisse point ton espoir et ta gloire avec ton corps aux champs de Philippes. Pourquoi dis-tu: *La vertu n'est rien*, quand tu vas jouir du prix de la tienne? Tu vas mourir, penses-tu;
5 non, tu vas vivre, et c'est alors que je tiendrai tout ce que je t'ai promis.

On dirait, aux murmures des impatients mortels, que Dieu leur doit la récompense avant le mérite, et qu'il est obligé de payer leur vertu d'avance. Oh! soyons bons pre-
10 mièrement, et puis nous serons heureux. N'exigeons pas le prix avant la victoire, ni le salaire avant le travail. Ce n'est point dans la lice, disait Plutarque, que les vainqueurs de nos jeux sacrés sont couronnés, c'est après qu'ils l'ont parcourue.

15 Si l'âme est immatérielle, elle peut survivre au corps; et si elle lui survit, la Providence est justifiée. Quand je n'aurais d'autres preuves de l'immatérialité de l'âme que le triomphe du méchant et l'oppression du juste en ce monde, cela seul m'empêcherait d'en douter. Une si choquante dissonance
20 dans l'harmonie universelle me ferait chercher à la résoudre. Je me dirais: Tout ne finit pas pour nous avec la vie, tout rentre dans l'ordre à la mort. J'aurais, à la vérité, l'embarras de me demander où est l'homme, quand tout ce qu'il avait de sensible est détruit. Cette question n'est plus une
25 difficulté pour moi, sitôt que j'ai reconnu deux substances. Il est très simple que, durant ma vie corporelle, n'apercevant rien que par mes sens, ce qui ne leur est point soumis m'échappe. Quand l'union du corps et de l'âme est rompue, je conçois que l'un peut se dissoudre et l'autre se conserver.
30 Pourquoi la destruction de l'un entraînerait-elle la destruction de l'autre? Au contraire, étant de natures si différentes, ils étaient, par leur union, dans un état violent; et quand cette union cesse ils rentrent tous deux dans leur état naturel; la substance active et vivante regagne toute la force qu'elle
35 employait à mouvoir la substance passive et morte. Hélas!

je le sens trop par mes vices, l'homme ne vit qu'à moitié
durant sa vie, et la vie de l'âme ne commence qu'à la mort
du corps.

Mais quelle est cette vie? et l'âme est-elle immortelle par
sa nature? Je l'ignore. Mon entendement borné ne conçoit 5
rien sans bornes; tout ce qu'on appelle infini m'échappe.
Que puis-je nier, affirmer? quels raisonnements puis-je faire
sur ce que je ne puis concevoir? Je crois que l'âme survit
au corps, assez pour le maintien de l'ordre; qui sait si c'est
assez pour durer toujours? Toutefois je conçois comment le 10
corps s'use et se détruit par la division des parties; mais je
ne puis concevoir une destruction pareille de l'être pensant,
et n'imaginant point comment il peut mourir, je présume
qu'il ne meurt pas. Puisque cette présomption me console
et n'a rien de déraisonnable, pourquoi craindrais-je de m'y 15
livrer?

. . . .

Ne me demandez pas non plus si les tourments des méchants seront éternels, et s'il est de la bonté de l'auteur de leur
être de les condamner à souffrir toujours; je l'ignore encore,
et n'ai point la vaine curiosité d'éclaircir des questions 20
inutiles. Que m'importe ce que deviendront les méchants?
Je prends peu d'intérêt à leur sort. Toutefois j'ai peine à
croire qu'ils soient condamnés à des tourments sans fin. Si
la suprême justice se venge, elle se venge dès cette vie. Vous
et vos erreurs, ô nations! êtes ses ministres. Elle emploie 25
les maux que vous vous faites à punir les crimes qui les ont
attirés. C'est dans vos cœurs insatiables, rongés d'envie,
d'avarice et d'ambition, qu'au sein de vos fausses prospé-
rités, les passions vengeresses punissent vos forfaits. Qu'est-il
besoin d'aller chercher l'enfer dans l'autre vie? il est dès 30
celle-ci dans le cœur des méchants . . . Ô Être clément et bon!
quels que soient tes décrets, je les adore; si tu punis éternellement les méchants, j'anéantis ma faible raison devant la
justice; mais si les remords de ces infortunés doivent s'é-

teindre avec le temps, si leurs maux doivent finir, et si la même
paix nous attend tous également un jour, je t'en loue. Le
méchant n'est-il pas mon frère? Combien de fois j'ai été
tenté de lui ressembler! Que, délivré de sa misère, il perde
5 aussi la malignité qui l'accompagne; qu'il soit heureux ainsi
que moi; loin d'exciter ma jalousie, son bonheur ne fera
qu'ajouter au mien.

La Conscience Morale

Après avoir ainsi, de l'impression des objets sensibles et
du sentiment intérieur qui me porte à juger des causes selon
10 mes lumières naturelles, déduit les principales vérités qu'il
m'importait de connaître, il me reste à chercher quelles
maximes j'en dois tirer pour ma conduite, et quelles règles
je dois me prescrire pour remplir ma destination sur la terre,
selon l'intention de celui qui m'y a placé. En suivant tou-
15 jours ma méthode, je ne tire point ces règles des principes
d'une haute philosophie, mais je les trouve au fond de mon
cœur, écrites par la nature en caractères ineffaçables. Je
n'ai qu'à me consulter sur ce que je veux faire; tout ce que
je sens être mal est mal; le meilleur de tous les casuistes est
20 la conscience; et ce n'est que quand on marchande avec elle
qu'on a recours aux subtilités du raisonnement. Le premier
de tous les soins est celui de soi-même; cependant combien
de fois la voix intérieure nous dit qu'en faisant notre bien
aux dépens d'autrui nous faisons mal! Nous croyons suivre
25 l'impulsion de la nature, et nous lui résistons; en écoutant
ce qu'elle a dit à nos sens, nous méprisons ce qu'elle dit à
nos cœurs; l'être actif obéit, l'être passif commande. La
conscience est la voix de l'âme, les passions sont la voix du
corps. Est-il étonnant que souvent ces deux langages se con-
30 tredisent? et alors lequel faut-il écouter? Trop souvent la
raison nous trompe, nous n'avons que trop acquis le droit
de la récuser; mais la conscience ne trompe jamais; elle est
le vrai guide de l'homme; elle est à l'âme ce que l'instinct

est au corps; qui la suit obéit à la nature et ne craint point
de s'égarer.

S'il n'y a rien de moral dans le cœur de l'homme, d'où
lui viennent donc ces transports d'admiration pour les actions
héroïques, ces ravissements d'amour pour les grandes âmes? 5
Cet enthousiasme de la vertu, quel rapport a-t-il avec notre
intérêt privé? Pourquoi voudrais-je être Caton [1] qui déchire
ses entrailles plutôt que César triomphant? Ôtez de nos
cœurs cet amour du beau, vous ôtez tout le charme de la vie.
Celui dont les viles passions ont étouffé dans son âme étroite 10
ces sentiments délicieux; celui qui, à force de se concentrer
au dedans de lui, vient à bout de n'aimer que lui-même, n'a
plus de transports, son cœur glacé ne palpite plus de joie,
un doux attendrissement n'humecte jamais ses yeux, il ne
jouit plus de rien; le malheureux ne sent plus, ne vit plus; 15
il est déjà mort.

.   .   .   .

Jetez les yeux sur toutes les nations du monde, parcourez
toutes les histoires; parmi tant de cultes inhumains et bizarres, parmi cette prodigieuse diversité de mœurs et de caractères, vous trouverez partout les mêmes idées de justice et 20
d'honnêteté, partout les mêmes principes de morale, partout
les mêmes notions du bien et du mal. L'ancien paganisme
enfanta des dieux abominables, qu'on eût punis, ici-bas,
comme des scélérats, et qui n'offraient pour tableau du bonheur suprême que des forfaits à commettre et des passions à 25
contenter. Mais le vice, armé d'une autorité sacrée, descen-
dait en vain du séjour éternel, l'instinct moral le repoussait
du cœur des humains. En célébrant les débauches de Jupiter
on admirait la continence de Xénocrate,[2] la chaste Lucrèce
adorait l'impudique Vénus; l'intrépide Romain sacrifiait à 30

---

[1] Caton le Censeur se perça de son épée, en 45 av. J.-C. à Utique,
car, luttant pour la liberté de Rome, il avait été vaincu par César.
[2] Philosophe grec du IVme siècle avant J.-C.

la Peur,[1] il invoquait le dieu qui mutila son père,[2] et mourait
sans murmure de la main du sien. [3] Les plus méprisables
divinités furent servies par les plus grands hommes. La
sainte voix de la nature, plus forte que celle des dieux, se
5 faisait respecter sur la terre, et semblait reléguer dans le
ciel le crime avec les coupables.

Il est donc au fond des âmes un principe inné de justice et
de vertu, sur lequel, malgré nos propres maximes, nous jugeons nos actions et celles d'autrui comme bonnes ou mau-
10 vaises; et c'est à ce principe que je donne le nom de
conscience.

.   .   .   .

Conscience! conscience! instinct divin, immortelle et
céleste voix, guide assuré d'un être ignorant et borné, mais
intelligent et libre; juge infaillible du bien et du mal, qui
15 rends l'homme semblable à Dieu! c'est toi qui fais l'excellence
de sa nature et la moralité de ses actions; sans toi je ne sens
rien en moi qui m'élève au-dessus des bêtes que le triste privilège de m'égarer d'erreurs en erreurs à l'aide d'un entendement
sans règle et d'une raison sans principe.

20 Grâce au ciel, nous voilà délivrés de tout cet effrayant
appareil de philosophie; nous pouvons être hommes sans
être savants; dispensés de consumer notre vie à l'étude de
la morale, nous avons à moindres frais un guide plus assuré
dans ce dédale immense des opinions humaines. Mais ce
25 n'est pas assez que ce guide existe, il faut savoir le reconnaître et le suivre. S'il parle à tous les cœurs, pourquoi
donc y en a-t-il si peu qui l'entendent? Eh! c'est qu'il nous

[1] *La Peur:* le dieu Pavor faisait partie du cortège de Mars. Le roi
Tullus Hostilius lui fit construire un autel pour remplir un vœu. Les
prêtres s'appelaient les Pavorii.

[2] Kronos, sur la demande de sa mère Gaea, mutila son père Uranus,
car celui-ci jetait dans les ténèbres du Tartare, ses propres enfants (les
Titans, les Cyclopes, les Hécatonchires).

[3] La loi romaine donnait au père droit de vie et de mort sur ses enfants.

parle la langue de la nature, que tout nous a fait oublier.
La conscience est timide, elle aime la retraite et la paix; le
monde et le bruit l'épouvantent, les préjugés dont on la fait
naître sont ses plus cruels ennemis; elle fuit ou se tait devant
eux; leur voix bruyante étouffe la sienne et l'empêche de se 5
faire entendre; le fanatisme ose la contrefaire et dicter le
crime en son nom. Elle se rebute enfin à force d'être écon-
duite; elle ne nous parle plus, elle ne nous répond plus, et
après de si longs mépris pour elle, il en coûte autant de la
rappeler qu'il en coûta de la bannir. 10

La Prière

Ô mon enfant! puissiez-vous sentir un jour de quel poids
on est soulagé, quand, après avoir épuisé la vanité des opinions
humaines et goûté l'amertume des passions, on trouve enfin
si près de soi la route de la sagesse, le prix des travaux de
cette vie et la source du bonheur dont on a désespéré! Tous 15
les devoirs de la loi naturelle, presque effacés de mon cœur
par l'injustice des hommes, s'y retracent au nom de l'éternelle
justice, qui me les impose et qui me les voit remplir. Je
ne sens plus en moi que l'ouvrage et l'instrument du grand
Être qui veut le bien, qui le fait, qui fera le mien par le con- 20
cours de mes volontés aux siennes et par le bon usage de ma
liberté; j'acquiesce à l'ordre qu'il établit, sûr de jouir moi-
même un jour de cet ordre et d'y trouver ma félicité; car
quelle félicité plus douce que de se sentir ordonné dans un
système où tout est bien? 25
En proie à la douleur, je la supporte avec patience, en
songeant qu'elle est passagère et qu'elle vient d'un corps
qui n'est point à moi. Si je fais une bonne action sans témoin,
je sais qu'elle est vue, et je prends acte pour l'autre vie de ma
conduite en celle-ci. 30

Pour m'élever d'avance autant qu'il se peut à cet état de
bonheur, de force et de liberté, je m'exerce aux sublimes con-

templations. Je médite sur l'ordre de l'univers, non pour
l'expliquer par de vains systèmes, mais pour l'admirer sans
cesse, pour adorer le sage auteur qui s'y fait sentir. Je
converse avec lui, je pénètre toutes mes facultés de sa divine
5 essence, je m'attendris à ses bienfaits, je le bénis de ses dons,
mais je ne le prie pas. Que lui demanderais-je? qu'il changeât
pour moi le cours des choses, qu'il fît des miracles en ma
faveur? Moi qui dois aimer par-dessus tout l'ordre établi
par sa sagesse et maintenu par sa providence, voudrais-je
10 que cet ordre fût troublé pour moi? Non, ce vœu téméraire
mériterait d'être plutôt puni qu'exaucé. Je ne lui demande
pas non plus le pouvoir de bien faire; pourquoi lui demander
ce qu'il m'a donné? Ne m'a-t-il pas donné la conscience
pour aimer le bien, la raison pour le connaître, la liberté
15 pour le choisir? Si je fais le mal, je n'ai point d'excuse; je
le fais parce que je le veux; lui demander de changer ma
volonté, c'est lui demander ce qu'il me demande; c'est vouloir
qu'il me fasse mon œuvre et que j'en recueille le salaire; n'être
pas content de mon état, c'est ne vouloir plus être homme,
20 c'est vouloir autre chose que ce qui est, c'est vouloir le désordre et le mal. Source de justice et de vérité, Dieu clément
et bon! dans ma confiance en toi, le suprême vœu de mon
cœur est que ta volonté soit faite. En y joignant la mienne
je fais ce que tu fais, j'acquiesce à ta bonté, je crois partager
25 d'avance la suprême félicité qui en est le prix.

Dans la juste défiance de moi-même, la seule chose que je
lui demande, ou plutôt que j'attends de sa justice, est de
redresser mon erreur si je m'égare et si cette erreur m'est
dangereuse. Pour être de bonne foi je ne me crois pas in-
30 faillible; mes opinions qui me semblent les plus vraies sont
peut-être autant de mensonges : car quel homme ne tient
pas aux siennes? et combien d'hommes sont d'accord en
tout? L'illusion qui m'abuse a beau me venir de moi, c'est
lui seul qui m'en peut guérir. J'ai fait tout ce que j'ai pu
35 pour atteindre à la vérité; mais sa source est trop élevée;

quand les forces me manquent pour aller plus loin, de quoi
puis-je être coupable? c'est à elle à s'approcher.

La Religion Naturelle et la Religion Révélée

Interrogé maintenant sur la Révélation des Écritures, le Vicaire
répond:

Vous ne voyez dans mon exposé que la religion naturelle; 5
il est bien étrange qu'il en faille une autre! Par où con-
naîtrai-je cette nécessité? De quoi puis-je être coupable
en servant Dieu selon les lumières qu'il donne à mon esprit
et selon les sentiments qu'il inspire à mon cœur? Quelle
pureté de morale, quel dogme utile à l'homme et honorable à 10
son auteur puis-je tirer d'une doctrine positive que je ne
puisse tirer sans elle du bon usage de mes facultés? Montrez-
moi ce qu'on peut ajouter, pour la gloire de Dieu, pour le bien
de la société et pour mon propre avantage, aux devoirs de la
loi naturelle, et quelle vertu vous ferez naître d'un nouveau 15
culte, qui ne soit pas une conséquence du mien. Les plus
grandes idées de la Divinité nous viennent par la raison seule.
Voyez le spectacle de la nature, écoutez la voix intérieure.
Dieu n'a-t-il pas tout dit à nos yeux, à notre conscience, à
notre jugement? Qu'est-ce que les hommes nous diront de 20
plus? Leurs révélations ne font que dégrader Dieu, en lui
donnant les passions humaines. Loin d'éclaircir les notions
du grand Être, je vois que les dogmes particuliers les em-
brouillent, que loin de les ennoblir ils les avilissent; qu'aux
mystères inconcevables qui l'environnent ils ajoutent des 25
contradictions absurdes, qu'ils rendent l'homme orgueilleux,
intolérant, cruel; qu'au lieu d'établir la paix sur la terre, ils
y portent le fer et le feu. Je me demande à quoi bon tout
cela sans savoir me répondre. Je n'y vois que les crimes
des hommes et les misères du genre humain. 30

On me dit qu'il fallait une révélation pour apprendre aux
hommes la manière dont Dieu voulait être servi; on assigne

en preuve la diversité des cultes bizarres qu'ils ont institués, et l'on ne voit pas que cette diversité même vient de la fantaisie des révélations. Dès que les peuples se sont avisés de faire parler Dieu, chacun l'a fait parler à sa mode et lui
5 a fait dire ce qu'il a voulu. Si l'on n'eût écouté que ce que Dieu dit au cœur de l'homme, il n'y aurait jamais eu qu'une religion sur la terre.

Il fallait un culte uniforme, je le veux bien; mais ce point était-il donc si important qu'il fallût tout l'appareil de la
10 puissance divine pour l'établir? Ne confondons point le cérémonial de la religion avec la religion. Le culte que Dieu demande est celui du cœur; et celui-là, quand il est sincère, est toujours uniforme. C'est avoir une vanité bien folle de s'imaginer que Dieu prenne un si grand intérêt à la
15 forme de l'habit du prêtre, à l'ordre des mots qu'il prononce, aux gestes qu'il fait à l'autel et à toutes ses génuflexions. Eh! mon ami, reste de toute ta hauteur,[1] tu seras toujours assez près de terre. Dieu veut être adoré en esprit et en vérité; ce devoir est de toutes les religions, de tous les pays,
20 de tous les hommes. Quant au culte extérieur, s'il doit être uniforme pour le bon ordre, c'est purement une affaire de police; il ne faut point de révélation pour cela.

Le Miracle

Supposons que la majesté divine daigne s'abaisser assez pour rendre un homme l'organe de ses volontés sacrées,
25 est-il raisonnable, est-il juste d'exiger que tout le genre humain obéisse à la voix de ce ministre sans le lui faire connaître pour tel? Y a-t-il de l'équité à ne lui donner, pour toutes lettres de créance, que quelques signes particuliers faits devant peu de gens obscurs, et dont tout le reste des hommes ne

---

[1] C. à. d.: reste debout, même sans t'agenouiller tu peux adorer en humilité.

saura jamais rien que par ouï-dire? Par tous les pays du
monde, si l'on tenait pour vrais tous les prodiges que le peuple
et les simples disent avoir vus, chaque secte serait la bonne;
il y aurait plus de prodiges que d'événements naturels, et le
plus grand de tous les miracles serait que, là où il y a des   5
fanatiques persécutés, il n'y eût point de miracles. C'est
l'ordre inaltérable de la nature qui montre le mieux la sage
main qui la régit; s'il arrivait beaucoup d'exceptions, je ne
saurais plus qu'en penser; et, pour moi, je crois trop en Dieu
pour croire à tant de miracles si peu dignes de lui.   10

Qu'un homme vienne nous tenir ce langage: « Mortels,
je vous annonce la volonté du Très-Haut; reconnaissez à
ma voix celui qui m'envoie; j'ordonne au soleil de changer
sa course, aux étoiles de former un autre arrangement, aux
montagnes de s'aplanir, aux flots de s'élever, à la terre de   15
prendre un autre aspect. » A ces merveilles, qui ne reconnaî-
tra pas à l'instant le maître de la nature? Elle n'obéit point
aux imposteurs; leurs miracles se font dans des carrefours,
dans des déserts, dans des chambres; et c'est là qu'ils ont
bon marché d'un petit nombre de spectateurs déjà disposés   20
à tout croire. Qui est-ce qui m'osera dire combien il faut
de témoins oculaires pour rendre un prodige digne de foi?
Si vos miracles, faits pour prouver votre doctrine, ont eux-
mêmes besoin d'être prouvés, de quoi servent-ils? autant
valait n'en point faire.   25

Reste enfin l'examen le plus important dans la doctrine
annoncée; car, puisque ceux qui disent que Dieu fait ici-
bas des miracles prétendent que le diable les imite quelquefois,
avec les prodiges les mieux attestés, nous ne sommes pas plus
avancés qu'auparavant; et, puisque les magiciens de Pharaon   30
osaient, en présence même de Moïse, faire les mêmes signes
qu'il faisait par l'ordre exprès de Dieu, pourquoi, dans son
absence, n'eussent-ils pas, aux mêmes titres, prétendu la
même autorité? Ainsi donc, après avoir prouvé la doctrine
par le miracle, il faut prouver le miracle par la doctrine, de 35

peur de prendre l'œuvre du démon pour l'œuvre de Dieu.
Que pensez-vous de ce dialèle? [1]

    Cette doctrine, venant de Dieu, doit porter le sacré ca-
ractère de la Divinité; non-seulement elle doit nous éclaircir
5 les idées confuses que le raisonnement en trace dans notre
esprit, mais elle doit aussi nous proposer un culte, une morale,
et des maximes convenables aux attributs par lesquels seuls
nous concevons son essence. Si donc elle ne nous appre-
nait que des choses absurdes et sans raison, si elle ne nous
10 inspirait que des sentiments d'aversion pour nos semblables
et de frayeur pour nous-mêmes, si elle ne nous peignait qu'un
Dieu colère, jaloux, vengeur, partial, haïssant les hommes,
un Dieu de la guerre et des combats, toujours prêt à détruire
et foudroyer, toujours parlant de tourments, de peines, et
15 se vantant de punir même les innocents, mon cœur ne serait
point attiré vers ce Dieu terrible, et je me garderais de quitter
la religion naturelle pour embrasser celle-là. . . . .

    A l'égard des dogmes, elle me dit qu'ils doivent être clairs,
lumineux, frappants par leur évidence. Si la religion naturelle
20 est insuffisante, c'est par l'obscurité qu'elle laisse dans les
grandes vérités qu'elle nous enseigne: c'est à la révélation
de nous enseigner ces vérités d'une manière sensible à l'esprit de l'homme, de les mettre à sa portée, de les lui faire
concevoir, afin qu'il les croie. La foi s'assure et s'affermit
25 par l'entendement; la meilleure de toutes les religions est
infailliblement la plus claire: celui qui charge de mystères,
de contradictions, le culte qu'il me prêche, m'apprend par
cela même à m'en défier. Le Dieu que j'adore n'est point
un Dieu de ténèbres; il ne m'a point doué d'un entendement
30 pour m'en interdire l'usage: me dire de soumettre ma raison,
c'est outrager son auteur. Le ministre de la vérité ne ty-
rannise point ma raison, il l'éclaire.

    [1] On appelle ainsi en logique l'argument qui se réduit à prouver une
chose incertaine et obscure par une autre entâchée des mêmes défauts,
puis cette seconde par la première.

Jésus-Christ et Socrate

Je vous avoue aussi que la sainteté de l'Évangile est un argument qui parle à mon cœur, et auquel j'aurais même regret de trouver quelque bonne réponse. Voyez les livres des philosophes avec toute leur pompe: qu'ils sont petits près de celui-là! Se peut-il qu'un livre à la fois si sublime et si simple soit l'ouvrage des hommes? Se peut-il que celui dont il fait l'histoire ne soit qu'un homme lui-même? Est-ce là le ton d'un enthousiaste ou d'un ambitieux sectaire? Quelle douceur, quelle pureté dans ses mœurs! quelle grâce touchante dans ses instructions! quelle élévation dans ses maximes! quelle profonde sagesse dans ses discours! quelle présence d'esprit, quelle finesse et quelle justesse dans ses réponses! quel empire sur ses passions! Où est l'homme, où est le sage qui sait agir, souffrir et mourir sans faiblesse et sans ostentation? Quand Platon peint son juste imaginaire (*De Rep.*, lib. I), couvert de tout l'opprobre du crime, et digne de tous les prix de la vertu, il peint trait pour trait Jésus-Christ; la ressemblance est si frappante que tous les Pères l'ont sentie, et qu'il n'est pas possible de s'y tromper. Quels préjugés, quel aveuglement ne faut-il point avoir pour oser comparer le fils de Sophronisque au fils de Marie? Quelle distance de l'un à l'autre! Socrate, mourant sans douleur, sans ignominie, soutint aisément jusqu'au bout son personnage; et, si cette facile mort n'eût honoré sa vie, on douterait si Socrate, avec tout son esprit, fut autre chose qu'un sophiste. Il inventa, dit-on, la morale; d'autres avant lui l'avaient mise en pratique: il ne fit que dire ce qu'ils avaient fait; il ne fit que mettre en leçons leurs exemples. Aristide avait été juste avant que Socrate eût dit ce que c'était que justice; Léonidas était mort pour son pays avant que Socrate eût fait un devoir d'aimer la patrie; Sparte était sobre avant que Socrate eût loué la sobriété; avant qu'il eût défini la vertu, la Grèce abondait en hommes vertueux. Mais où

Jésus avait-il pris chez les siens cette morale élevée et pure
dont lui seul a donné les leçons et l'exemple?[1] Du sein du plus
furieux fanatisme la plus haute sagesse se fit entendre, et la
simplicité des plus héroïques vertus honora le plus vil de
5 tous les peuples. La mort de Socrate, philosophant tranquillement avec ses amis, est la plus douce qu'on puisse désirer;
celle de Jésus expirant dans les tourments, injurié, raillé,
maudit de tout un peuple, est la plus horrible qu'on puisse
craindre. Socrate, prenant la coupe empoisonnée, bénit
10 celui qui la lui présente et qui pleure; Jésus, au milieu d'un
supplice affreux, prie pour ses bourreaux acharnés. Oui,
si la vie et la mort de Socrate sont d'un sage, la vie et la mort
de Jésus sont d'un Dieu. Dirons-nous que l'histoire de
l'Évangile est inventée à plaisir? Mon ami, ce n'est pas
15 ainsi qu'on invente; et les faits de Socrate, dont personne ne
doute, sont moins attestés que ceux de Jésus-Christ. Au
fond, c'est reculer la difficulté sans la détruire; il serait plus
inconcevable que plusieurs hommes d'accord eussent fabri-
qué ce livre, qu'il ne l'est qu'un seul en ait fourni le sujet.
20 Jamais des auteurs juifs n'eussent trouvé ni ce ton ni cette
morale; et l'Évangile a des caractères de vérité si grands, si
frappants, si parfaitement inimitables, que l'inventeur en
serait plus étonnant que le héros. Avec tout cela, ce même
Évangile est plein de choses incroyables, de choses qui ré-
25 pugnent à la raison, et qu'il est impossible à tout homme
sensé de concevoir ni d'admettre. Que faire au milieu de
toutes ces contradictions? Être toujours modeste et cir-
conspect, mon enfant; respecter en silence ce qu'on ne
saurait ni rejeter ni comprendre, et s'humilier devant le
30 grand Être qui seul sait la vérité.

Voilà le scepticisme involontaire où je suis resté; mais
ce scepticisme ne m'est nullement pénible, parce qu'il ne
s'étend pas aux points essentiels à la pratique, et que je suis

[1] Voyez, dans le discours sur la montagne, le parallèle qu'il fait lui-
même de la morale de Moïse à la sienne. (MATTH., chap. V, vers 21 ss.)

bien décidé sur les principes de tous mes devoirs. Je sers
Dieu dans la simplicité de mon cœur. Je ne cherche à savoir
que ce qui importe à ma conduite. Quant aux dogmes
qui n'influent ni sur les actions ni sur la morale, et dont tant
de gens se tourmentent, je ne m'en mets nullement en peine. 5

Conclusion de la *Profession de Foi*

Bon jeune homme, soyez sincère et vrai sans orgueil; sachez
être ignorant; vous ne vous tromperez ni vous ni les autres.
Si jamais vos talents cultivés vous mettent en état de parler
aux hommes, ne leur parlez jamais que selon votre conscience,
sans vous embarrasser s'ils vous applaudiront. L'abus du 10
savoir produit l'incrédulité. Tout savant dédaigne le sentiment vulgaire; chacun en veut avoir un à soi. L'or-
gueilleuse philosophie mène à l'esprit fort comme l'aveugle
dévotion mène au fanatisme. Évitez ces extrémités, restez
toujours ferme dans la voie de la vérité, ou de ce qui vous 15
paraîtra l'être dans la simplicité de votre cœur, sans jamais
vous en détourner par vanité ou par faiblesse. Osez confesser
Dieu chez les philosophes; osez prêcher l'humanité aux in-
tolérants; vous serez seul de votre parti, peut-être, mais
vous porterez en vous-même un témoignage qui vous dis- 20
pensera de ceux des hommes. Qu'ils vous aiment ou vous
haïssent, qu'ils lisent ou méprisent vos écrits, il n'importe.
Dites ce qui est vrai, faites ce qui est bien; ce qui importe
à l'homme est de remplir ses devoirs sur la terre, et c'est en
s'oubliant qu'on travaille pour soi. Mon enfant, l'intérêt 25
particulier nous trompe; il n'y a que l'espoir du juste qui
ne trompe point.

La Profession de Foi du Vicaire Savoyard attira sur Rousseau
des attaques violentes. La plus célèbre est le long *Mandement de
Monseigneur, l'Archevêque de Paris portant Condamnation d'un* 30
Livre qui a pour titre ÉMILE *ou de L'Éducation, par Jean-Jacques
Rousseau, citoyen de Genève.*

CHRISTOPHE DE BEAUMONT, par la miséricorde divine
et par la grâce du saint-siège apostolique, archevêque de
Paris, duc de Saint-Cloud, pair de France, commandeur de
l'ordre du Saint-Esprit, proviseur de Sorbonne, etc.; à tous
5 les fidèles de notre diocèse, salut et bénédiction.

I. Saint Paul a prédit, M. T. C. F. [Mes Très Chers
Frères] qu'il viendrait *des jours périlleux où il y aurait des
gens amateurs d'eux-mêmes, fiers, superbes, blasphémateurs,
enflés d'orgueil, amateurs des voluptés plutôt que de Dieu;*
10 *des hommes d'un esprit corrompu et pervertis dans la foi.* Et
dans quels temps malheureux cette prédiction s'est-elle
accomplie plus à la lettre que dans le nôtre! L'incrédulité,
enhardie par toutes les passions, se présente sous toutes les
formes, afin de se proportionner en quelque sorte à tous
15 les âges, à tous les caractères, à tous les états. Tantôt, pour
s'insinuer dans des esprits qu'elle trouve déjà *ensorcelés par
la bagatelle*, elle emprunte un style léger, agréable et frivole:
de là tant de romans, également obscènes et impies, dont le
but est d'amuser l'imagination pour séduire l'esprit et cor-
20 rompre le cœur. Tantôt, affectant un air de profondeur et
de sublimité dans ses vues, elle feint de remonter aux premiers
principes de nos connaissances, et prétend s'en autoriser pour
secouer un joug qui, selon elle, déshonore l'humanité, la
Divinité même. Tantôt elle déclame en furieuse contre le
25 zèle de la religion, et prêche la tolérance universelle avec emportement. Tantôt enfin, réunissant tous ces divers langages,
elle mêle le sérieux à l'enjouement, des maximes pures à des
obscénités, de grandes vérités à de grandes erreurs, la foi au
blasphème; elle entreprend, en un mot, d'accorder les lu-
30 mières avec les ténèbres, Jésus-Christ avec Bélial: et tel est
spécialement, M. T. C. F., l'objet qu'on paraît s'être proposé dans un ouvrage récent, qui a pour titre, ÉMILE OU DE
L'ÉDUCATION. Du sein de l'erreur il s'est élevé un homme
plein du langage de la philosophie, sans être véritablement
35 philosophe; esprit doué d'une multitude de connaissances

qui ne l'ont pas éclairé, et qui ont répandu des ténèbres dans
les autres esprits; caractère livré aux paradoxes d'opinions
et de conduite, alliant la simplicité des mœurs avec le faste
des pensées, le zèle des maximes antiques avec la fureur d'é-
tablir des nouveautés, l'obscurité de la retraite avec le désir 5
d'être connu de tout le monde: on l'a vu invectiver contre
les sciences qu'il cultivait, préconiser l'excellence de
l'Évangile dont il détruisait les dogmes, peindre la beauté
des vertus qu'il éteignait dans l'âme de ses lecteurs. Il
s'est fait le précepteur du genre humain pour le tromper, le 10
moniteur public pour égarer tout le monde, l'oracle du siècle
pour achever de le perdre. Dans un ouvrage sur l'inégalité
des conditions, il avait abaissé l'homme jusqu'au rang des
bêtes; dans une autre production plus récente, il avait in-
sinué le poison de la volupté en paraissant le proscrire: dans 15
celui-ci, il s'empare des premiers moments de l'homme afin
d'établir l'empire de l'irréligion. . . . .

Il y a 27 articles au Mandement. L'auteur d'*Émile* est accusé
de ne « reconnaître aucune religion » ; « il n'accorde pas même
à un enfant de 15 ans la capacité de croire en Dieu » ; « il ne croit 20
pas nécessaire au salut la connaissance de l'existence de Dieu.»
« Il semble qu'il n'ait rejeté la Révélation que pour s'en tenir à
la religion naturelle.» « Et comment ces hommes audacieux qui
refusent de se soumettre à l'autorité de Dieu même, respecteraient-
ils celle des rois qui sont les images de Dieu, ou celle des magistrats 25
qui sont les images des rois? » . . . etc. Donc: « Malheur à vous,
malheur à la société, si vos enfants étaient élevés d'après les
principes de l'auteur d'*Émile* ! » L'article 27 conclut le Mande
ment ainsi:

Nous condamnons le dit livre comme contenant une 30
doctrine abominable, propre à renverser la loi naturelle et à
détruire les fondements de la religion chrétienne, établissant
des maximes contraires à la morale évangélique; tendant à
troubler la paix des États, à révolter les sujets contre l'autorité de leur souverain; comme contenant un très grand 35

nombre de propositions respectivement fausses, scandaleuses, pleines de haine contre l'Église et ses ministres, dérogeantes au respect dû à l'Écriture sainte et à la tradition de l'Église, erronées, impies, blasphématoires et hérétiques. En con-
5 séquence, nous défendons très expressément à toutes personnes de notre diocèse de lire ou retenir le dit livre, sous les peines de droit.

Donné à Paris, en notre palais archiépiscopal, le vingtième jour d'août mil sept cent soixante-deux.

10   *Signé:* ✝ CHRISTOPHE, *archev. de Paris.*[1]
Par Monseigneur,   DE LA TOUCHE.

SOPHIE [2]

« Nous voici parvenus au dernier acte de la jeunesse.» Il faut trouver une compagne à Émile qui a atteint sa vingtième année. Rousseau parle souvent à son élève d'une femme idéale—
15 idéale pour Émile, pas idéale en soi.

Je ne veux pas pour cela qu'on trompe un jeune homme en lui peignant un modèle de perfection qui ne puisse exister; mais je choisirai tellement les défauts de sa maîtresse, qu'ils lui conviennent, qu'ils lui plaisent, et qu'ils servent à corriger
20 les siens.

En voyant des femmes réelles, Émile les comparera à celle de son rêve, et n'en voudra pas. Et quand il est conduit à la ville, il est plus dégoûté que jamais de la femme qui est le produit de

---

[1] Rousseau répondit une longue et très éloquente lettre à Christophe de Beaumont, archevêque de Paris, 18 nov. 1762 (parue en 1763). Ajoutons ici que M. Masson (*Religion de Rousseau*, III, p. 51) cite une lettre de Seguier de Saint-Brisson à Rousseau où on lit que beaucoup de dévots catholiques le « chérissent », et que « l'archevêque de Paris a été très fâché, même avant votre *Lettre*, des horribles épithètes que l'on vous avait données dans son *Mandement*. » Ce ne serait donc pas l'archevêque qui aurait écrit le *Mandement*.

[2] Rappelons que le premier *Traité sur l'Éducation des Filles* est celui de Fénelon (1768).

l'éducation par la société.   « En passant ainsi le temps, nous cherchons toujours Sophie.»

Sophie sera la femme élevée selon les mêmes principes qu'Émile, et qui conviendra à Émile.   « En tout ce qui ne tient pas au sexe, la femme est homme . . . ils ne diffèrent entre eux 5 que du plus au moins.   En tout ce qui tient au sexe, la femme et l'homme ont partout des rapports et partout des différences . . . »

L'homme étant le plus fort, la femme doit accepter cette loi de la nature, et de là cette phrase souvent citée de Rousseau: « Il s'en suit que la femme est faite spècialement pour plaire à 10 l'homme.»   Du reste, continue Rousseau, ce n'est pas l'homme qui gagne à cet arrangement, c'est la femme.   Car la femme, en plaisant à l'homme — selon l'ordre de la nature — devient facilement la maîtresse de l'homme et a toutes les forces de celui-ci à son service.   Ainsi, que la femme ne commette pas la faute de 15 désobéir à la nature et de « provoquer » l'homme.

La Course

Rousseau raconte dans les *Confessions*, X, qu'il écrivit le Cinquième Livre d'*Émile, Sophie,* dans les semaines où, pendant qu'on réparait son appartement de Mont-Louis, à Montmorency, il avait accepté l'hospitalité du Maréchal de Luxembourg.   Il était 20 logé dans un bâtiment du grand parc, au milieu d'une nature enchanteresse.   « C'est dans cette profonde et délicieuse solitude qu'au milieu des bois et des eaux, aux concerts des oiseaux de toute espèce, au parfum de la fleur d'orange, je composai, dans une continuelle extase, le Cinquième livre d'*Émile,* dont je dus, 25 en grande partie, le coloris assez frais, à la vive impression du local où j'écrivais.»

Voici une des scènes de ce livre, qui est souvent un roman. C'est lors d'une des premières visites d'Émile à la maison de Sophie.   30

A propos de gâteaux, je parle à Émile de ses anciennes courses.[1]   On veut savoir ce que c'est que ces courses: je

---

[1] Voir plus haut l'extrait: *La course, le sens de la vue, et la générosité du Sportsman* (2ᵐᵉ âge).

l'explique, on en rit; on lui demande s'il sait courir encore.
Mieux que jamais, répond-il; je serais bien fâché de l'avoir
oublié. Quelqu'un de la compagnie aurait grande envie
de le voir courir, et n'ose le dire; quelque autre se charge
de la proposition; il accepte: on fait rassembler deux ou
trois jeunes gens des environs; on décerne un prix, et, pour
mieux imiter les anciens jeux, on met un gâteau sur le but.
Chacun se tient prêt; le papa donne le signal en frappant
des mains. L'agile Émile fend l'air, et se trouve au bout de
la carrière qu'à peine mes trois lourdauds sont partis. Émile
reçoit le prix des mains de Sophie, et, non moins généreux
qu'Énée, fait des présents à tous les vaincus.[1]

Au milieu de l'éclat du triomphe, Sophie ose défier le vainqueur et se vante de courir aussi bien que lui. Il ne refuse
point d'entrer en lice avec elle, et, tandis qu'elle s'apprête
à l'entrée de la carrière, qu'elle retrousse sa robe des deux
côtés, et que, plus curieuse d'étaler une jambe fine aux
yeux d'Émile que de le vaincre à ce combat, elle regarde si
ses jupes sont assez courtes, il dit un mot à l'oreille de la
mère; elle sourit et fait un signe d'approbation. Il vient
alors se placer à côté de sa concurrente, et le signal n'est
pas plus tôt donné, qu'on la voit partir et voler comme un
oiseau.

Les femmes ne sont pas faites pour courir; quand elles
fuient, c'est pour être atteintes. La course n'est pas la seule
chose qu'elles fassent maladroitement, mais c'est la seule
qu'elles fassent de mauvaise grâce: leurs coudes en arrière
et collés contre leur corps leur donnent une attitude risible,
et les hauts talons sur lesquels elles sont juchées les font
paraître autant de sauterelles qui voudraient courir sans
sauter.

Émile, n'imaginant point que Sophie coure mieux qu'une

---

[1] *Énéide*, Livre V. Aux fêtes données en mémoire de son père Anchise,
Énée après avoir couronné les vainqueurs des courses et des régates,
récompense aussi les vaincus.

autre femme, ne daigne pas sortir de sa place et la voit partir
avec un souris moqueur. Mais Sophie est légère et porte des
talons bas; elle n'a pas besoin d'artifice pour paraître avoir
le pied petit; elle prend les devants d'une telle rapidité que,
pour atteindre cette nouvelle Atalante,[1] il n'a que le temps 5
qu'il lui faut quand il l'aperçoit si loin devant lui. Il part
donc à son tour, semblable à l'aigle qui fond sur sa proie; il
la poursuit, la talonne, l'atteint enfin tout essoufflée, passe
doucement son bras gauche autour d'elle, l'enlève comme
une plume, et pressant sur son cœur cette douce charge, il 10
achève ainsi la course, lui fait toucher le but la première,
puis criant: *Victoire à Sophie !* met devant elle un genou en
terre et se reconnaît le vaincu.

Le problème du mariage est au premier plan. Le père de
Sophie lui propose cette méthode nouvelle: « Les parents choi- 15
sissent l'époux de leur fille, et ne la consultent que pour la forme:
tel est l'usage. Nous ferons entre nous tout le contraire; vous
choisirez et nous serons consultés.»

La grande beauté me paraît plutôt à fuir qu'à rechercher
dans le mariage. La beauté s'use promptement par la pos- 20
session, au bout de six semaines elle n'est plus rien pour le
possesseur, mais ses dangers durent autant qu'elle. A moins
qu'une belle femme ne soit un ange, son mari est le plus
malheureux des hommes, et, quand elle serait un ange, comment empêchera-t-elle qu'il ne soit sans cesse entouré d'en- 25
nemis? Si l'extrême laideur n'était pas dégoûtante, je la
préférerais à l'extrême beauté; car en peu de temps, l'une
et l'autre étant nulles pour le mari, la beauté devient un inconvénient et la laideur un avantage.

L'éducation de Sophie n'est ni brillante, ni négligée; elle 30
a du goût sans étude, du talent sans art, du jugement sans

---

[1] *Atalante*, célèbre pour son agilité à la course, déclara à la foule de
ses prétendants qu'elle ne donnerait sa main qu'à celui qui la dépasserait
à la course.

connaissances. Son esprit ne sait pas, mais il est cultivé
pour apprendre; c'est une terre bien préparée qui n'attend
que le grain pour rapporter. Elle n'a jamais lu de livre que
Barrême,[1] et Télémaque, qui lui tomba par hasard dans les
5 mains; mais une fille capable de se passionner pour Télémaque a-t-elle un cœur sans sentiment et un esprit sans
délicatesse? Ô l'aimable ignorante! Heureux celui qu'on
destine à l'instruire! Elle ne sera point le professeur de
son mari, mais son disciple; loin de vouloir l'assujettir à ses
10 goûts, elle prendra les siens.

Sophie a de la religion; mais une religion raisonnable et
simple, peu de dogmes et moins de pratiques de dévotion:
ou plutôt, ne connaissant de pratique essentielle que la morale,
elle dévoue sa vie entière à servir Dieu en faisant le bien.
15 Dans toutes les instructions que ses parents lui ont données
sur ce sujet, ils l'ont accoutumée à une soumission respec-
tueuse, en lui disant toujours: « Ma fille, ces connaissances
ne sont pas de votre âge; votre mari vous en instruira quand
il sera temps. » Du reste, au lieu de longs discours de piété,
20 ils se contentent de la lui prêcher par leur exemple, et cet
exemple est gravé dans son cœur.

.   .   .   .

L'art de penser n'est pas étranger aux femmes, mais elles
ne doivent faire qu'effleurer les sciences de raisonnement.
Sophie conçoit tout et ne retient pas grand'chose. Ses plus
25 grands progrès sont dans la morale et les choses de goût;
pour la physique, elle n'en retient que quelque idée des lois
générales et du système du monde. Quelquefois, dans leurs
promenades, en contemplant les merveilles de la nature, leurs
cœurs innocents et purs osent s'élever jusqu'à son auteur;

---

[1] *Barrême* (1640–1703), mathématicien célèbre, auteur du *Livre des
Comptes*, manuel en usage longtemps pour l'enseignement de l'arith-
métique en France.

ils ne craignent pas sa présence, ils s'épanchent conjointement devant lui.

Quoi! deux amants dans la fleur de l'âge emploient leur
tête-à-tête à parler de religion! Ils passent leur temps à dire
leur catéchisme! Que sert d'avilir ce qui est sublime? Oui, 5
sans doute, ils le disent dans l'illusion qui les charme; ils se
voient parfaits, ils s'aiment, ils s'entretiennent avec enthousiasme de ce qui donne un prix à la vertu. Les sacrifices
qu'ils lui font la leur rendent chère. Dans des transports
qu'il faut vaincre, ils versent quelquefois ensemble des larmes 10
plus pures que la rosée du ciel, et ces douces larmes font l'enchantement de leur vie; ils sont dans le plus charmant délire
qu'aient jamais éprouvé des âmes humaines.

Les Fiançailles

Émile est heureux autant qu'un homme peut l'être. Irai-je
en ce moment abréger un destin si doux? irai-je troubler 15
une volupté si pure? Ah! tout le prix de la vie est dans la
félicité qu'il goûte. Que pourrais-je lui rendre qui valût
ce que je lui aurais ôté? Même en mettant le comble à
son bonheur j'en détruirais le plus grand charme. Ce bonheur
suprême est cent fois plus doux à espérer qu'à obtenir; on en 20
jouit mieux quand on l'attend que quand on le goûte. Ô
bon Émile, aime et sois aimé! jouis longtemps avant que de
posséder; jouis à la fois de l'amour et de l'innocence; fais
ton paradis sur la terre en attendant l'autre; je n'abrégerai
point cet heureux temps de ta vie; j'en filerai pour toi l'en- 25
chantement; je le prolongerai le plus qu'il sera possible.
Hélas! il faut qu'il finisse, et qu'il finisse en peu de temps;
mais je ferai du moins qu'il dure toujours dans ta mémoire,
et que tu ne te repentes jamais de l'avoir goûté.

Au moment où les deux jeunes gens s'attendent au mariage 30
(elle a 18 ans, lui 22), Rousseau les sépare, « cet âge est celui de
l'amour, mais non celui du mariage.» Rousseau les sépare,
d'abord pour l'épreuve de l'absence, et puis, pour permettre à

Émile de voyager pendant deux ans. Émile devra jouer dans
l'État son rôle; il faut que, comme le Télémaque de Fénelon, il
parcoure le monde et compare les lois et les institutions.

Ajoutons que Rousseau avait projeté — et commencé — un
5 roman du mariage, *Émile et Sophie*. La société corrompue tente
Sophie, et celle-ci succombe; la sagesse complète et le bonheur
durable ne sont acquis qu'après une terrible épreuve.

DU CONTRAT SOCIAL

Rousseau dit que ce fut pendant son séjour à Venise[1] (1743–
1744), quand il était au service de l'Ambassadeur de France,
10 qu'il réfléchit aux problèmes de la politique pour la première fois
sérieusement. Il toucha à ces questions dans le *Discours sur
l'Origine de l'Inégalité*, écrit en 1753; il publia son « article sur
l'Économie Politique », dans le volume V de *l'Encyclopédie*, en
1755; à Montmorency, en 1759, à l'époque de sa grande activité
15 littéraire, en même temps qu'il travaillait à *Émile* et à *La Nouvelle
Héloïse*, il décida de mettre par écrit ses idées sur la Politique.
Mais en revoyant ses notes, il abandonna un projet qu'il avait
eu de composer un traité complet sur *Les Institutions Politiques;*
et il se borna à donner ses vues sur les fondements de la société
20 civile, et à exposer quelques principes d'organization politique.
Il appela son petit livre, *Du Contrat Social*.[2]

L'ouvrage fut terminé au mois d'août 1761, et parut en avril
1762, à peu près un an après *La Nouvelle Héloïse*, et quelques
semaines avant *Émile*.

25 L'idée de l'existence d'un Contrat Social à l'origine de toute
société n'appartient pas à Rousseau. Elle avait été en quelque

---

[1] Voir *Confessions*, IX, (Éd. Hachette, VIII, 288–9).

[2] Il y a trois éditions à consulter surtout pour l'étude de ce livre: La
grande édition scientifique de Dreyfus-Brisac, *Le Contrat Social*, édition
comprenant, avec le texte définitif, les versions primitives de l'ouvrage …
Paris, Alcan 1896. Et deux éditions pour étudiants: celle de G. Beaulavon, Paris, F. Rieder et Cie, 1903, 2me éd. 1914; et celle de C. E. Vaughan,
Manchester, University Press, 1918. Des bibliographies se trouvent
chez Beaulavon, pp. 105–113; et chez Vaughan, pp. 166–171.

VITAM IMPENDERE VERO

J.J.ROUSSEAU

Vitam Impendere Vero

sorte suggérée, dans les temps modernes, par exemple par La Boétie, *De la Servitude Volontaire* (1574); et elle avait pris un caractère défini dès le XVIme siècle, chez Hooker (1594); puis elle fut reprise au XVIIme siècle, d'abord chez Grotius (1625), puis chez Milton (1649); et surtout chez Hobbes, qui dans son *De Cive* (1642) partait de l'idée que l'homme étant méchant (*homo homini lupus*) il faut un contrat pour se garder en commun contre la méchanceté de chacun; et chez Locke qui, dans ses *Two Treatises on Civil Government* (1690) adoptait l'idée du contrat parce que les hommes sont bons, et veulent s'associer pour développer leur bonté. Rousseau, lui, semble croire que l'homme d'avant la société civile était assez bon pour ne pas avoir besoin de contrat, mais que les rapports devenant plus complexes entre les hommes, le contrat est devenu nécessaire pour assurer la défense contre les égoïsmes particuliers et l'association des intérêts de classes. Le *Tractatus Politicus* de Spinoza (1670) serait probablement le plus proche de la théorie de Rousseau — mais il n'est pas fini. (Voir sur ce sujet l'excellent résumé de C. E. Vaughan, dans la Préface à son édition du *Contrat Social*, 1918, pp. lv–lxv.) On a pensé que Rousseau avait emprunté certaines de ses idées aux « Franchises » octroyées dès le XIVme siècle aux bourgeois de Genève par l'évêque Adhémar Fabri, ou à la Constitution de la Genève contemporaine. Il faut admettre ceci avec beaucoup de réserve: « Ce qui est vrai c'est que Rousseau avait trouvé à Genève le principe de la souveraineté populaire, très imparfaitement réalisé dans la pratique, mais du moins proclamé en théorie. Il n'a pas été plus inspiré par les institutions de Calvin que par les franchises de Fabri, mais il a été frappé de ce qu'une ville d'une population modérée, ni très riche, ni très pauvre, avait pu réaliser une ombre du régime démocratique.» (Beaulavon, Édition du *Contrat Social*, Paris 1914, p. 68.)

Le premier chapitre du livre commence par ces mots fameux: *L'homme est né libre, et partout il est dans les fers.* C'est-à-dire, l'homme (qui naît avec le désir du bonheur) avait trouvé, dans les temps préhistoriques, le monde ouvert pour réaliser librement ce bonheur. Il pouvait choisir pour y habiter les endroits de la terre où la nature lui fournissait tout ce qu'il fallait pour satisfaire

ses désirs, où le climat était bon et les fruits toujours abondants.
Mais (voir le *Discours sur l'Inégalité*) le monde s'était peuplé, les
hommes s'étaient mutuellement gênés, et les conflits étaient nés.
Si l'homme avait continué à s'abandonner au cours naturel des
5 choses, on serait arrivé à l'anarchie. Il avait fallu pour l'éviter,
organiser la société, et l'homme a passé de l'état social *naturel* où
il y avait la liberté, à l'état social organisé ou *civil* où il y a contrainte. Voici donc le point de départ: Société organisée ou civile
signifie *à-priori:* société où l'homme n'est plus « libre » comme
10 dans l'état de nature, mais « dans les fers »; il est contraint.
Alors le problème fondamental de la politique sera: Qui aura
autorité pour imposer ou régler cette contrainte?

Rousseau répond:

(1) « Aucun homme n'a une autorité naturelle sur son sem-
15 blable » (I, 4).

(2) « La force ne produit aucun droit » (I, 4).

(3) Mais l'homme peut consentir, par un contrat social à se
contraindre lui-même volontairement, à abandonner sa liberté
pour assurer l'ordre social, et la plus grande somme *possible* de
20 bonheur pour lui.

C'est précisément ce qu'il a fait, et cette contrainte volontaire,
cette « convention » de limiter son action, ce « contrat social »
est la « *base de toute autorité légitime parmi les hommes* » (I, 4).

Le *Contrat Social* présuppose « l'aliénation totale de chaque
25 associé avec tous ses droits à toute la communauté » (I, 6). Cette
communauté — ou État — organisera alors, sur une base équitable,
ces « droits » qui lui ont été abandonnés; il faudra que chaque
« associé » ait autant d'avantages que possible, et aussi peu de
désavantages que possible. Les citoyens « n'aliènent leur liberté
30 que pour leur utilité » (I, 2).

Reprenons ces trois thèses:

(1) « Aucun homme n'a une autorité naturelle sur son semblable.» Quand on affirme, comme déjà Aristote, et plus tard
Grotius et Hobbes, qu'il y a des hommes faits pour gouverner
35 (les rois) et d'autres pour être gouvernés (les peuples), on prend
l'effet pour la cause; c'est à dire on affirme ce qui a été longtemps,
et ce qui est encore en beaucoup de pays, mais on ne le justifie
pas. Rousseau rappelle le raisonnement naïf prêté à l'empereur

romain Caligula: « Comme ceux qui règnent sur les bêtes —
les bouviers, les chevriers, les pasteurs — ne sont pas eux-mêmes
des bœufs, des chèvres, et des brebis, mais des hommes, et comme
ils sont nés pour de plus hautes destinées que leurs troupeaux,
ainsi faut-il se souvenir que moi, qui règne sur le plus noble trou- 5
peau de l'espèce humaine, je diffère en nature de mes sujets,
que je suis né pour une destinée plus haute et plus divine qu'eux » [1]
(Philon, *De Legatione*).

(2) « La force ne produit aucun droit.» Voici le grand chapitre
de Rousseau. 10

Du Droit du plus Fort (I, 3)

Le plus fort n'est jamais assez fort pour être toujours le
maître, s'il ne transforme sa force en droit et l'obéissance en
devoir.[2] De là le droit du plus fort, droit pris ironiquement
en apparence et réellement établi en principe. Mais ne nous
expliquera-t-on jamais ce mot? La force est une puissance 15
physique; je ne vois point quelle moralité peut résulter de
ses effets. Céder à la force est un acte de nécessité, non de
volonté; c'est tout au plus un acte de prudence. En quel
sens pourra-ce être un devoir?

Supposons un moment ce prétendu droit. Je dis qu'il 20
n'en résulte qu'un galimatias inexplicable; car sitôt que
c'est la force qui fait le droit, l'effet change avec la cause: [3]

[1] Il y a cependant une question du droit divin des rois; mais c'est en
somme une question théologique que Rousseau n'aborde point ici. La
théocratie présuppose tout un système de croyances religieuses ... et
dans le *Contrat Social* Rousseau cherche justement si on peut justifier le
gouvernement d'hommes par des hommes sans avoir recours à une théologie. Il touche la question dans l'introduction à la première ébauche du
Contrat Social, et dans la 6ᵐᵉ des *Lettres de la Montagne*.

[2] C'est à dire: à moins que le plus fort ne s'arrange de façon à ce que
sa force corresponde avec le droit; alors si, par accident, il perd l'autorité
de la force, celle du droit lui reste toujours.

[3] Un jour le droit sera une chose (quand le plus fort veut ceci), une
autre fois, le droit sera autre chose (quand le fort veut cela); alors aussi
bien dire qu'il n'y a pas de droit.

toute force qui surmonte la première succède à son droit.
Sitôt qu'on peut désobéir impunément, on le peut légitimement; et puisque le plus fort a toujours raison, il ne s'agit
que de faire en sorte qu'on soit le plus fort. Or, qu'est-ce
5 qu'un droit qui périt quand la force cesse? S'il faut obéir
par force, on n'a pas besoin d'obéir par devoir; et si l'on
n'est plus forcé d'obéir, on n'y est plus obligé. On voit donc
que le mot *droit* n'ajoute rien à la force; il ne signifie ici
rien du tout.

10 Obéissez aux puissances. Si cela veut dire: cédez à la
force, le précepte est bon, mais superflu; je réponds qu'il
ne sera jamais violé. Toute puissance vient de Dieu, je
l'avoue; mais toute maladie en vient aussi: est-ce à dire
qu'il soit défendu d'appeler le médecin? Qu'un brigand me
15 surprenne au coin d'un bois, non-seulement il faut par force
donner la bourse, mais quand je pourrai la soustraire, suis-je
en conscience obligé de la donner? Car enfin le pistolet
qu'il tient est aussi une puissance.

Convenons donc que force ne fait pas droit, et qu'on n'est
20 obligé d'obéir qu'aux puissances légitimes. Ainsi, ma question primitive revient toujours. [C'est à dire: quelle serait
une « puissance *légitime* » à laquelle l'homme « né libre », mais
aujourd'hui « dans les fers » doit et peut « obéir » ? (I, 1.)]

25 (3) Le Contrat Social. « Puisqu'aucun homme n'a une autorité
naturelle sur son semblable, et puisque la force ne produit
aucun droit, restent donc les conventions pour base de toute
autorité légitime parmi les hommes » (I, 4).

Rousseau discute la nature de ces « conventions » dans le
30 chapitre,

Le Pacte Social (I, 6)

Le problème peut se ramener à ceci:

« Trouver une forme d'association qui défende et protège
de toute la force commune la personne et les biens de chaque
associé, et par laquelle chacun, s'unissant à tous, n'obéisse

pourtant qu'à lui-même,[1] et reste aussi libre qu'auparavant. »
Tel est le problème fondamental dont le Contrat social donne
la solution.

Les clauses de ce contrat sont tellement déterminées par
la nature de l'acte, que la moindre modification les rendrait 5
vaines et de nul effet; en sorte que, bien qu'elles n'aient
peut-être jamais été formellement énoncées, elles sont partout
les mêmes, partout tacitement admises et reconnues, jusqu'à
ce que, le pacte social étant violé, chacun rentre alors dans
ses premiers droits et reprenne sa liberté naturelle en perdant 10
la liberté conventionnelle pour laquelle il y renonça.

Ces clauses, bien entendues, se réduisent toutes à une
seule, savoir: l'aliénation totale de chaque associé avec tous
ses droits à toute la communauté; car, premièrement, chacun
se donnant tout entier, la condition est égale pour tous, et, 15
la condition étant égale pour tous, nul n'a intérêt de la rendre
onéreuse aux autres.

De plus, l'aliénation se faisant sans réserve, l'union est
aussi parfaite qu'elle peut l'être, et nul associé n'a plus rien
à réclamer: car, s'il restait quelques droits aux particuliers, 20
comme il n'y aurait aucun supérieur commun qui pût prononcer entre eux et le public, chacun, étant en quelque point
son propre juge, prétendrait bientôt l'être en tout; l'état de
nature subsisterait, et l'association deviendrait nécessairement tyrannique ou vaine. 25

Enfin, chacun se donnant à tous ne se donne à personne;
et, comme il n'y a pas un associé sur lequel on n'acquière le
même droit qu'on lui cède sur soi, on gagne l'équivalent de
tout ce qu'on perd, et plus de force pour conserver ce qu'on a.

Si donc on écarte du pacte social ce qui n'est pas de son 30
essence, on trouvera qu'il se réduit aux termes suivants:

---

[1] C'est à dire, veuille lui-même, parce que c'est son avantage social
dans les conditions d'agglomération de populations, limiter ses désirs
naturels; il y perdra moins qu'en refusant, et il y gagnera la protection des
autres contre des attaques d'un « outlaw ».

« Chacun de nous met en commun sa personne et toute sa puissance sous la suprême direction de la volonté générale, et nous recevons en corps chaque membre comme partie indivisible du tout. »

5 A l'instant, au lieu de la personne particulière de chaque contractant, cet acte d'association produit un corps moral et collectif, composé d'autant de membres que l'assemblée a de voix, lequel reçoit de ce même acte son unité, son *moi* commun, sa vie et sa volonté. Cette personne publique, 10 qui se forme ainsi par l'union de toutes les autres, prenait autrefois le nom de *cité*, et prend maintenant celui de *république*, ou de *corps politique*, lequel est appelé par ses membres *état*, quand il est passif; *souverain*, quand il est actif; *puissance*, en le comparant à ses semblables.[1] A l'égard des associés, 15 ils prennent collectivement le nom de *peuple*, et s'appellent en particulier *citoyens*, comme participants à l'autorité souveraine, et *sujets*, comme soumis aux lois de l'État. Mais ces termes se confondent souvent et se prennent l'un pour l'autre; il suffit de les savoir distinguer quand ils sont employés 20 dans toute leur précision.

De l'État Civil (I, 8)

Ce passage de l'état de nature à l'état civil produit dans l'homme un changement très remarquable, en substituant dans sa conduite la justice à l'instinct, et donnant à ses actions la moralité qui leur manquait auparavant. C'est alors seule- 25 ment que la voix du devoir, succédant à l'impulsion physique, et le droit à l'appétit, l'homme, qui, jusque-là, n'avait regardé que lui-même, se voit forcé d'agir sur d'autres principes, et de consulter sa raison avant d'écouter ses penchants. Quoiqu'il se prive dans cet état de plusieurs avantages qu'il

---

[1] Par exemple, le peuple de France sera *état* en tant qu'il est considéré comme soumis à sa constitution et à ses lois, *souverain* en tant qu'il s'est donné cette constitution et ces lois, *puissance* en tant qu'il affirme ses droits vis-à-vis de ceux d'autres peuples.

tient de la nature, il en regagne de si grands, ses facultés s'exercent et se développent, ses idées s'étendent, ses sentiments s'ennoblissent, son âme tout entière s'élève à tel point, que, si les abus de cette nouvelle condition ne le dégradaient souvent au-dessous de celle dont il est sorti, il devrait bénir sans cesse l'instant heureux qui l'en arracha pour jamais, et qui, d'un animal stupide et borné, fit un être intelligent et un homme.

Réduisons toute cette balance à des termes faciles à comparer. Ce que l'homme perd par le contrat social, c'est sa liberté naturelle et un droit illimité à tout ce qui le tente et qu'il peut atteindre; ce qu'il gagne, c'est la liberté civile et la propriété de tout ce qu'il possède. Pour ne pas se tromper dans ces compensations, il faut bien distinguer la liberté naturelle, qui n'a pour borne que les forces de l'individu, de la liberté civile, qui est limitée par la liberté générale, et la possession, qui n'est que l'effet de la force ou le droit du premier occupant, de la propriété, qui ne peut être fondée que sur un titre positif.

On pourrait sur ce qui précède ajouter à l'acquit de l'état civil la liberté morale, qui seule rend l'homme vraiment maître de lui, car l'impulsion du seul appétit est l'esclavage,[1] et l'obéissance à la loi qu'on s'est prescrite est la liberté. Mais je n'en ai déjà que trop dit sur cet article, et le sens philosophique du mot *liberté* n'est pas ici de mon sujet.

Les extraits suivants, empruntés à des chapitres subséquents, expliqueront encore la pensée de Rousseau.

Des Formes du Pouvoir Souverain (II, 4)

.   .   .   .

Il est si faux que dans le contrat social il y ait, de la part des particuliers, aucune renonciation véritable, que leur

---

[1] Esclavage de ses sens, de ses instincts, de la passion . . . liberté, car on choisit intelligemment, et non passivement et instinctivement, entre les différents motifs d'action.

situation, par l'effet de ce contrat, se trouve réellement préférable à ce qu'elle était auparavant, et qu'au lieu d'une aliénation ils n'ont fait qu'un échange avantageux d'une manière
incertaine et précaire contre une autre meilleure et plus
5 sûre, de l'indépendance naturelle contre la liberté, du pouvoir
de nuire à autrui contre leur propre sûreté, et de leur force
que d'autres pouvaient surmonter contre un droit que l'union
sociale rend invincible. Leur vie même, qu'ils ont dévouée
à l'État, en est continuellement protégée; et lorsqu'ils l'ex-
10 posent pour sa défense, que font-ils alors, que lui rendre ce
qu'ils ont reçu de lui? Que font-ils qu'ils ne fissent plus
fréquemment et avec plus de danger dans l'état de nature,
lorsque livrant des combats inévitables, ils défendraient, au
péril de leur vie, ce qui leur sert à la conserver? Tous ont à
15 combattre au besoin pour la patrie, il est vrai, mais aussi nul
n'a jamais à combattre pour soi. Ne gagne-t-on pas encore
à courir, pour ce qui fait notre sûreté, une partie des risques
qu'il faudrait courir pour nous-mêmes sitôt qu'elle nous
serait ôtée?

Des Suffrages (IV, 2)

.   .   .   .

20   Il n'y a qu'une seule loi qui, par sa nature, exige un consentement unanime: c'est le pacte social; car l'association
civile est l'acte du monde le plus volontaire; tout homme
étant né libre et maître de lui-même, nul ne peut, sous quelque
prétexte que ce puisse être, l'assujettir sans son aveu. Dé-
25 cider que le 'fils d'un esclave naît esclave, c'est décider qu'il
ne naît pas homme.

Si donc, lors du pacte social, il s'y trouve des opposants,
leur opposition n'invalide pas le contrat, elle empêche seulement qu'ils n'y soient compris; ce sont des étrangers parmi
30 les citoyens. Quand l'État est institué, le consentement est
dans la résidence; habiter le territoire, c'est se soumettre
à la souveraineté.

FORMULE DU PACTE SOCIAL

Rousseau ne croit pas que ce Pacte Social ait été historique-
ment juré; c'est une convention tacite indispensable à la société
civile.   Mais il ne dit pas qu'une telle convention ne puisse pas
être explicitement formulée.

On lui demanda un jour (1764) de préparer un Projet de Con-   5
stitution pour la Corse[1] qui essayait de secouer le joug de Gênes.
Il commença, mais n'acheva pas ce travail.   Parmi ses notes on
trouve cette « Formule de Serment prononcé sous le Ciel, et la
Main sur la Bible »:

Corses, faites silence, je vais parler au nom de tous . . . Que   10
ceux qui ne consentiront pas s'éloignent, et que ceux qui
consentent lèvent la main. — Au nom de Dieu tout puissant
et sur les Saints Évangiles, par un serment sacré et irrévocable,
je m'unis de corps, de biens, de volonté, et de toute ma puissance à la nation corse, pour lui appartenir en toute propri-   15
été, moi, et tout ce qui dépend de moi.   Je jure de vivre et
de mourir pour elle, d'observer toutes ses lois et d'obéir à
ses chefs et magistrats légitimes en tout ce qui sera conforme
aux lois.   Ainsi, Dieu me soit en aide en cette vie et fasse
miséricorde à mon âme.   Vivent à jamais la liberté, la justice,   20
et la République des Corses.   Amen. — Et tous, tenant la
main droite élevée, répondront: Amen.

Voici deux applications de la théorie du Pacte Social.

Le Droit de Propriété (I, 9)[2]

. . . L'État, à l'égard de ses membres, est maître de tous
leurs biens par le contrat social [aliénation totale de chaque   25
associé avec tous ses droits à toute la communauté]: mais il
ne l'est, à l'égard des autres puissances que par le droit de
premier occupant qu'il tient des particuliers.

[1] Voir pour les circonstances dans lesquelles fut rédigé ce projet, C. E.
Vaughan, *Political Writings of Rousseau* (1915), Vol. II, pp. 292–368.
[2] Voir déjà les extraits sur ce sujet, du *Discours sur l'Inégalité*.

Le droit de premier occupant, quoique plus réel que celui
du plus fort, ne devient un vrai droit qu'après l'établissement
de celui de propriété. Tout homme a naturellement droit à
tout ce qui lui est nécessaire; mais l'acte positif qui le rend
5 propriétaire de quelque bien l'exclut de tout le reste. Sa
part étant faite, il doit s'y borner, et n'a plus aucun droit à
la communauté. Voilà pourquoi le droit de premier occupant,
si faible dans l'état de nature, est respectable à tout homme
civil. On respecte moins dans ce droit ce qui est à autrui
10 que ce qui n'est pas à soi.

En général, pour autoriser sur un terrain quelconque le
droit de premier occupant, il faut les conditions suivantes:
premièrement, que ce terrain ne soit encore habité par personne; secondement, qu'on n'en occupe que la quantité
15 dont on a besoin pour subsister; en troisième lieu, qu'on
en prenne possession, non par une vaine cérémonie, mais
par le travail et la culture, seul signe de propriété qui,
au défaut de titres juridiques, doive être respecté
d'autrui.

20 En effet, accorder au besoin et au travail le droit de premier
occupant, n'est-ce pas l'étendre aussi loin qu'il peut aller?
Peut-on ne pas donner des bornes à ce droit? Suffira-t-il
de mettre le pied sur un terrain commun pour s'en prétendre
aussitôt le maître? Suffira-t-il d'avoir la force d'en écarter
25 un moment les autres hommes pour leur ôter le droit d'y
jamais revenir? Comment un homme ou un peuple peut-il
s'emparer d'un territoire immense et en priver tout le genre
humain autrement que par une usurpation punissable, puisqu'elle ôte au reste des hommes le séjour et les aliments que
30 la nature leur donne en commun? Quand Nunès Balboa[1]
prenait sur le rivage possession de la mer du Sud et de toute
l'Amérique méridionale, au nom de la couronne de Castille,
était-ce assez pour en déposséder tous les habitants et en
exclure tous les princes du monde? Sur ce pied-là, ces cé-

[1] Voir Note sur *Émile*, p. 230.

rémonies se multipliaient assez vainement, et le roi catholique
n'avait tout d'un coup qu'à prendre de son cabinet possession
de tout l'univers, sauf à retrancher ensuite de son empire ce
qui était auparavant possédé par les autres princes. . . . .

Le Droit de Vie et de Mort (II, 5)

Le traité social a pour fin la conservation des contractants. 5
Qui veut la fin veut aussi les moyens, et ces moyens sont
inséparables de quelques risques, même de quelques pertes.
Qui veut conserver sa vie aux dépens des autres, doit la donner
aussi pour eux quand il faut. Or, le citoyen n'est plus juge
du péril auquel la loi veut qu'il s'expose; et quand le prince 10
lui a dit: Il est expédient à l'État que tu meures, il doit
mourir; puisque ce n'est qu'à cette condition qu'il a vécu
en sûreté jusqu'alors, et que sa vie n'est plus seulement
un bienfait de la nature, mais un don conditionnel de
l'État. 15

La peine de mort infligée aux criminels peut être envisagée
à peu près sous le même point de vue; c'est pour n'être pas la
victime d'un assassin que l'on consent à mourir, si on le
devient. Dans ce traité, loin de disposer de sa propre vie,
on ne songe qu'à la garantir, et il n'est pas à présumer qu'un 20
des contractants prémédite de se faire pendre.

D'ailleurs tout malfaiteur, attaquant le droit social, devient
par ses forfaits rebelle et traître à la patrie; il cesse d'en
être membre en violant ses lois, et même il lui fait la guerre.
Alors, la conservation de l'État est incompatible avec la 25
sienne; il faut qu'un des deux périsse: et quand on fait
mourir le coupable, c'est moins comme citoyen que comme ennemi. Les procédures, le jugement, sont les preuves de la
déclaration qu'il a rompu le traité social, et, par conséquent,
qu'il n'est plus membre de l'État. Or, comme il est reconnu 30
tel, tout au moins par son séjour, il en doit être retranché par
l'exil, comme infracteur du pacte, ou par la mort, comme ennemi public, car un tel ennemi n'est pas une personne mo-

rale; c'est un homme, et c'est alors que le droit de la guerre est de tuer le vaincu.

.   .   .   .

Au reste, la fréquence de supplices est toujours un signe de faiblesse ou de paresse dans le gouvernement: il n'y a point 5 de méchant qu'on ne pût rendre bon à quelque chose. On n'a droit de faire mourir, même pour l'exemple, que celui qu'on ne peut conserver sans danger.....

Le Peuple Souverain

Ce sont ici les pages dont s'est réclamée particulièrement la Révolution Française quand elle a renversé la monarchie, et qui 10 expriment encore le credo de la démocratie moderne: Le peuple qui a accepté le pacte social est souverain, et reste toujours souverain.

Que la Souveraineté est Inaliénable (II, 1)

La première et la plus importante conséquence des principes ci-devant établis est que la volonté générale peut seule 15 diriger les forces de l'État selon la fin de son institution, qui est le bien commun; car si l'opposition des intérêts particuliers a rendu nécessaire l'établissement des sociétés, c'est l'accord de ces mêmes intérêts qui l'a rendu possible. C'est ce qu'il y a de commun dans ces différents intérêts qui forme 20 le lien social; et, s'il n'y avait pas quelque point dans lequel tous les intérêts s'accordent, nulle société ne saurait exister. Or, c'est uniquement sur cet intérêt commun que la société doit être gouvernée.

Je dis donc que la souveraineté, n'étant que l'exercice de la 25 volonté générale, ne peut jamais s'aliéner, et que le souverain, qui n'est qu'un être collectif, ne peut être représenté que par lui-même; le pouvoir peut bien se transmettre, mais non pas la volonté.

En effet, s'il n'est pas impossible qu'une volonté particu-30 lière s'accorde, sur quelque point, avec la volonté générale,

il est impossible au moins que cet accord soit durable et
constant; car la volonté particulière tend, par sa nature,
aux préférences, et la volonté générale à l'égalité. Il est plus
impossible encore qu'on ait un garant de cet accord, quand
même il devrait toujours exister: ce ne serait pas un effet 5
de l'art, mais du hasard. Le souverain peut bien dire: je
veux actuellement ce que veut un tel homme, ou du moins
ce qu'il dit vouloir; mais il ne peut pas dire: ce que cet
homme voudra demain, je le voudrai encore, puisqu'il est
absurde que la volonté se donne des chaînes pour l'avenir, 10
et puisqu'il ne dépend d'aucune volonté de consentir à rien
de contraire au bien de l'être qui veut. Si donc le peuple
promet simplement d'obéir, il se dissout par cet acte; il
perd sa qualité de peuple: à l'instant qu'il y a un maître,
il n'y a plus de souverain, et dès lors le corps politique est 15
détruit.

Ce n'est point à dire que les ordres des chefs ne puissent
passer pour des volontés générales, tant que le souverain,
libre de s'y opposer, ne le fait pas. En pareil cas, du silence
universel, on doit présumer le consentement du peuple. 20

La volonté générale du peuple souverain est toujours bonne;
au moins elle tend à l'être toujours dans ses intentions, même si
elle ne réussit pas à l'être toujours en fait. Rousseau traite cette
question capitale — car l'excellence de l'État dépend avant tout
de l'excellence du souverain — dans un des chapitres les plus 25
discutés du livre: *Si la Volonté Générale peut Errer* (II, 3) dont
voici les premières lignes:

. . . La volonté générale est toujours droite et tend toujours à l'utilité publique; mais il ne s'ensuit pas que les
délibérations du peuple aient toujours la même rectitude. 30
On veut toujours son bien, mais on ne le voit pas toujours;
jamais on ne corrompt le peuple, mais souvent on le trompe,
et c'est alors seulement qu'il paraît vouloir le mal.

Rousseau admet ici qu'il peut arriver qu'un peuple tout entier
se trompe; alors il distingue la « volonté de tous » — qui peut 35

errer, de la « volonté générale » qui a toujours la bonne intention
du bien de tous (puisque chacun y trouverait son maximum
d'avantage et son minimum de désavantage). Victor Hugo
allait plus loin que Rousseau quand il écrivait dans son *Histoire*
5 *d'un Crime:* « Le peuple est toujours sublime, même quand il se
trompe.» Mais, même si la volonté de tous erre, cela ne tue
jamais la volonté générale, qui peut — parfois après de longs
éclipses — s'affirmer de nouveau.

Que la Volonté Générale est Indestructible
(IV, 1)

Tant que plusieurs hommes réunis se considèrent comme un
10 seul corps, ils n'ont qu'une volonté, qui se rapporte à la
commune conservation et au bien-être général. Alors, tous
les ressorts de l'État sont vigoureux et simples, ses maximes
sont claires et lumineuses; il n'a point d'intérêts embrouillés,
contradictoires; le bien commun se montre partout avec
15 évidence, et ne demande que du bon sens pour être aperçu.
La paix, l'union, l'égalité sont ennemies des subtilités politiques. Les hommes droits et simples sont difficiles à tromper
à cause de leur simplicité; les leurres, les prétextes raffinés
ne leur en imposent point: ils ne sont pas même assez fins
20 pour être dupes. Quand on voit chez le plus heureux peuple
du monde des troupes de paysans régler les affaires d'État
sous un chêne,[1] et se conduire toujours sagement, peut-on
s'empêcher de mépriser les raffinements des autres nations,
qui se rendent illustres et méprisables avec tant d'art et de
25 mystères?

Un État ainsi gouverné a besoin de très peu de lois; à
mesure qu'il devient nécessaire d'en promulguer de nouvelles,
cette nécessité se voit universellement. Le premier qui les
propose ne fait que dire ce que tous ont déjà senti, et il n'est

---

[1] Rousseau parle des petits cantons de la Suisse qui ont chaque année
leur assemblée populaire (*Landsgemeinde*) pour voter des lois et choisir
des magistrats.

question ni de brigues ni d'éloquence pour faire passer en loi
ce que chacun a déjà résolu de faire, sitôt qu'il sera sûr que
les autres le feront comme lui.

Ce qui trompe les raisonneurs, c'est que ne voyant que
des États mal constitués dès leur origine, ils sont frappés 5
de l'impossibilité d'y maintenir une semblable police. Ils
rient d'imaginer toutes les sottises qu'un fourbe adroit, un
parleur insinuant, pourrait persuader au peuple de Paris
ou de Londres. Ils ne savent pas que Cromwell eût été mis
aux sonnettes [1] par le peuple de Berne, et le duc de Beaufort [2] 10
à la discipline par les Genevois.

Mais quand le nœud social commence à se relâcher et l'État
à s'affaiblir, quand les intérêts particuliers commencent à
se faire sentir et les petites sociétés à influer sur la grande,
l'intérêt commun s'altère et trouve des opposants; l'unani- 15
mité ne règne plus dans les voix; la volonté générale n'est
plus la volonté de tous; il s'élève des contradictions, des
débats, et le meilleur avis ne passe point sans disputes.

Enfin, quand l'État, près de sa ruine, ne subsiste plus que
par une forme illusoire et vaine, que le lien social est rompu 20
dans tous les cœurs, que le plus vil intérêt se pare effrontément du nom sacré du bien public, alors la volonté générale devient muette; tous, guidés par des motifs secrets,
n'opinent pas plus comme citoyens que si l'État n'eût jamais
existé, et l'on fait passer faussement, sous le nom de lois, 25
les décrets iniques qui n'ont pour but que l'intérêt particulier.

S'ensuit-il de là que la volonté générale soit anéantie ou
corrompue? Non: elle est toujours constante, inaltérable
et pure: mais elle est subordonnée à d'autres qui l'emportent
sur elle. Chacun, détachant son intérêt de l'intérêt commun, 30
voit bien qu'il ne peut l'en séparer tout à fait; mais sa part
du mal public ne lui paraît rien auprès du bien exclusif qu'il

---

[1] L'éditeur n'a pu trouver aucun renseignement sur cette expression.

[2] *Duc de Beaufort* (1616–1619), célèbre dans les guerres de la Fronde,
adversaire de Mazarin et du parti royal, idole de la populace.

VIE ET ŒUVRES

prétend s'approprier. Ce bien particulier excepté, il veut
le bien général pour son propre intérêt tout aussi fortement
qu'un autre. Même en vendant son suffrage à prix d'argent,
il n'éteint pas en lui la volonté générale; il l'élude. La
5 faute qu'il commet est de changer l'état de la question et de
répondre autre chose que ce qu'on lui demande; en sorte
qu'au lieu de dire, par son suffrage, *il est avantageux à l'État,*
il dit, *il est avantageux à tel homme ou à tel parti que tel ou tel
avis passe.* Ainsi, la loi de l'ordre public dans les assemblées
10 n'est pas tant d'y maintenir la volonté générale, que de faire
qu'elle soit interrogée et qu'elle réponde toujours. . . . .

LE LÉGISLATEUR

La volonté générale s'exprime par les lois; mais la volonté
générale étant faillible dans ses vues quoique bonne dans ses
intentions, il lui faut un guide, une intelligence supérieure qui lui
15 inspire un « bien » non trompeur.

De la Loi (II, 6)

. . . .

Le peuple soumis aux lois en doit être l'auteur: il n'appartient qu'à ceux qui s'associent de régler les conditions de
la société; mais comment les régleront-ils? Sera-ce d'un
commun accord, par une inspiration sublime? Le corps
20 politique a-t-il un organe pour énoncer ses volontés? Qui
lui donnera la prévoyance nécessaire pour en former les actes
et les publier d'avance, ou comment les prononcera-t-il au
moment du besoin? Comment une multitude aveugle,
qui souvent ne sait ce qu'elle veut, parce qu'elle sait rarement
25 ce qui lui est bon, exécuterait-elle d'elle-même une entreprise
aussi grande, aussi difficile, qu'un système de législation?
De lui-même, le peuple veut toujours le bien; mais, de lui-
même, il ne le voit pas toujours. La volonté générale est
toujours droite; mais le jugement qui la guide n'est pas
30 toujours éclairé. Il faut lui faire voir les objets tels qu'ils
sont, quelquefois tels qu'ils doivent lui paraître; lui montrer

le bon chemin qu'elle cherche, la garantir de la séduction des
volontés particulières, rapprocher à ses yeux les lieux et les
temps, balancer l'attrait des avantages présents et sensibles,
par le danger des maux éloignés et cachés. Les particuliers
voient le bien qu'ils rejettent, le public veut le bien qu'il ne   5
voit pas. Tous ont également besoin de guides; il faut
obliger les uns à conformer leurs volontés à leur raison; il
faut apprendre au peuple à connaître ce qu'il veut. Alors,
des lumières publiques résulte l'union de l'entendement et de
la volonté dans le corps social; de là, l'exact concours des   10
parties, et enfin la plus grande force du tout. Voilà d'où
naît la nécessité d'un législateur.

Plus exactement Rousseau veut dire que le peuple *devrait*
être l'auteur des lois, puisqu'il va prouver que le peuple n'en
peut être l'auteur. Le peuple passera simplement ces lois du   15
législateur.   (Voir II, 7.)

Du Législateur (II, 7)

Pour découvrir les meilleures règles de société qui conviennent aux nations, il faudrait une intelligence supérieure
qui vît toutes les passions et qui n'en éprouvât aucune; qui
n'eût aucun rapport avec notre nature et qui la connût à   20
fond; dont le bonheur fût indépendant de nous, et qui pourtant voulût bien s'occuper du nôtre; enfin qui, dans le progrès des temps, se ménageant une gloire éloignée, pût travailler
dans un siècle et jouir dans un autre.[1]   Il faudrait des dieux
pour donner des lois aux hommes.   25

Il est vrai qu'un grand prince est un homme rare; que
sera-ce d'un grand législateur? Le premier n'a qu'à suivre
le modèle que l'autre doit proposer; celui-ci est le mécanicien
qui invente la machine, celui-là n'est que l'ouvrier qui la

---

[1] Un peuple ne devient célèbre que quand sa législation commence à
décliner.   On ignore durant combien de siècles l'institution de Lycurgue
fit le bonheur des Spartiates avant qu'il fût question d'eux dans le reste
de la Grèce.   (*Note de Rousseau.*)

monte et la fait marcher. « Dans la naissance des sociétés, dit Montesquieu, ce sont les chefs des républiques qui font l'institution, et c'est ensuite l'institution qui forme les chefs des républiques. »[1]

5　　Celui qui ose entreprendre d'instituer un peuple doit se sentir en état de changer, pour ainsi dire, la nature humaine; de transformer chaque individu, qui, par lui-même, est un tout parfait et solidaire, en partie d'un plus grand tout, dont cet individu reçoive, en quelque sorte, sa vie et son être; 10 d'altérer la constitution de l'homme pour la renforcer; de substituer une existence partielle et morale à l'existence physique et indépendante que nous avons tous reçue de la nature. Il faut, en un mot, qu'il ôte à l'homme ses forces propres, pour lui en donner qui lui soient étrangères, et dont il ne 15 puisse faire usage sans le secours d'autrui. Plus ces forces naturelles sont mortes et anéanties, plus les acquises sont grandes et durables, plus aussi l'institution est solide et parfaite; en sorte que si chaque citoyen n'est rien, ne peut rien que par tous les autres, et que la force acquise par le tout 20 soit égale ou supérieure à la somme des forces naturelles de tous les individus, on peut dire que la législation est au plus haut point de perfection qu'elle puisse atteindre.

Le législateur est, à tous égards, un homme extraordinaire dans l'État.

25　　La plupart des pays d'Europe avaient des lois dont les racines semblaient trop enfoncées dans la nuit des temps pour s'adapter aux idées nouvelles. « Il est encore en Europe — dit-il cependant — un pays capable de législation: c'est l'île de Corse. La valeur et la constance avec laquelle ce brave peuple a su recouvrer et 30 défendre sa liberté mériterait bien que quelque homme sage lui apprît à la conserver. J'ai quelque pressentiment qu'un jour cette petite île étonnera l'Europe ».[2] La liberté politique de la

---

[1] *Grandeur et Décadence des Romains*, Chap. I.

[2] On a souvent voulu voir dans ces mots une prophétie qui se serait réalisée par l'avènement de Napoléon, né en Corse sept ans après la pu-

Corse était alors discutée en Europe, comme dans la deuxième décade du XIXme siècle celle de la Grèce. (On trouvera l'histoire des efforts de la Corse pour s'affranchir du joug de Gènes, dans C. S. Vaughan, *Political Writings of Rousseau*, Vol. II, pp. 292–305.) L'allusion de Rousseau ne fut pas perdue puisque 5 deux ans après la publication du *Contrat Social*, en 1764, on lui demandait un projet de Constitution pour la Corse.

LE PRINCE ET LES MAGISTRATS

Pour veiller à l'exécution des lois, le peuple souverain délègue son pouvoir à un gouvernement.

Du Gouvernement en général (III, 1)

... Qu'est-ce donc que le gouvernement? Un corps in- 10 termédiaire établi entre les sujets et le souverain pour leur mutuelle correspondance, chargé de l'exécution des lois et du maintien de la liberté tant civile que politique. Les membres de ce corps s'appellent magistrats ou *rois*, c'est à dire *gouverneurs*,[1] et le corps entier porte le nom de *prince*. 15

Du Principe qui Constitue les Diverses Formes de Gouvernement (III, 2)

. . . .

Plus les magistrats sont nombreux, plus le gouvernement est faible. Comme cette maxime est fondamentale, appliquons-nous à la mieux éclaircir.

Nous pouvons distinguer dans la personne du magistrat trois volontés essentiellement différentes. Premièrement, 20 la volonté propre de l'individu, qui ne tend qu'à son avantage particulier; secondement, la volonté commune des magistrats, qui se rapporte uniquement à l'avantage du prince, et qu'on

---

blication du *Contrat Social*. Rousseau en tous cas ne parle ici que de l'organisation politique de l'île, et sur ce point sa prophétie ne s'est point réalisée.

[1] *Rois*, du latin « reges », même racine que le verbe « regulare », régler, gouverner, diriger.

peut appeler volonté de corps, laquelle est générale par rapport au gouvernement, et particulière par rapport à l'État, dont le gouvernement fait partie; en troisième lieu, la volonté du peuple ou la volonté souveraine, laquelle est générale,
5 tant par rapport à l'État considéré comme le tout, que par rapport au gouvernement considéré comme partie du tout.

Dans une législation parfaite, la volonté particulière ou individuelle doit être nulle, la volonté de corps propre au gouvernement très subordonnée, et, par conséquent, la
10 volonté générale ou souveraine toujours dominante et la règle unique de toutes les autres.

Selon l'ordre naturel, au contraire, ces différentes volontés deviennent plus actives à mesure qu'elles se concentrent. Ainsi, la volonté générale est toujours la plus faible, la volonté
15 de corps a le second rang, et la volonté particulière le premier de tous; de sorte que, dans le gouvernement, chaque membre est premièrement soi-même, et puis magistrat, et puis citoyen, gradation directement opposée à celle qu'exige l'ordre social.

Cela posé, que tout le gouvernement soit entre les mains
20 d'un seul homme, voilà la volonté particulière et la volonté de corps parfaitement réunies, et par conséquent celle-ci au plus haut degré d'intensité qu'elle puisse avoir. Or, comme c'est du degré de la volonté que dépend l'usage de la force, et que la force absolue du gouvernement ne varie
25 point, il s'ensuit que le plus actif des gouvernements est celui d'un seul.

Au contraire, unissons le gouvernement à l'autorité législative; faisons le prince du souverain, et de tous les citoyens autant de magistrats; alors la volonté de corps, confondue
30 avec la volonté générale, n'aura pas plus d'activité qu'elle, et laissera la volonté particulière dans toute sa force. Ainsi, le gouvernement, toujours avec la même force absolue, sera dans son *minimum* de force relative ou d'activité.

Ces rapports sont incontestables, et d'autres considéra-
35 tions servent encore à les confirmer. On voit, par exemple,

que chaque magistrat est plus actif dans son corps que chaque
citoyen dans le sien, et que, par conséquent, la volonté particulière a beaucoup plus d'influence dans les actes du gouvernement que dans ceux du souverain; car chaque magistrat
est presque toujours chargé de quelque fonction du gouverne- 5
ment, au lieu que chaque citoyen, pris à part, n'a aucune
fonction de la souveraineté. D'ailleurs, plus l'État s'étend,
plus sa force réelle augmente, quoiqu'elle n'augmente pas en
raison de son étendue; mais l'État restant le même, les magistrats ont beau se multiplier, le gouvernement n'en acquiert 10
pas une plus grande force réelle, parce que cette force est
celle de l'État, dont la mesure est toujours égale. Ainsi,
la force relative ou l'activité du gouvernement diminue,
sans que sa force absolue ou réelle puisse augmenter.

Il est sûr encore que l'expédition des affaires devient plus 15
lente à mesure que plus de gens en sont chargés; qu'en donnant trop à la prudence, on ne donne pas assez à la fortune;
qu'on laisse échapper l'occasion, et qu'à force de délibérer,
on perd souvent le fruit de la délibération.

Je viens de prouver que le gouvernement se relâche à 20
mesure que les magistrats se multiplient, et j'ai prouvé
ci-devant que plus le peuple est nombreux, plus la force ré-
primante doit augmenter: d'où il suit que le rapport des
magistrats au gouvernement doit être inverse du rapport
des sujets au souverain, c'est-à-dire que plus l'État s'agrandit, 25
plus le gouvernement doit se resserrer, tellement que le nombre des chefs diminue en raison de l'augmentation du peuple.

Au reste, je ne parle ici que de la force relative du gouvernement, et non de sa rectitude; car, au contraire, plus le
magistrat est nombreux, plus la volonté de corps se rapproche 30
de la volonté générale; au lieu que, sous un magistrat unique,
cette même volonté de corps n'est, comme je l'ai dit, qu'une
volonté particulière. Ainsi, l'on perd d'un côté ce qu'on
peut gagner de l'autre, et l'art du législateur est de savoir
fixer le point où la force et la volonté du gouvernement, tou- 35

jours en proportion réciproque, se combinent dans le rapport
le plus avantageux à l'État.

Rousseau adopte la classification aristotélicienne des gouvernements en démocratique, aristocratique, monarchique. Comme
5 Rousseau écrivait à la veille des révolutions américaine et française, son appréciation du système monarchique est particulièrement importante. La voici en grande partie.

De la Monarchie (III, 6)

. . . .

Un défaut essentiel et inévitable, qui mettra toujours le
gouvernement monarchique au-dessous du républicain, est
10 que, dans celui-ci, la voix publique n'élève presque jamais
aux premières places que des hommes éclairés et capables,
qui les remplissent avec honneur; au lieu que ceux qui
parviennent dans les monarchies ne sont, le plus souvent,
que de petits brouillons, de petits fripons, de petits intrigants,
15 à qui les petits talents, qui font, dans les cours, parvenir aux
grandes places, ne servent qu'à montrer au public leur ineptie
aussitôt qu'ils y sont parvenus. Le peuple se trompe bien
moins sur ce choix que le prince, et un homme d'un vrai
mérite est presque aussi rare dans le ministère qu'un sot à
20 la tête d'un gouvernement républicain. Aussi quand, par
quelque heureux hasard, un de ces hommes nés pour gouverner prend le timon des affaires dans une monarchie presque
abîmée par ces tas de jolis régisseurs, on est tout surpris des
ressources qu'il trouve, et cela fait époque dans un pays.[1]
25 Pour qu'un État monarchique pût être bien gouverné,
il faudrait que sa grandeur ou son étendue fût mesurée aux
facultés de celui qui gouverne. Il est plus aisé de conquérir

---

[1] « Compliment à l'adresse de Choiseul alors premier ministre dont
Rousseau espérait ainsi s'assurer la bienveillance, comme il le déclare
dans les *Confessions*, II, 11. Ce paragraphe tout entier avait d'ailleurs
été intercalé à la dernière minute par Rousseau dans le texte primitif
(lettre à Rey, 6 janv. 1762). Il n'empêcha pas les persécutions. »
(*Note de Beaulavon.*)

que de régir. Avec un levier suffisant, d'un doigt on peut
ébranler le monde, mais pour le soutenir, il faut les épaules
d'Hercule. Pour peu qu'un État soit grand, le prince est
presque toujours trop petit. Quand, au contraire, il arrive
que l'État est trop petit pour son chef, ce qui est très rare, 5
il est encore mal gouverné, parce que le chef, suivant toujours
la grandeur de ses vues, oublie les intérêts des peuples, et ne
les rend pas moins malheureux, par l'abus des talents qu'il
a de trop, qu'un chef borné, par le défaut de ceux qui lui
manquent. Il faudrait, pour ainsi dire, qu'un royaume 10
s'étendît ou se resserrât à chaque règne, selon la portée du
prince; au lieu que les talents d'un sénat, ayant des mesures
plus fixes, l'État peut avoir des bornes constantes et l'administration n'aller pas moins bien.

Le plus sensible inconvénient du gouvernement d'un 15
seul est le défaut de cette succession continuelle qui forme
dans les deux autres une liaison non interrompue. Un roi
mort, il en faut un autre; les élections laissent des intervalles
dangereux; elles sont orageuses et, à moins que les citoyens
ne soient d'un désintéressement, d'une intégrité que ce gou- 20
vernement ne comporte guère, la brigue et la corruption s'en
mêlent. Il est difficile que celui à qui l'État s'est vendu
ne le vende pas à son tour, et ne se dédommage pas, sur les
faibles, de l'argent que les puissants lui ont extorqué. Tôt
ou tard, tout devient vénal sous une pareille administration; 25
et la paix dont on jouit alors sous les rois est pire que le
désordre des interrègnes.

Qu'a-t-on fait pour prévenir ces maux? On a rendu les
couronnes héréditaires dans certaines familles, et l'on a
établi un ordre de succession qui prévient toute dispute à la 30
mort des rois, c'est-à-dire que, substituant l'inconvénient des
régences à celui des élections, on a préféré une apparence
tranquille à une administration sage, et qu'on a mieux aimé
risquer d'avoir pour chef des enfants, des monstres, des
imbéciles, que d'avoir à disputer sur le choix des bons rois; 35

on n'a pas considéré qu'en s'exposant ainsi aux risques de
l'alternative, on met presque toutes les chances contre soi.
C'était un mot très sensé que celui du jeune Denis, à qui
son père, en lui reprochant une action honteuse, disait:
5 « T'en ai-je donné l'exemple? —Ah! répondit le fils, votre
père n'était pas roi. »

Tout concourt à priver de justice et de raison un homme
élevé pour commander aux autres. On prend beaucoup de
peine, à ce qu'on dit, pour enseigner aux jeunes princes l'art
10 de régner; il ne paraît pas que cette éducation leur profite.
On ferait mieux de commencer par leur enseigner l'art d'o-
béir. Les plus grands rois qu'ait célébrés l'histoire n'ont
point été élevés pour régner, c'est une science qu'on ne possède
jamais moins qu'après l'avoir trop apprise et qu'on acquiert
15 mieux en obéissant qu'en commandant. *Nam utilissimus
idem ac brevissimus bonarum malarumque rerum delectus,
cogitare quid aut nolueris sub alio principe, aut volueris.*[1]

Une suite de ce défaut de cohérence est l'inconstance du
gouvernement royal, qui, se réglant tantôt sur un plan, tantôt
20 sur un autre, selon le caractère du prince qui règne ou des
gens qui règnent pour lui, ne peut avoir longtemps un objet
fixe ni une conduite conséquente, variation qui rend toujours
l'État flottant de maxime en maxime, de projet en projet,
et qui n'a pas lieu dans les autres gouvernements où le prince
25 est toujours le même. Aussi voit-on qu'en général, s'il y
a plus de ruse dans une cour, il y a plus de sagesse dans un
sénat, et que les républiques vont à leurs fins par des vues
plus constantes et mieux suivies, au lieu que chaque révolution dans le ministère en produit une dans l'État, la maxime
30 commune à tous les ministres, et presque à tous les rois, étant
de prendre en toute chose le contre-pied de leur prédé-
cesseur.

[1] « Car le meilleur moyen et le plus court à la fois, de discerner ce qui
est bien et ce qui est mal, c'est de te demander ce que tu aurais ou n'aurais
pas voulu si c'était un autre que toi qui fût roi » (Tacite, *Hist.* I, 16).

De cette même incohérence se tire encore la solution d'un sophisme très familier aux politiques royaux: c'est non-seulement de comparer le gouvernement civil au gouvernement domestique, et le prince au père de famille, erreur déjà réfutée, mais encore de donner libéralement à ce magis-   5 trat toutes les vertus dont il aurait besoin, et de supposer toujours que le prince est ce qu'il devrait être, supposition à l'aide de laquelle le gouvernement royal est évidemment préférable à tout autre, parce qu'il est incontestablement le plus fort, et que, pour être aussi le meilleur, il ne lui manque   10 qu'une volonté de corps plus conforme à la volonté générale.

Mais si, selon Platon,[1] le roi, par nature, est un personnage si rare, combien de fois la nature et la fortune concourront-elles à le couronner? Et si l'éducation royale corrompt   15 nécessairement ceux qui la reçoivent, que doit-on espérer d'une suite d'hommes élevés pour régner? C'est donc bien vouloir s'abuser que de confondre le gouvernement royal avec celui d'un bon roi. Pour voir ce qu'est ce gouvernement en lui-même, il faut le considérer sous des principes bornés   20 ou méchants, car ils arriveront tels au trône, ou le trône les rendra tels.

Ces difficultés n'ont pas échappé à nos auteurs; mais ils n'en sont point embarrassés. Le remède est, disent-ils, d'obéir sans murmure.[2] Dieu donne les mauvais rois dans   25 sa colère, et il les faut supporter comme des châtiments du ciel. Ce discours est édifiant, sans doute; mais je ne sais s'il ne conviendrait pas mieux en chaire que dans un livre

---

[1] *In civili.* Aujourd'hui ce dialogue de Platon est plutôt connu sous le titre *Le Politique.* Le « politique » possède en quelque sorte naturellement la science du gouvernement, des « bipèdes sans cornes et sans plumes », c'est à dire la vraie « royauté ».

[2] Le grand théoricien de cette idée en France avait été Bossuet. Voir par exemple *Politique tirée de l'Écriture Sainte* (1709), Livre IV, article XX, 1: « L'autorité royale est absolue ». De même dans le *Discours sur l'Histoire Universelle* (1681).

de politique. Que dire d'un médecin qui promet des miracles
et dont tout l'art est d'exhorter son malade à la patience?
On sait bien qu'il faut souffrir un mauvais gouvernement
quand on l'a; la question serait d'en trouver un bon.

Moyens de Prévenir les Usurpations du Gouvernement
(III, 18)

5 Rousseau conseille d'exercer la plus grande prudence avant de
faire une révolution. Voici les pages par lesquelles il termine son
IIIme livre:

L'acte qui institue le gouvernement n'est point un contrat,
mais une loi; les dépositaires de la puissance exécutive ne
10 sont point les maîtres du peuple, mais ses officiers; il peut
les établir et les destituer quand il lui plaît; il n'est point
question pour eux de contracter, mais d'obéir, et en se char-
geant des fonctions que l'État leur impose, ils ne font que
remplir leur devoir de citoyens, sans avoir en aucune sorte
15 le droit de disputer sur les conditions.

Quand donc il arrive que le peuple institue un gouvernement héréditaire, soit monarchique dans une famille, soit
aristocratique dans un ordre de citoyens, ce n'est point un
engagement qu'il prend; c'est une forme provisoire qu'il
20 donne à l'administration, jusqu'à ce qu'il lui plaise d'en
ordonner autrement.

Il est vrai que ces changements sont toujours dangereux,
et qu'il ne faut jamais toucher au gouvernement établi que
lorsqu'il devient incompatible avec le bien public; mais
25 cette circonspection est une maxime de politique, et non pas
une règle de droit; et l'État n'est pas plus tenu de laisser
l'autorité civile à ses chefs, que l'autorité militaire à ses généraux.

Il est vrai encore qu'on ne saurait, en pareil cas, observer
30 avec trop de soin toutes les formalités requises pour distinguer
un acte régulier et légitime d'un tumulte séditieux, et la
volonté de tout un peuple des clameurs d'une faction. C'est

ici surtout qu'il ne faut donner au cas odieux [1] que ce qu'on
ne peut lui refuser dans toute la rigueur du droit; et c'est
aussi de cette obligation que le prince tire un grand avantage
pour conserver sa puissance malgré le peuple, sans qu'on
puisse dire qu'il l'ait usurpée; car, en paraissant n'user que 5
de ses droits, il lui est fort aisé de les étendre, et d'empêcher,
sous le prétexte du repos public, les assemblées destinées à
rétablir le bon ordre; de sorte qu'il se prévaut d'un silence
qu'il empêche de rompre, ou des irrégularités qu'il fait commettre pour supposer en sa faveur l'aveu de ceux que la 10
crainte fait taire, et pour punir ceux qui osent parler.   C'est
ainsi que les décemvirs, ayant été d'abord élus pour un an,
puis continués pour une autre année, tentèrent de retenir à
perpétuité leur pouvoir, en ne permettant plus aux comices
de s'assembler; et c'est par ce facile moyen que tous les 15
gouvernements du monde, une fois revêtus de la force publique, usurpent tôt ou tard l'autorité souveraine.

Les assemblées périodiques dont j'ai parlé ci-devant [2]
sont propres à prévenir ou différer le malheur, surtout quand
elles n'ont pas besoin de convocation formelle; car alors le 20
prince ne saurait les empêcher, sans se déclarer ouvertement
infracteur des lois et ennemi de l'État.

L'ouverture de ces assemblées, qui n'ont pour objet que le
maintien du traité social, doit toujours se faire par deux propositions qu'on ne puisse jamais supprimer et qui passent 25
séparément par les suffrages.

[1] « Vieille expression juridique. C'est un cas dans lequel l'exercice
du droit revendiqué apparaît comme dangereux; on invoque alors la
maxime du droit romain: Odia restrigenda, favores ampliandi; c'est à
dire qu'il faut restreindre autant que possible les droits nuisibles et donner
au contraire toute la latitude possible aux droits avantageux. » (*Note
de Beaulavon.*)

[2] III, 13; assemblées à dates fixes, nécessaires pour maintenir alerte
l'intérêt pour les affaires publiques.   Les assemblées irrégulières, con-
voquées seulement quand surgit une affaire spéciale, favorisent l'indifférence des gouvernés, et les ambitions personnelles des gouvernants.

La première: *S'il plaît au souverain de conserver la présente forme de gouvernement.*

La seconde: *S'il plaît au peuple d'en laisser l'administration à ceux qui en sont actuellement chargés.*

5   Je suppose ici ce que je crois avoir démontré, savoir, qu'il n'y a dans l'État aucune loi fondamentale qui ne se puisse révoquer, non pas même le pacte social; car si tous les citoyens s'assemblaient pour rompre ce pacte d'un commun accord, on ne peut douter qu'il ne fût très légitimement
10 rompu.   Grotius [1] pense même que chacun peut renoncer à l'État dont il est membre et reprendre sa liberté naturelle et ses biens, en sortant du pays.[2]   Or, il serait absurde que tous les citoyens réunis ne pussent pas ce que peut séparément chacun d'eux.

Note sur Rousseau et la Révolution Française

15   Rousseau affirme la nécessité de la révolution — quelquefois (II, 8):

Ce n'est pas que, comme quelques maladies bouleversent la tête des hommes et leur ôtent le souvenir du passé, il ne se trouve quelquefois dans la durée des États des époques vio-
20 lentes où les révolutions font sur les peuples ce que certaines crises font sur les individus, où l'horreur du passé tient lieu d'oubli, et où, l'État, embrasé par les guerres civiles, renaît pour ainsi dire de sa cendre, et reprend la vigueur de la jeunesse en sortant des bras de la mort.   Telle fut Sparte, au temps
25 de Lycurgue, telle fut Rome après les Tarquins, et telles ont été parmi nous la Hollande et la Suisse après l'expulsion des tyrans.

---

[1] *Grotius* (1583-1645), fameux juriste hollandais, auteur d'un livre souvent cité par Rousseau, *Du Droit de Guerre et de Paix.*

[2] Bien entendu qu'on ne quitte pas pour éluder son devoir et se dispenser de servir sa patrie au moment qu'elle a besoin de nous. La fuite alors serait criminelle et punissable; ce ne serait plus retraite, mais désertion. (*Note de Rousseau.*)

Mais il met en garde constamment contre les dangers et les difficultés des révolutions (p. ex., *Lettre à Rey*, 29 mai 1752; *VIme Lettre de la Montagne;* dans les *Confessions;* dans les *Dialogues;* et dans un passage plus célèbre que les autres dans le *Jugement sur la Polysynodie de l'Abbé de Saint-Pierre:* « Qu'on juge du danger d'émouvoir une fois les masses énormes qui composent la monarchie française. Qui pourra retenir l'ébranlement donné, ou prévoir les effets qu'il peut produire? Quand tous les avantages du nouveau plan seraient incontestables, quel homme de sens oserait entreprendre d'abolir les vieilles coutumes, de changer les vieilles maximes, et de donner une autre forme à l'État que celle où l'a successivement amené une durée de treize cents ans . . .» (Éd. Hachette, V, p. 348-9). Et, quant à lui, personnellement, Rousseau s'est défendu de vouloir une révolution, dès le *Second Discours* (Éd. Hachette, I, 120-125), dans le *Jugement sur la Polysynodie de l'Abbé de Saint-Pierre* (ibid. V, 348-9), et ailleurs. (Cf. Beaulavon, Éd. du *Contrat Social*, 1914, p. 17, note 1.)

Pourtant Rousseau comprend qu'on n'évitera pas la Grande Révolution; il en fait la prophétie solennelle au IIIme livre d'*Émile:*

Vous vous fiez à l'ordre de la société sans songer que cet ordre est sujet à des révolutions inévitables, et qu'il vous est impossible de prévoir ni de prévenir celle qui peut regarder vos enfants. Le grand devient petit, le riche devient pauvre, le monarque devient sujet: les coups du sort sont-ils si rares que vous puissiez compter d'en être exempt? Nous approchons de l'état de crise et du siècle des révolutions. Tout ce qu'on fait les hommes, les hommes peuvent le détruire, il n'y a de caractères ineffaçables que ceux qu'imprime la nature, et la nature ne fait ni princes, ni riches, ni grands seigneurs.

Garanties pour la Stabilité de l'État

Une des choses les plus difficiles dans l'État consiste à empêcher la volonté particulière de prévaloir sur la volonté générale. Pour montrer comment ce but peut être atteint, au moins dans une certaine mesure, Rousseau fait un tableau magistral des institu-

tions romaines (II, 4,5, 6): il démontre que depuis l'établissement
des tribus, à l'aurore de la République, jusqu'à l'établissement
de la Dictature, qui était une première forme de la monarchie
impériale, il y a eu une longue période où l'on décrétait de nouvelles
5 lois, créait de nouvelles magistratures, inventait de nouvelles
mesures de toute espèce pour empêcher les droits de la volonté
générale d'être compromis par les éléments dangereux qui accom-
pagnaient chaque nouveau rouage gouvernemental.

Rousseau propose des remèdes aux dangers des lois complexes
10 (favorisant les disputes politiques) et des magistrats nombreux
avec leurs tentations de céder aux sollicitations de leurs volontés
particulières (en interprétant les lois à leur profit).

Avantages des Petits États (II, 9)

Le premier consiste à maintenir à l'état des proportions raisonnables.

15   Comme la nature a donné des termes à la stature d'un
homme bien conformé, passé lesquelles elle ne fait plus que
des géants et des nains, il y a de même, eu égard à la meilleure constitution d'un État, des bornes à l'étendue qu'il
peut avoir, afin qu'il ne soit ni trop grand pour pouvoir être
20 bien gouverné, ni trop petit pour pouvoir se maintenir par
lui-même.   Il y a dans tout corps politique un maximum de
force qu'il ne saurait passer, et duquel souvent il s'éloigne à
force de s'agrandir.   Plus le lien social s'étend, plus il se
relâche; et en général, un petit État est proportionnellement
25 plus fort qu'un grand.   (II, 9; voir aussi III, 4, IV, 1.) [1]

---

[1] Aristote et Montesquieu avaient déjà développé cette idée.   Rousseau proposait de faire des États Confédérés, comme la Suisse, et comme
depuis son temps, les États-Unis d'Amérique.   De cette façon, les états
sont autonomes, mais cependant, par l'union qui les fédéralise, chacun
dispose de ressources qui lui permettent de résister à des ennemis assez
puissants.   La devise de la Suisse est: « Un pour tous, tous pour un ».
(Cf. Windenberger, *La République confédérative des petits États, Essai
sur la politique étrangère de J.-J. Rousseau*, Paris, 1899.)

L'Éducation par l'État

Un autre moyen pour arriver au même but serait de confier l'éducation du citoyen à l'État (la théorie platonicienne). Rousseau ne développe jamais en détail ce point, et pas du tout dans le *Contrat Social* ... Voici un court extrait de ses *Considérations sur le Gouvernement de la Pologne* (Chap. 4, De l'Éducation): 5

« Quelque forme qu'on donne à l'éducation publique, dont je n'entreprends pas ici le détail, il convient d'établir un collège de magistrats du premier rang, qui en ait la suprême administration, et qui nomme, révoque et change à volonté tant les principaux et chefs de collèges ... que les maîtres 10 des exercices ... Comme c'est de ces établissements que dépend l'espoir de la république, je le trouve, je l'avoue d'une importance que je suis bien surpris qu'on n'ait songé à leur donner nulle part ... »

De la Religion Civile (IV, 8)

Surtout il faut toujours, même dans un petit état et même 15 quand il y a peu de magistrats, exiger de tout citoyen qu'il adhère dans son coeur aux dogmes d'une religion — d'une religion qui l'engage par une obligation plus forte que toute obligation humaine, à observer les lois de l'État. Si dans son âme il ne peut accepter de tels dogmes, il ne peut être reçu dans l'État, car il 20 n'y a aucune garantie absolue qu'il observera les lois si les circonstances sont telles qu'il pourrait les violer sans être découvert.

Il faut lire avec beaucoup de prudence ce célèbre chapitre.

Rousseau distingue deux sortes de religion, la religion générale ou de l'homme privé, et la religion particulière (ou civile) ou 25 du citoyen, — et, il l'avait dit déjà (II, 6), « la politique et la religion (générale) n'ont pas parmi nous un objet commun ».

Il y a eu malentendu sur l'attitude de Rousseau dans cette question. Tantôt on a fait de lui un représentant de la tolérance, tantôt de l'intolérance. Voici brièvement résumées ses idées sur 30 ce sujet.

Dans l'État toute religion générale qui ne commande pas une conduite nuisant aux intérêts politiques doit être tolérée.

D'autre part, dans un état, toute religion générale qui com-
manderait une conduite nuisant aux intérêts politiques, et toute
religion générale qui n'accepterait pas les dogmes de la religion
civile, ne peuvent être tolérées (telle la religion des Lamas et celle
5 des Japonais); plus encore tout citoyen qui n'adhérerait pas aux
dogmes de la religion civile ne peut être toléré dans l'État, et la
mort même n'est pas une punition trop sévère pour punir un
homme qui se serait introduit dans l'état en ne croyant pas dans
son coeur les dogmes de la religion civile.

10   Ajoutons encore que Rousseau considère spécialement le cas
de la religion chrétienne. Sa conclusion est celle-ci: Cette
religion « sainte, sublime, véritable » n'est pas favorable à rendre
un état fort — au moins un état qui dépend pour son existence
de vertus guerrières. Cependant, quoique la religion chrétienne
15 ne soit pas *la meilleure religion générale concevable pour un État,*
elle est assez sublime comme religion générale pour être *aussi
bonne que possible dans un État.* Et ainsi il estime qu'il faut
absolument la conserver; elle contient du reste tous les dogmes
de la religion civile.

20   Ces considérations sur l'esprit de la religion chrétienne en
rapport avec les conditions de stabilité et de force d'un État
sont extrêmement intéressantes et suggestives. Comme certaines
appréciations de Rousseau, cependant, visent des conditions qui
n'existent plus guère aujourd'hui et pourraient faire juger fausse-
25 ment son point de vue, il paraît préférable de donner ici seulement
les pages finales de ce chapitre si discuté, qui traitent du problème
de la tolérance et de l'intolérance.[1]

Mais, laissant à part les considérations politiques, revenons
au droit, et fixons les principes sur ce point important. Le
30 droit que le pacte social donne au souverain sur les sujets
ne passe point, comme je l'ai dit, les bornes de l'unité politique. Les sujets ne doivent donc compte au souverain de
leurs opinions qu'autant que ces opinions importent à la

---

[1] Pour la discussion des problèmes soulevés par ce chapitre, voir outre
les éditions du *Contrat Social* par Beaulavon et par E. C. Vaughan, une
étude sur « La Question du Contrat Social », *Revue d'Histoire litt. de la
France,* Vol. XIX (1912), par Albert Schinz.

communauté. Or, il importe bien à l'État que chaque
citoyen ait une religion qui lui fasse aimer ses devoirs; mais
les dogmes de cette religion n'intéressent ni l'État ni ses membres qu'autant que ses dogmes se rapportent à la morale et
aux devoirs que celui qui la professe est tenu de remplir 5
envers autrui. Chacun peut avoir, au surplus, telles opinions
qu'il lui plaît, sans qu'il appartienne au souverain d'en
connaître, car, comme il n'a point de compétence dans l'autre
monde, quel que soit le sort des sujets dans la vie à venir, ce
n'est pas son affaire, pourvu qu'ils soient bons citoyens dans 10
celle-ci.

Il y a donc une profession de foi purement civile dont il
appartient au souverain de fixer les articles, non pas précisément comme dogmes de religion, mais comme sentiments de
sociabilité, sans lesquels il est impossible d'être bon citoyen 15
ni sujet fidèle.[1] Sans pouvoir obliger personne à les croire,
il peut bannir de l'état quiconque ne les croit pas; il peut le
bannir, non comme impie, mais comme insociable, comme
incapable d'aimer sincèrement les lois, la justice, et d'immoler, au besoin, sa vie à son devoir. Que si quelqu'un, 20
après avoir reconnu publiquement ces mêmes dogmes, se
conduit comme ne les croyant pas, qu'il soit puni de mort;
il a commis le plus grand des crimes: il a menti devant les
lois.

Les dogmes de la religion civile doivent être simples, en 25
petit nombre, énoncés avec précision, sans explications ni
commentaire. L'existence de la Divinité puissante, intelligente, bienfaisante, prévoyante et pourvoyante, la vie à venir,
le bonheur des justes, le châtiment des méchants, la sainteté

---

[1] César, plaidant pour Catilina, tâchait d'établir le dogme de la mortalité de l'âme: Caton et Cicéron, pour le réfuter, ne s'amusèrent point
à philosopher; ils se contentèrent de montrer que César parlait en mauvais
citoyen et avançait une doctrine pernicieuse à l'État. En effet, voilà
de quoi devait juger le sénat de Rome, et non d'une question théologique.
(*Note de Rousseau.*)

du contrat social et des lois, voilà les dogmes positifs.
Quant aux dogmes négatifs, je les borne à un seul: c'est
l'intolérance; elle rentre dans les cultes que nous avons exclus.

Ceux qui distinguent l'intolérance civile et l'intolérance
5 théologique se trompent, à mon avis. Ces deux intolérances
sont inséparables. Il est impossible de vivre en paix avec
des gens qu'on croit damnés; les aimer, serait haïr Dieu,
qui les punit; il faut absolument qu'on les ramène ou qu'on
les tourmente. Partout où l'intolérance théologique est
10 admise, il est impossible qu'elle n'ait pas quelque effet civil;[1]
et sitôt qu'elle en a, le souverain n'est plus souverain, même
au temporel: dès lors les prêtres sont les vrais maîtres; les
rois ne sont que leurs officiers.

Maintenant qu'il n'y a plus et qu'il ne peut plus y avoir
15 de religion nationale exclusive, on doit tolérer toutes celles
qui tolèrent les autres, autant que leurs dogmes n'ont rien de
contraire aux devoirs du citoyen. Mais quiconque ose dire
hors de l'Église point de salut doit être chassé de l'État, à
moins que l'État ne soit l'Église, et que le prince ne soit le

---

[1] Le mariage, par exemple, étant un contrat civil, a des effets civils
sans lesquels il est même impossible que la société subsiste. Supposant
donc qu'un clergé vienne à bout de s'attribuer à lui seul le droit de passer cet acte, droit qu'il doit nécessairement usurper dans toute religion
intolérante: alors, n'est-il pas clair qu'en faisant valoir à propos l'autorité
de l'Église, il rendra vaine celle du prince, qui n'aura plus de sujets que
ceux que le clergé voudra bien lui donner? Maître de marier ou de ne pas
marier les gens, selon qu'ils auront ou n'auront pas telle ou telle doctrine,
selon qu'ils admettront ou rejetteront tel ou tel formulaire, selon qu'ils
lui seront plus ou moins dévoués, en se conduisant prudemment et tenant
ferme, n'est-il pas clair qu'il disposera seul des héritages, des charges,
des citoyens de l'état même, qui ne saurait subsister, n'étant plus composé
que de bâtards? Mais, dira-t-on, l'on appellera comme d'abus, on ajour-
nera, décrétera, saisira le temporel. Quelle pitié! Le clergé pour peu
qu'il ait, non pas de courage, mais de bon sens, laissera tranquillement
appeler, ajourner, décréter, saisir, et finira par être le maître. Ce n'est
pas, ce me semble, un grand sacrifice d'abandonner une partie quand on
est sûr de s'emparer du tout. (*Note de Rousseau.*)

pontife. Un tel dogme n'est bon que dans un gouvernement théocratique; dans tout autre il est pernicieux. La raison sur laquelle on dit que Henri IV embrassa la religion romaine [1] la devait faire quitter à tout honnête homme, et surtout à tout prince qui saurait raisonner.

5

[1] « Péréfixe rapporte (*Histoire de Henry IV*) que des ministres protestants ayant déclaré, dans une controverse, qu'ils croyaient possible le salut d'un catholique honnête homme, tandis que les théologiens catholiques vouaient tout protestant à la damnation, Henry IV dit alors aux protestants: « La prudence veut donc que je sois de leur religion et non pas de la vôtre, parce qu'étant de la leur, je me sauve selon eux et selon vous, et, étant de la vôtre, je me sauve bien selon vous, mais non selon eux ... » (*Note de Beaulavon.*)

QUATRIÈME PARTIE

LES DERNIÈRES ANNÉES

QUATRIÈME PARTIE
LES DERNIÈRES ANNÉES

L'Orage

Les deux ouvrages qui allaient déchaîner les persécutions sur Rousseau, *Du Contrat Social* (à cause de ses opinions sur la souveraineté des peuples par opposition à la puissance des classes privilégiées), et *Émile* (à cause surtout des idées exprimées dans la « Profession de Foi du Vicaire Savoyard ») parurent à quelques 5 semaines de distance, en 1762; le premier au commencement d'avril, le deuxième dans la seconde moitié de mai. Le *Contrat Social* imprimé à Amsterdam par le libraire-imprimeur Rey, ne fut pas autorisé en France,[1] c'est-à-dire qu'on en défendit l'entrée et donc la vente. *Émile*, imprimé en France,[2] fut mis en vente, 10 mais bientôt après défendu; d'abord par le Parlement de Paris, qui, le 9 juin « condamna le livre au feu » et décréta l'auteur « de prise de corps »;[3] et le 11 juin le livre fut lacéré et brûlé devant le Palais de Justice. Puis la Sorbonne, ou Faculté de Théologie prononça la Censure;[4] celle-ci fut décidée le 17 août, 15

---

[1] Lettre de Rousseau au libraire Rey, 29 mai 1762; Maugras, *Voltaire et Rousseau* (1886), p. 177.

[2] Il le fut aussi en Hollande « par Jean Neaulme, La Haye » (Maugras, op. cit., p. 178; et Masson, Éd. de la *Profession de Foi*, 1914, Introduction, Chap. IV).

[3] C'est-à-dire décréta que Rousseau devait être arrêté. Voici le texte de cette partie du décret: « Que le nommé J.-J. Rousseau dénommé au frontispice du livre sera pris et appréhendé au corps et amené ès prisons de la Conciergerie du Palais pour être ouï et interrogé sur les faits du dit livre et répondre aux conclusions que le procureur général entend prendre contre lui. » (Voir détails de ces poursuites dans *Annales J.-J. Rousseau*, I, p. 95–115; article de Lanson.)

[4] Le pape Clément XIII félicita la Sorbonne dans une lettre du 26 octobre 1763. L'Espagne aussi brûla l'*Émile* (*Annales*, I, p. 137–8). Et la Hollande avait révoqué le Privilège de vente dès le 30 juillet.

mais rendue publique seulement en novembre. L'archevêque de
Paris, de son côté, lança son « Mandement contre *Émile* », le
20 août.

Longtemps Rousseau avait refusé de croire qu'il courait aucun
danger à cause d'*Émile*. Il avait du reste de puissants protec-
teurs. Mais il fut bien forcé de modifier son opinion: « Au bout
de quelques temps la fermentation devint terrible — dit-il dans
les *Confessions* —; on entendait dire tout ouvertement aux
parlementaires qu'on n'avançait rien à brûler les livres et qu'il
fallait brûler les auteurs.» Il se décida à fuir. Voici le récit de
la nuit du 8 juin, veille du jour où le décret devait être donné.

J'ai conté comment je perdis le sommeil dans ma jeunesse.
Depuis lors j'avais pris l'habitude de lire tous les soirs dans
mon lit jusqu'à ce que je sentisse mes yeux s'appesantir.
Alors j'éteignais ma bougie, et je tâchais de m'assoupir quelques instants qui ne duraient guère. Ma lecture ordinaire
du soir était la Bible, et je l'ai lue entière au moins cinq ou
six fois de suite de cette façon. Ce soir-là, me trouvant plus
éveillé qu'à l'ordinaire, je prolongeai plus longtemps ma
lecture, je lus tout entier le livre qui finit par le Lévite d'E-
phraïm, et qui, si je ne me trompe, est le livre des Juges; car
je ne l'ai pas revu depuis ce temps-là. Cette histoire m'affecta beaucoup, et j'en étais occupé dans une espèce de rêve,
quand tout à coup j'en fus tiré par du bruit et de la lumière.
Thérèse, qui la portait, éclairait M. La Roche,[1] qui, me voyant
lever brusquement sur mon séant, me dit: « Ne vous alarmez
pas; c'est de la part de madame la maréchale, qui vous
écrit et vous envoie une lettre de M. le prince de Conti.»
En effet, dans la lettre de madame de Luxembourg, je trouvai
celle qu'un exprès de ce prince venait de lui apporter, portant
avis que, malgré tous ses efforts, on était déterminé à procéder contre moi à toute rigueur. La fermentation, lui
marquait-il, est extrême: rien ne peut parer le coup; la
cour l'exige, le parlement le veut; à sept heures du matin, il

---

[1] Valet de chambre et homme de confiance de Mme de Luxembourg.

Tombeau de Rousseau à Ermenonville

sera décrété de prise de corps, et l'on enverra sur-le-champ
le saisir; j'ai obtenu qu'on ne le poursuivra pas s'il s'éloigne;
mais s'il persiste à vouloir se laisser prendre, il sera pris.   La
Roche me conjura, de la part de madame la maréchale, de
me lever et d'aller conférer avec elle.   Il était deux heures;   5
elle venait de se coucher. « Elle vous attend, ajouta-t-il,
et ne veut pas s'endormir sans vous avoir vu.»   Je m'habillai
à la hâte, et j'y courus.

Elle me parut agitée.   C'était la première fois.   Son
trouble me toucha.   Dans ce moment de surprise, au milieu   10
de la nuit, je n'étais pas moi-même exempt d'émotion: mais
en la voyant je m'oubliai moi-même pour ne penser qu'à elle
et au triste rôle qu'elle allait jouer, si je me laissais prendre; [1]
car, me sentant assez de courage pour ne dire jamais que la
vérité, dût-elle me nuire et me perdre, je ne me sentais ni   15
assez de présence d'esprit, ni assez d'adresse, ni peut-être
assez de fermeté pour éviter de la compromettre si j'étais
vivement pressé.   Cela me décida à sacrifier ma gloire à sa
tranquillité, à faire pour elle, en cette occasion, ce que rien
ne m'eût fait faire pour moi.   Dans l'instant que ma réso-   20
lution fut prise, je la lui déclarai, ne voulant point gâter le
prix de mon sacrifice en le lui faisant acheter ... M. de
Luxembourg me proposa de rester chez lui quelques jours
incognito, pour délibérer et prendre des mesures plus à loisir;
je n'y consentis point, non plus qu'à la proposition d'aller   25
secrètement au Temple.[2]   Je m'obstinai à vouloir partir dès
le jour même, plutôt que de rester caché où que ce pût être.

[1] La maréchale, on s'en souvient, avait favorisé l'impression d'*Émile*.
(Voir plus haut, Note d'Introduction à *Émile*.)

[2] *Le Temple*, établissement de l'ordre des Templiers à Paris, au XIIme
siècle, ordre supprimé au XIVme siècle à cause de sa puissance;   depuis
ce moment, la résidence du Grand Prieur de France, jusqu'à l'époque de
la Révolution (quand la famille royale y fut enfermée).   En 1762 le Grand
Prieur était le Prince de Conti, protecteur de Rousseau.   Du reste, autour
des édifices du Temple, s'étendait un vaste enclos jouissant du droit
d'asile.

Le lendemain (9 juin) Rousseau met en ordre ses papiers, et
part, seul, l'après-midi. Thérèse Levasseur devait le rejoindre
quand il aurait trouvé une retraite. Il alla en Suisse, « terre de
liberté » pensait-il. Il quitte Montmorency dans une voiture
5 du Maréchal de Luxembourg; et il relate ce petit épisode: « Entre
La Barre[1] et Montmorency, je rencontrai dans un carrosse de
remise[2] quatre hommes en noir qui me saluèrent en souriant.
Sur ce que Thérèse m'a rapporté dans la suite de la figure des
huissiers, de l'heure de leur arrivée, et de la façon dont ils se
10 comportèrent, je n'ai point de doute que ce ne fussent eux.»

Môtiers

Il arrive chez un ami, M. Roguin[3] à Yverdon, dans le pays
de Vaud, en Suisse. Il pensait aller à Genève, mais croyant
savoir que le gouvernement (pas le peuple) de sa ville natale
était peu favorablement disposé, il prit ses précautions: « Je pris
15 le parti de m'en rapprocher seulement et d'aller attendre en Suisse
celui qu'on prendrait à Genève à mon égard.» Et en effet il
apprit bientôt que ses deux livres étaient condamnés à Genève
(19 juin) au feu et lui-même décrété d'arrestation.[4] Rousseau
ne put rester non plus à Yverdon, car cette petite ville dépendait
20 de l'État de Berne qui condamna à son tour les deux ouvrages de
Rousseau, et devait envoyer à celui-ci, le 11 juillet, une lettre
ordonnant de quitter le territoire. Rousseau prévint cette lettre
et partit le 10 juillet. Une amie, Madame Boy de la Tour, nièce
de Roguin, lui offrit une maison à louer à Môtiers, dans la Princi-
25 pauté de Neuchâtel. Il y arriva un mois après avoir quitté
Montmorency et devait y séjourner trois ans et deux mois (du
10 juillet 1762 au 7 septembre 1765).[5]

[1] Hameau au sud de Montmorency.　　　　[2] Carrosse de louage.

[3] Rousseau l'appelle dans les *Confessions* (VII) le « doyen » de ses amis.

[4] Voir le Décret dans Mauras, op. cit., p. 205; il fut annulé par un
nouveau gouvernement le 2 mars 1791, comme étant illégal. Dans une
lettre à M. d'Ivernois, Rousseau écrit: « Rien dans le monde n'a plus
affligé et navré mon cœur que le Décret de Genève.»

[5] Description du Val-de-Travers et du village de Môtiers dans Lettres
de Rousseau à M. de Luxembourg, 20 et 28 janvier 1763. Thérèse re-
joignit Rousseau le 20 juillet.

La Principauté de Neuchâtel était sous la juridiction du roi de Prusse, Frédéric le Grand. Celui-ci assura Rousseau de sa protection, et lui offrit même une maison — que Rousseau n'accepta pas. Rousseau vécut en termes excellents avec le gouverneur, Milord Maréchal.[1] Mais après trois ans, en suite de nouvelles discussions théologiques et politiques, le roi même fut impuissant à rendre le séjour de Môtiers possible. Rousseau avait écrit deux ouvrages de polémique puissante, la *Lettre à Christophe de Beaumont, Archevêque de Paris* (18 novembre 1762), en réponse au « Mandement contre *Émile*, » et les *Lettres de la Montagne* (fin de l'année 1764). Ce dernier était une réponse aux *Lettres de la Campagne* écrites par un magistrat genevois pour justifier la condamnation d'*Émile* et du *Contrat Social;*[2] il fut interdit à Genève et à Berne, et brûlé publiquement à Genève en février 1765; le Parlement de Paris aussi condamna le livre (19 mars) à être lacéré et brûlé; et La Haye suivit l'exemple de Paris. Les gouvernements de Genève et de Berne, de plus, représentèrent au gouvernement de Neuchâtel que Rousseau était un personnage dangereux; les pasteurs soulevèrent l'opinion contre lui, et finalement Rousseau s'en alla. Toute cette agitation avait abouti à l'épisode connu sous le nom de:

[1] Georges Keith, maréchal héréditaire d'Écosse, fut proscrit de son pays pour s'être déclaré partisan de la Maison Stuart. Il finit par s'attacher au service de Frédéric II de Prusse, auquel il rendit bien des services signalés. Sur ses vieux jours, il fut envoyé comme gouverneur à Neuchâtel, une sinécure dans un charmant pays. Rousseau lui resta fort attaché; il l'appelait son père.

[2] Rousseau avait, par une lettre qui souleva une tempête, renoncé à ses droits et à son titre de « Citoyen de Genève » 12 mai 1763. Sa ville natale fut divisée en partisans et adversaires acharnés de Rousseau. Les partisans avaient envoyé au Conseil — ou gouvernement — des « Représentations » pour demander d'examiner à nouveau le décret de condamnation d'*Émile* et du *Contrat Social*. Le Conseil refusa; ce fut pour calmer les esprits qu'un des membres du Conseil, Tronchin (le frère du célèbre médecin) écrivit les *Lettres de la Campagne* justifiant l'action du gouvernement; elles parurent en automne de 1763; Rousseau y répondit par les foudroyantes *Lettres de la Montagne* (1764). Voir pour l'histoire de ces troubles à Genève, *L'Affaire Jean-Jacques Rousseau*, par Édouard Rod (1906).

La Lapidation de Môtiers
(6 au 7 septembre 1765) [1]

La fermentation devenait plus vive; et, malgré les rescrits réitérés du roi, malgré les ordres fréquents du conseil d'État, malgré les soins du châtelain [2] et des magistrats du lieu, le peuple, me regardant tout de bon comme l'Antichrist et
5 voyant toutes ses clameurs inutiles, parut enfin vouloir en venir aux voies de fait; déjà dans les chemins les cailloux commençaient à rouler auprès de moi, lancés cependant encore d'un peu trop loin pour pouvoir m'atteindre. Enfin la nuit de la foire de Môtiers,[3] qui est au commencement de
10 septembre, je fus attaqué dans ma demeure, de manière à mettre en danger la vie de ceux qui l'habitaient.

A minuit, j'entendis un grand bruit dans la galerie qui régnait sur le derrière de la maison. Une grêle de cailloux, lancés contre la fenêtre et la porte qui donnaient sur cette
15 galerie, y tombèrent avec tant de fracas, que mon chien, qui couchait dans la galerie, et qui avait commencé par aboyer, se tut de frayeur, et se sauva dans un coin, rongeant et grattant les planches pour tâcher de fuir. Je me lève au

---

[1] Certains savants ont exprimé l'opinion que la « lapidation » était plutôt une mauvaise farce de villageois à l'occasion des réjouissances de la foire, qu'un acte d'hostilité réelle; et que l'imagination de Rousseau avait exagéré les choses. Une tradition orale du Val-de-Travers appuierait cette interprétation. (Cf. Maugras, *op. cit.*, p. 420.) Il est possible que le costume d'Arménien que porta Rousseau pendant son séjour à Môtiers et jusqu'à son retour à Paris contribua à le faire regarder avec un peu de méfiance par ces bons villageois. Rousseau souffrait beaucoup d'une maladie qui lui rendait le costume serré de l'époque fort incommode; son costume étranger avait été confectionné par les soins de Mme de Luxembourg.

[2] Le titre du principal magistrat du village.

[3] Môtiers était en ce temps le chef-lieu du vallon; la foire durait plusieurs jours, et à cause du grand concours de monde, on organisait une police spéciale faite à tour par les habitants des villages voisins aussi bien que par ceux de Môtiers.

bruit: j'allais sortir de ma chambre pour passer dans la
cuisine, quand un caillou lancé d'une main vigoureuse tra-
versa la cuisine après en avoir cassé la fenêtre, vint ouvrir
la porte de ma chambre et rouler au pied de mon lit; de sorte
que si je m'étais pressé d'une seconde, j'avais le caillou dans 5
l'estomac. Je jugeai que le bruit avait été fait pour m'attirer,
et le caillou lancé pour m'accueillir à ma sortie. Je saute
dans la cuisine. J'y trouve Thérèse, qui s'était aussi levée
et qui toute tremblante accourait à moi. Nous nous rangeons
contre un mur, hors de la direction de la fenêtre pour éviter 10
l'atteinte des pierres et délibérer sur ce que nous avions à
faire; car sortir pour appeler du secours était le moyen
de nous faire assommer. Heureusement la servante d'un
vieux bonhomme qui logeait au-dessous de moi se leva au
bruit et courut appeler M. le châtelain, dont nous étions 15
porte à porte. Il saute de son lit, prend sa robe de chambre
à la hâte et vient à l'instant avec la garde, qui, à cause de la
foire, faisait la ronde cette nuit-là, et se trouva tout à portée.
Le châtelain vit le dégât avec un tel effroi qu'il en pâlit;
et, à la vue des cailloux dont la galerie était pleine, il s'écria: 20
« Mon Dieu ! c'est une carrière ! » En visitant le bas, on
trouva que la porte d'une petite cour avait été forcée, et
qu'on avait tenté de pénétrer dans la maison par la galerie.
En recherchant pourquoi la garde n'avait point aperçu ou
empêché le désordre, il se trouva que ceux de Môtiers s'étaient 25
obstinés à vouloir faire cette garde hors de leur rang, quoique
ce fût le tour d'un autre village. Le lendemain, le châtelain
envoya son rapport au conseil d'État, qui deux jours après
lui envoya l'ordre d'informer sur cette affaire, de promettre
une récompense et le secret à ceux qui dénonceraient les 30
coupables, et de mettre en attendant, aux frais du prince,
des gardes à ma maison et à celle du châtelain qui la touchait.
Le lendemain, le colonel Pury, le procureur général Meuron,
le châtelain Martinet, le receveur Guyenet, le trésorier d'Ivernois et son père, en un mot, tout ce qu'il y avait de gens dis- 35

tingués dans le pays, vinrent me voir, et réunirent leurs
sollicitations pour m'engager à céder à l'orage, et à sortir au
moins pour un temps d'une paroisse où je ne pouvais plus
vivre en sûreté ni avec honneur.   Je m'aperçus même que le
5 châtelain, effrayé des fureurs de ce peuple forcené, et craignant qu'elles ne s'étendissent jusqu'à lui, aurait été bien
aise de m'en voir partir au plus vite, pour n'avoir plus l'embarras de m'y protéger, et pouvoir la quitter lui-même, comme
il fit après mon départ.   Je cédai donc, et même avec peu
10 de peine; car le spectacle de la haine du peuple me causait
un déchirement de cœur que je ne pouvais plus supporter.

Rousseau n'avait plus de protecteur à Neuchâtel. Milord
Maréchal avait quitté la principauté quelque temps avant ces
événements; il avait bien laissé à Rousseau des lettres de natura-
15 lisation qui le mettaient à l'abri d'une expulsion; mais Rousseau
préféra partir.[1]

L'Île de Saint-Pierre

(11 septembre au 25 octobre)[2]

Il se réfugia à l'Île de Saint-Pierre, dans le lac de Bienne, où
il resta environ six semaines.   Il en fut chassé sans tendresse par
les autorités de Berne, dont dépendait cette île (comme Yverdon).
20 Rousseau demanda qu'on lui permît de demeurer comme « prisonnier volontaire »; on lui répondit qu'il eût à partir dans les 24
heures.   Rousseau a conservé un souvenir charmant de ce séjour
trop court, et il en a laissé cette description bien connue.

[1] Sur le séjour de Rousseau au Val-de-Travers, et les polémiques
surtout religieuses qu'il eut à soutenir, voir: Fr. Berthoud, *J.-J. Rousseau au Val-de-Travers* (1881) et *J.-J. Rousseau et le pasteur de Montmollin*
(1884).   Il est moins hostile à Rousseau que Maugras.

[2] Rousseau avait déjà passé huit à dix jours dans cette île en juillet
de la même année (*Lettre à M. d'Ivernois*, 20 juillet 1765).   Voir Metzger,
J.-J. Rousseau à l'Île de Saint-Pierre (1875).   Un buste a été élevé à
Rousseau dans l'île en 1912, année du bicentenaire de sa naissance.   La
maison du receveur est toujours là, fréquemment visitée.   Rousseau
resta à Neuchâtel du 7 au 11 septembre.   Il reparle des beaux jours de
Saint-Pierre dans la 5me *Promenade d'un Rêveur solitaire*.

Je fis venir Thérèse avec mes livres et mes effets. Nous nous mîmes en pension chez le receveur [1] de l'île. Sa femme avait à Nidau ses sœurs, qui la venaient voir tour à tour, et qui faisaient à Thérèse une compagnie. Je fis là l'essai d'une douce vie dans laquelle j'aurais voulu passer la mienne, et dont le goût que j'y pris ne servit qu'à me faire mieux sentir l'amertume de celle qui devait si promptement y succéder.

J'ai toujours aimé l'eau passionnément, et sa vue me jette dans une rêverie délicieuse, quoique souvent sans objet déterminé. Je ne manquais point à mon lever, lorsqu'il faisait beau, de courir sur la terrasse humer l'air salubre et frais du matin, et planer des yeux sur l'horizon de ce beau lac, dont les rives et les montagnes qui le bordent enchantaient ma vue. Je ne trouve point de plus digne hommage à la Divinité que cette admiration muette qu'excite la contemplation de ses œuvres, et qui ne s'exprime point par des actes développés. Je comprends comment les habitants des villes, qui ne voient que des murs, des rues et des crimes, ont peu de foi; mais je ne puis comprendre comment des campagnards, et surtout des solitaires, peuvent n'en point avoir. Comment leur âme ne s'élève-t-elle pas cent fois le jour avec extase à l'auteur des merveilles qui les frappent? Pour moi, c'est surtout à mon lever, affaissé par mes insomnies, qu'une longue habitude me porte à ces élévations de cœur qui n'imposent point la fatigue de penser. Mais il faut pour cela que mes yeux soient frappés du ravissant spectacle de la nature. Dans ma chambre, je prie plus rarement et plus sèchement: mais à l'aspect d'un beau paysage, je me sens ému sans pouvoir dire de quoi. J'ai lu qu'un sage évêque, dans la visite de son diocèse, trouva une vieille femme qui, pour toute prière, ne savait que dire Oh! Il lui dit: Bonne mère, continuez de prier toujours ainsi; votre prière vaut mieux que les nôtres. Cette meilleure prière est aussi la mienne.

---

[1] Le surveillant; sa maison est du reste la seule de l'île.

Après le déjeuner, je me hâtais d'écrire en rechignant quelques malheureuses lettres, aspirant avec ardeur à l'heureux moment de n'en plus écrire du tout. Je tracassais quelques instants autour de mes livres et papiers, pour les déballer et
5 arranger, plutôt que pour les lire; et cet arrangement, qui devenait pour moi l'œuvre de Pénélope, me donnait le plaisir de muser quelques moments; après quoi je m'en ennuyais et le quittais, pour passer les trois ou quatre heures qui me restaient de la matinée à l'étude de la botanique, et surtout
10 du système de Linnæus, pour lequel je pris une passion dont je n'ai pu me bien guérir, même après en avoir senti le vide. Ce grand observateur est à mon gré le seul, avec Ludwig, qui ait vu jusqu'ici la botanique en naturaliste et en philosophe; mais il l'a trop étudiée dans des herbiers et dans des
15 jardins, et pas assez dans la nature elle-même. Pour moi, qui prenais pour jardin l'île entière, sitôt que j'avais besoin de faire ou vérifier quelque observation, je courais dans les bois ou dans les prés, mon livre sous le bras: là, je me couchais par terre auprès de la plante en question, pour l'examiner
20 sur pied tout à mon aise. Cette méthode m'a beaucoup servi pour connaître les végétaux dans leur état naturel, avant qu'ils aient été cultivés et dénaturés par la main des hommes. On dit que Fagon, premier médecin de Louis XIV, qui nommait et connaissait parfaitement toutes les plantes
25 du Jardin royal, était d'une telle ignorance dans la campagne, qu'il n'y connaissait plus rien. Je suis précisément le contraire; je connais quelquechose à l'ouvrage de la nature, mais rien à celui du jardinier.

Pour les après-dînées, je les livrais totalement à mon
30 humeur oiseuse et nonchalante, et à suivre sans règle l'impulsion du moment. Souvent, quand l'air était calme, j'allais immédiatement en sortant de table me jeter seul dans un petit bateau, que le receveur m'avait appris à mener avec une seule rame; je m'avançais en pleine eau. Le moment
35 où je dérivais me donnait une joie qui allait jusqu'au tressail-

lement, et dont il m'est impossible de dire ni de bien comprendre la cause, si ce n'était peut-être une félicitation secrète d'être en cet état hors de l'atteinte des méchants. J'errais ensuite seul dans ce lac, approchant quelquefois du rivage, mais n'y abordant jamais. Souvent laissant aller mon bateau à la merci de l'air et de l'eau, je me livrais à des rêveries sans objet, et qui, pour être stupides, n'en étaient pas moins douces. Je m'écriais parfois avec attendrissement: « Ô nature! ô ma mère! me voici sous ta seule garde; il n'y a point ici d'homme adroit et fourbe qui s'interpose entre toi et moi. » Je m'éloignais ainsi jusqu'à demi-lieue de terre; j'aurais voulu que ce lac eût été l'Océan. Cependant, pour complaire à mon pauvre chien, qui n'aimait pas autant que moi de semblables stations sur l'eau, je suivais d'ordinaire un but de promenade; c'était d'aller débarquer à la petite île, de m'y promener une heure ou deux, ou de m'étendre au sommet du tertre sur le gazon, pour m'assouvir du plaisir d'admirer ce lac et ses environs, pour examiner et disséquer toutes les herbes qui se trouvaient à ma portée, et pour me bâtir, comme un autre Robinson, une demeure imaginaire dans cette petite île. Je m'affectionnai fortement à cette butte. Quand j'y pouvais mener promener Thérèse avec la receveuse et ses sœurs, comme j'étais fier d'être leur pilote et leur guide! Nous y portâmes en pompe des lapins pour la peupler; autre fête pour Jean-Jacques. Cette peuplade me rendit la petite île encore plus intéressante. J'y allais plus souvent et avec plus de plaisir depuis ce temps-là, pour rechercher des traces du progrès des nouveaux habitants.

A ces amusements j'en joignais un qui me rappelait la douce vie des Charmettes, et auquel la saison m'invitait particulièrement. C'était un détail de soins rustiques pour la récolte des légumes et des fruits, et que nous nous faisions un plaisir, Thérèse et moi, de partager avec la receveuse et sa famille. Je me souviens qu'un Bernois, nommé M. Kirchberger, m'étant venu voir, me trouva perché sur un grand arbre, un

sac attaché autour de ma ceinture, et déjà si plein de pommes,
que je ne pouvais plus me remuer. Je ne fus pas fâché de
cette rencontre et de quelques autres pareilles. J'espérais
que les Bernois, témoins de l'emploi de mes loisirs, ne songe-
5 raient plus à en troubler la tranquillité et me laisseraient en
paix dans ma solitude. J'aurais bien mieux aimé y être
confiné par leur volonté que par la mienne: j'aurais été plus
assuré de n'y point voir troubler mon repos.

Je pris tant de goût à l'île de Saint-Pierre, et son séjour
10 me convenait si fort, qu'à force d'inscrire tous mes désirs
dans cette île, je formai celui de n'en point sortir. Les visites
que j'avais à rendre au voisinage, les courses qu'il me faudrait
faire à Neuchâtel, à Bienne, à Yverdon, à Nidau, fatiguaient
déjà mon imagination. Un jour à passer hors de l'île me
15 paraissait retranché de mon bonheur, et sortir de l'enceinte
de ce lac était pour moi sortir de mon élément. D'ailleurs,
l'expérience du passé m'avait rendu craintif. Il suffisait
que quelque bien flattât mon cœur pour que je dusse m'attendre à le perdre; et l'ardent désir de finir mes jours dans
20 cette île était inséparable de la crainte d'être forcé d'en sortir.
J'avais pris l'habitude d'aller les soirs m'asseoir sur la grève,
surtout quand le lac était agité. Je sentais un plaisir singulier à voir les flots se briser à mes pieds. Je m'en faisais
l'image du tumulte du monde, et de la paix de mon habita-
25 tion; et je m'attendrissais quelquefois à cette douce idée,
jusqu'à sentir des larmes couler de mes yeux. Ce repos dont
je jouissais avec passion, n'était troublé que par l'inquiétude
de le perdre; mais cette inquiétude allait au point d'en altérer
la douceur ... Enfin, à force de me livrer à ces réflexions et
30 aux pressentiments inquiétants des nouveaux orages toujours
prêts à fondre sur moi, j'en vins à désirer, mais avec une ardeur
incroyable, qu'au lieu de tolérer seulement mon habitation
dans cette île, on me la donnât pour prison perpétuelle; et
je puis jurer que s'il n'eût tenu qu'à moi de m'y faire con-
35 damner, je l'aurais fait avec la plus grande joie, préférant

mille fois la nécessité d'y passer le reste de ma vie au danger d'en être expulsé.

Cette crainte ne demeura pas longtemps vaine. . . . .

De ce moment, pendant quatre années et demie, Rousseau mena une vie terrible de vagabondage. Il quitte l'île le vendredi 5 25 octobre, passe quelques jours à Nidau, en face de l'île, puis le 29 part pour Bâle; de là pour Strasbourg où il arrive le 2 novembre, hésitant s'il acceptera une invitation du roi de Prusse, à Berlin, ou une invitation du philosophe Hume, en Angleterre; le 9 décembre il part pour Paris. La police ignore volontairement 10 sa présence pendant quelques jours, mais lui signifie enfin de partir. Le 4 janvier il part pour l'Angleterre.[1] Il reste à Londres peu de temps (13–17 janvier); à la fin du mois (le 28) il est à Chiswick, 5 milles à l'ouest de Londres; le 22 mars il arrive à Wooton, Staffordshire (pas Derbyshire, comme il l'a écrit) à 15 50 lieues de Londres, l'hôte de Lord Davenport.

Il ne fut pas heureux. Seul avec ses pensées de perpétuel exilé, ignorant la langue du pays, se sentant dépendant de bienfaiteurs, enfin s'étant brouillé avec Hume, il fut pris un jour d'un violent accès de désespoir, quitta soudainement Wootton, et 20 s'embarqua à Douvres, le 21 mai 1767, pour Calais. Il avait été en Angleterre un an et cinq mois. Étant toujours décrété de prise de corps en France, il adopta le nom de Renou qu'il garda dans sa correspondance jusqu'en 1769. Du reste, protégé par le Prince de Conti, dont il habita le Château de Trye pendant 25 environ une année (depuis le 21 juin 1767), il fait ensuite des séjours de variable durée à Bourgoin (depuis le 16 août 1768), à 13 lieues de Grenoble — c'est là qu'il prend formellement pour femme[2] Thérèse Levasseur (29 août) — ; à Monquin (7 janvier 1769 à mai 1770); à Lyon, où il demeura jusqu'à son départ pour 30 Paris.

[1] Sur ce séjour, voir pour des faits et pour d'autres indications bibliographiques L. J. Courtois, *Annales J.-J. Rousseau*, VI (1910).

[2] C'est-à-dire, autant que cela était en son pouvoir. Le mariage non béni par l'Église catholique n'était pas reconnu en France. Rousseau pour épouser légalement Thérèse Levasseur aurait dû abjurer le protestantisme. Il fit donc une cérémonie intime et civile, pensant bien

Paris, 1770-1778 [1]

Il arriva à Paris fin juin 1770, et vécut successivement dans trois ou quatre modestes appartements Rue Plâtrière (aujourd'hui Rue J.-J. Rousseau).   Il avait repris son nom de Rousseau; le gouvernement ne l'inquiéta pas; cependant, sur la demande expresse
5 du Procureur Général, il quitta l'habit d'Arménien [2] qui attirait trop les regards sur un homme qui était encore sous le coup d'un décret de prise de corps.   Certain qu'on l'avait calomnié, il lut, pour confondre ses ennemis, de longs passages des *Confessions* auxquelles il avait travaillé depuis son dernier séjour en Suisse.
10 Puis, après quelques mois, il vécut d'une vie bien tranquille en s'occupant tantôt de botanique, tantôt de copie de musique (qui l'aidait à vivre), tantôt même reprenant la plume pour discuter des problèmes de politique (ainsi ses *Considérations sur le Gouvernement de la Pologne*).
15   Voici la description d'une des demeures de Rousseau par Bernardin de Saint-Pierre, dont il était devenu l'ami:

« Au mois de juin de 1772, un ami m'ayant proposé de me mener chez J.-J. Rousseau, il me conduisit dans une maison rue Plâtrière à peu près vis-à-vis de l'hôtel de la poste.   Nous montâmes au quatrième étage.
20 Nous frappâmes, et Mme Rousseau vint nous ouvrir la porte.   Elle nous dit: Entrez, Messieurs, vous allez trouver mon mari.   Nous traversâmes une fort petite antichambre où des ustensiles de ménage étaient proprement arrangés; de là nous entrâmes dans une chambre où J.-J. Rousseau était assis, en redingote et en bonnet blanc, occupé à copier de
25 la musique.   Il se leva d'un air riant, nous présenta des chaises, et se remit à son travail en se livrant toutefois à la conversation.

qu'elle suffirait pour que les amis de Rousseau reconnussent Thérèse pour sa femme et la protégeassent après sa mort.   La Révolution, abrogeant la loi du mariage exclusivement catholique, reconnut le mariage de Rousseau comme valable et fit une pension à sa « veuve » (21 déc. 1790). On trouvera cette scène différemment rapportée dans Mugnier, *Madame de Warens*, Claretie, *J.-J. Rousseau et ses amies;* et dans deux lettres de Rousseau, à Laliaud, 31 août 1768, et à Moultou; 10 oct. 1768.

[1] Sur ces années, pour des faits et pour d'autres indications bibliographiques: Eliz. A. Foster, « Le dernier Séjour de J.-J. Rousseau à Paris », dans *Smith College Studies in Modern Languages*, (1920), II, 2, 3.

[2] Voir note ci-dessus sur *Lapidation de Môtiers*.

Il était d'un tempérament maigre et d'une taille moyenne.   Une de
ses épaules paraissait un peu plus élevée que l'autre, soit que ce fût l'effet
d'un défaut naturel, ou de l'attitude qu'il prenait dans son travail, ou de
l'âge qui l'avait voûté, car il avait alors 64 ans; d'ailleurs il était fort
bien proportionné.   Il avait le teint brun, quelques couleurs aux pom-   5
mettes des joues, la bouche belle, le nez très bien fait, le front rond et
élevé, les yeux pleins de feu.   Les traits obliques qui tombent des narines
vers les extrémités de la bouche, et qui caractérisent la physionomie,
exprimaient dans la sienne une grande sensibilité et quelquechose même
de douloureux.   On remarquait dans son visage trois ou quatre caractères 10
de mélancolie par l'enfoncement des yeux et par l'affaissement des sourcils;
de la tristesse profonde par les rides du front; une gaîté très vive et même
un peu caustique par mille petits plis aux angles extérieurs des yeux,
dont les orbites disparaissaient quand il riait.   Toutes ces passions se
peignaient successivement sur son visage suivant que les sujets de la 15
conversation affectaient son âme; mais dans une situation calme sa
figure conservait une empreinte de toutes ces affections, et offrait à la
fois je ne sais quoi d'aimable, de fin, de touchant, de digne de pitié et de
respect.

Près de lui était une épinette sur laquelle il essayait de temps en temps 20
des airs.   Deux petits lits de cotonne rayée de bleu et de blanc comme la
tenture de sa chambre, une commode, une table, et quelques chaises
faisaient tout son mobilier.   Aux murs étaient attachés un plan de la
forêt de Montmorency où il avait demeuré, et une estampe du roi d'Angleterre, son ancien bienfaiteur.   Sa femme était assise occupée à coudre 25
du linge; un serin chantait dans sa cage suspendue au plafond; des
moineaux venaient manger du pain sur ses fenêtres ouvertes du côté de
la rue, et sur celle de l'antichambre on voyait des caisses et des pots
remplis de plantes telles qu'il plaît à la nature de les semer.   Il y avait
dans l'ensemble de son petit ménage, un air de propreté, de paix, et de 30
simplicité qui faisait plaisir.»   (*Vie et Ouvrages de J.-J. Rousseau*, chap.
II.)

De temps en temps Rousseau retombait dans des accès de
mélancolie, suite des persécutions d'autrefois.   N'ayant pas
réussi à se justifier comme il avait espéré par ses lectures des 35
Confessions, il avait composé trois longs *Dialogues, Rousseau juge
de Jean-Jacques*, où il supposait un accusateur LE FRANÇAIS,
auquel répondait ROUSSEAU.   Un jour l'idée lui vint de dé-
poser cet écrit sur l'autel de l'église de Notre-Dame, estimant
que ce « Dépôt remis à la Providence » devrait sûrement un jour 40
le justifier devant la postérité.   Il partit un jour, le 24 février

1776, vers deux heures de l'après-midi, mais trouva la petite
porte qui donnait accès au chœur, fermée. . . . Il remit alors
plusieurs copies de son manuscrit à différents amis.   En 1780 le
premier *Dialogue* fut publié.

5   Rousseau écrivit aussi dans les dernières années de sa vie, les
Rêveries d'un Promeneur Solitaire, une sorte d'adieu à la vie, très
beau et très touchant.   Il mourut avant d'avoir achevé la
Dixième.

Citons ce joli épisode de la IXme Promenade.

Rousseau et les petites Orphelines

10   Un jour, nous étions allés, ma femme et moi, dîner à la
Porte Maillot: après le dîner nous traversâmes le Bois de
Boulogne jusqu'à La Muette; là nous nous assîmes sur
l'herbe en attendant que le soleil fût baissé, pour nous en
retourner ensuite tout doucement par Passy.   Une vingtaine
15 de petites filles, conduites par une manière de religieuse,
vinrent, les unes s'asseoir, les autres folâtrer assez près de
nous.   Durant leurs jeux, vint à passer un oublieur avec son
tambour [1] et son tourniquet,[2] qui cherchait pratique: je vis
que les petites filles convoitaient fort les oublies, et deux ou
20 trois d'entre elles, qui apparemment possédaient quelques
liards, demandèrent la permission de jouer.   Tandis que la
gouvernante hésitait et disputait, j'appelai l'oublieur et lui
dis: « Faites tirer toutes ces demoiselles chacune à son tour,
et je vous paierai le tout ».   Ce mot répandit dans toute la
25 troupe une joie qui seule eût plus que payé ma bourse, quand
je l'aurais toute employée à cela.

Comme je vis qu'elles s'empressaient avec un peu de confusion, avec l'agrément de la gouvernante, je les fis ranger
toutes d'un côté, et puis passer de l'autre côté l'une après

---

[1] Semble être ici une boîte légère en forme de tambour dans lequel
l'oublieur portait sa marchandise.   A moins que ce ne fût un tambour
avec lequel il attirait l'attention des passants.

[2] Jeu de hasard qui consiste en un disque tournant autour duquel
sont marqués des numéros.

l'autre, à mesure qu'elles avaient tiré. Quoiqu'il n'y eût point de billet blanc, et qu'il revînt au moins une oublie à chacune de celles qui n'auraient rien, qu'aucune d'elles ne pouvait donc être absolument mécontente, afin de rendre la fête encore plus gaie, je dis en secret à l'oublieur d'user de son adresse ordinaire en sens contraire, en faisant tomber autant de bons lots qu'il pourrait et que je lui en tiendrais compte. Au moyen de cette prévoyance, il y eut près d'une centaine d'oublies distribuées, quoique les jeunes filles ne tirassent chacune qu'une seule fois; car là-dessus je fus inexorable, ne voulant ni favoriser des abus, ni marquer des préférences, qui produiraient des mécontentements. Ma femme insinua à celles qui avaient de bons lots d'en faire part à leurs camarades, au moyen de quoi le partage devint presque égal, et la joie plus générale.

Je priai la religieuse de tirer à son tour, craignant fort qu'elle ne rejetât dédaigneusement mon offre; elle l'accepta de bonne grâce, tira comme les pensionnaires, et prit sans façon ce qui lui revint. Je lui en sus un gré infini, et je trouvai à cela une sorte de politesse qui me plut fort, et qui vaut bien, je crois, celle des simagrées. Pendant toute cette opération, il y eut des disputes qu'on porta devant mon tribunal; et ces petites filles venant plaider tour à tour leur cause, me donnèrent occasion de remarquer que, quoiqu'il n'y en eût aucune de jolie, la gentillesse de quelques-unes faisait oublier leur laideur.

Nous nous quittâmes enfin, très contents les uns des autres, et cet après-midi fut un de ceux de ma vie dont je me rappelle avec le plus de satisfaction. La fête, au reste, ne fut pas ruineuse; pour trente sous qu'il m'en coûta tout au plus, il y eut pour plus de cent écus de contentement; tant il est vrai que le plaisir ne se mesure pas à la dépense, et que la joie est plus amie des liards que des louis. Je suis revenu plusieurs fois à la même place, à la même heure, espérant d'y rencontrer encore la petite troupe; mais cela n'est plus arrivé.

Ermenonville

Mais la vieillesse devint plus lourde à supporter de jour en
jour. En 1778, lui-même infirme, et Thérèse malade, Rousseau
décida enfin d'accepter l'hospitalité qui lui était offerte par le
Marquis de Giradin dans une maisonnette du Parc d'Ermenon-
5 ville (à 27 milles au Nord-Est de Paris). Rousseau y alla le
20 mai. Le printemps, la campagne, lui firent oublier ses soucis,
et il semblait heureux, quand le 2 juillet il mourut subitement.
(Voltaire était mort le 30 mai.)

La cause de la mort est encore discutée aujourd'hui. Sa mélan-
10 colie a beaucoup favorisé la théorie du suicide, qui, parce qu'elle
est moins banale, ne sera jamais volontiers abandonnée par le
monde, toujours friand de sensationnel. Cependant l'examen attentif des faits la rend de moins en moins probable.[1]

Rousseau, comme protestant, ne pouvant pas être inhumé en
15 terre sainte, fut enterré à Ermenonville dans la charmante Île des
Peupliers, où se trouve encore aujourd'hui le cénotaphe (vide,
car les restes de Rousseau ont été transportés au Panthéon) et
que visitent chaque année de nombreux pélerins.

[1] Voir un examen des théories du suicide dans A. Lacassagne, *Les
dernières années et la mort de J.-J. Rousseau*, Lyon, 1913.

POSTFACE

L'INFLUENCE DE ROUSSEAU SUR SES CONTEMPORAINS ET SUR LA POSTÉRITÉ

Les livres de Rousseau ont été lus abondamment. Et si, à cause des condamnations publiques, des mandements, des censures, des attaques de tous genres et des persécutions des premiers jours — attaques et persécutions dirigées par des hommes attachés au passé et qui devinaient les conséquences si Rousseau 5 triomphait — l'action de Rousseau fut longtemps souterraine, elle n'en fut pas moins réelle dès les premiers jours. On le saisit bien en parcourant les lettres et les Mémoires de la fin du XVIIIme siècle.

Ce fut d'abord surtout dans les domaines de la morale et de la 10 religion que cette action fut profonde. Non seulement d'une part, des ennemis et des indifférents de la religion abandonnaient les « Philosophes » et Voltaire pour Rousseau, mais d'autre part des protestants et même des catholiques invoquaient les arguments apportés par la Profession de Foi du Vicaire Savoyard. Depuis 15 la mort de Rousseau, en 1778, qui vint après une longue vie de souffrances pour ses idées, son prestige augmenta encore; on allait en pélerinage à l'Île des Peupliers, à Ermenonville.

Tout à coup la Révolution éclata; et alors on se souvint de l'auteur du *Contrat Social* qu'on avait presque oublié pour celui de 20 *La Nouvelle Héloïse* et d'*Émile:* « C'était autrefois — dit Mercier, l'auteur de *Rousseau auteur de la Révolution* (1791) — le moins lu de tous les ouvrages de Rousseau. Aujourd'hui tous les citoyens le méditent et l'apprennent par cœur. » Et tous, amis et ennemis, imputent à Rousseau une part considérable de la responsabilité de 25 ce grand mouvement des esprits. Louis XVI dans la Prison du

Temple, aurait, dit-on, « douloureusement reconnu » que Rousseau avec Voltaire « avait perdu la France. » Selon Madame de Staël, Bonaparte aurait dit un jour de Rousseau: « C'est pourtant lui qui a été la cause de la Révolution. » Et le Gavroche de
5 Victor Hugo chantera:

> Il est tombé par terre,
> C'est la faute à Voltaire;
> Le nez dans le ruisseau,
> C'est la faute à Rousseau.

Dès 1791, Rabaut Saint-Étienne, un des grands orateurs de la Révolution, appelait le *Contrat Social* le Code de la Liberté. Et c'est depuis la Révolution, et comme réformateur politique et social que Rousseau reçut d'abord les plus grands honneurs pu-
10 blics. Le 23 juin 1790, un artiste offre à l'Assemblée Nationale un buste de Rousseau qui est placé vis-à-vis des bustes de Franklin et de Washington. Le mardi 21 décembre 1790, l'Assemblée Nationale vota d'ériger une statue à Rousseau (la première qu'elle ait votée) et d'offrir une pension à sa veuve.[1]
15 Le 7 octobre 1791 l'Assemblée Législative installe le buste de Rousseau dans la salle de ses séances.

---

[1] Voici en partie l'extrait du *Journal de Paris* relatant cet épisode (le 23 décembre):

L'Assemblée Nationale voulant rendre un hommage solennel à la mémoire de J.-J. Rousseau, et lui donner, dans la personne de sa veuve, un témoignage de la reconnaissance que lui doit la Nation Française, a décrété et décrète:

Art. I. Il sera élevé, à l'auteur d'*Émile* et du *Contrat social*, une statue portant cette inscription:

LA NATION FRANÇAISE LIBRE

À JEAN-JACQUES ROUSSEAU

Et sur le piédestal sera gravée la devise (de Rousseau):

Vitam impendere vero

Art. II. Marie-Thérèse Levasseur, veuve de J.-J. Rousseau, sera nourrie aux dépens de l'État; à cet effet, il lui sera payé annuellement des fonds du trésor public, une somme de douze cents livres.

Ce projet de décret a été adopté aux acclamations unanimes de l'Assemblée Nationale ...

Le 25 décembre 1791 eut lieu une fête brillante à Montmorency en l'honneur de Rousseau. Lorsque le 14 juillet eut été déclaré un jour de fête nationale, on promena une image de Rousseau sur les ruines de la Bastille. L'éloge de Rousseau était un des thèmes favoris des orateurs des Décadis (jour de repos du calendrier révolutionnaire). L'Académie mit au concours l'éloge de Rousseau, offrant un prix de 600 francs au meilleur discours, et un ami de Rousseau doubla la somme de la récompense. En novembre 1793 la Convention décréta l'érection d'une nouvelle statue à Rousseau, et le 14 avril 1794 (25 Germinal, an II) elle décréta que les cendres de Rousseau seraient transportées au Panthéon.

Cette translation des cendres de Rousseau au Panthéon fut l'occasion de cérémonies émouvantes. Elle eut lieu au mois d'octobre suivant. Le Député Ginguené, représentant la Convention, s'était rendu avec une délégation à Ermenonville le 9 octobre (18 vendémiaire) pour présider à l'excavation du tombeau de l'Île des Peupliers, et pour accompagner le cercueil à Paris.

Le cortège se mit en marche le 9 octobre à huit heures du matin. D'Ermenonville à Paris, il ne fit que s'accroître, et le voyage dura deux jours. De toutes les communes, la foule accourait et saluait les restes du citoyen de Genève, transportés sur un char préparé pour la circonstance. Le soir du premier jour, on arriva à Montmorency, séjour aimé de Rousseau, et où il avait composé ses principales œuvres. Le soleil était déjà descendu derrière l'horizon quand le cortège arriva dans la petite ville. « La lune — écrit Ginguené — qui répandait sa lumière pâle et monotone sur les vignes d'un plaine immense, le vent qui respectait les lumières, le silence qui n'était interrompu que par les airs chéris de Rousseau, donnaient à cette marche l'apparence de ces mystères de l'antiquité, dont tous les initiés étaient purs ou lavés de leurs fautes, et d'où l'on rejetait soigneusement ceux qui n'étaient pas dignes d'y assister. » La Place du Marché, à Montmorency, avait été métamorphosée en une allée de peupliers; on avait recouvert le terrain sablonneux de gazon et de fleurs, et une estrade funéraire y avait été dressée: C'est là que les restes de Rousseau devaient passer la nuit du 18 au 19 vendémiaire, gardés

par l'escorte des gens d'armes partis le matin d'Ermenonville. Le lendemain, vers midi, le cortège quitta Montmorency et se mit en route pour Paris. A Saint-Denis, toute la population se porte en avant: le cortège ne put s'y arrêter, car il fallait arriver à
5 Paris avant la nuit. Enfin on arrive dans la grande ville. La foule était immense. Sur un des bassins du jardin des Tuileries on avait formé une petite île, entourée de saules pleureurs, rappelant aux spectateurs les pièces d'eau d'Ermenonville. C'est au milieu de cette île, sous un petit édifice de forme antique, que le
10 cercueil de Rousseau fut déposé et demeura jusqu'au lendemain matin. Ce fut pendant une partie de la nuit, un défilé incessant de la population parisienne. Le 20 vendémiaire (11 octobre), jour de Décadis, dès neuf heures du matin, la fête se prépara. Lorsque tout fut prêt, Cambacérès, le président de la Convention,
15 donna lecture des décrets rendus pour honorer la mémoire de Rousseau, puis le cortège se mit en marche pour le Panthéon. La Convention fermait la marche, et, devant elle, on portait le *Contrat Social*.[1]

Il est certain que la postérité ne s'est pas trompée en voyant en
20 Rousseau un grand apôtre de l'Évangile de la Révolution. Robespierre l'appelait « le Précepteur du Genre humain » (18 floréal, an II). Le professeur Vaughan, dans son excellente édition du *Contrat Social* (Manchester, 1918) écrit: « En deux points, en tous cas, on peut être affirmatif: le premier c'est que l'influence
25 de Rousseau a atteint son point culminant durant la brève suprématie de Robespierre et de Saint-Just, tous les deux ses disciples avoués; le second c'est qu'on retrouve la trace de Rousseau nettement dans les différentes constitutions auxquelles la Révolution a donné naissance » (en 1791, 1793, 1795, 1799). Cette
30 influence semble incontestable dans la *Déclaration des Droits de l'Homme* elle-même; elle semble évidente encore dans le principe que la souveraineté civile « réside dans la nation et ne peut émaner que d'elle »; dans la mise de la Constitution « sous les auspices de l'Être Suprême »; et, peut-être, dans la notion de la « religion
35 civile » et de la tolérance religieuse; enfin l'idée de la séparation très stricte des pouvoirs législatif et exécutif est entièrement dans

[1] Nous avons mentionné seulement *quelques uns* des honneurs publics rendus à Rousseau.

l'esprit de Rousseau, même si elle ne lui est pas directement empruntée.[1]

Souvent on a associé à ce culte de l'écrivain politique, celui de l'homme sensible; ainsi au théâtre, dans des pièces comme l'*Enfance de J.-J. Rousseau, La Vallée de Montmorency, Rousseau au Paraclet*, et surtout *Jean-Jacques à ses derniers moments*. Dans cette pièce, de Nicolas Bouilly, on voit le bon vieillard confiant au Marquis de Girardin, avant de mourir, le manuscrit du *Contrat Social;* et M. de Girardin reçoit cet « ouvrage immortel » comme on recevrait une Bible: « On dirait, s'écrie-t-il, que c'est Dieu, oui, Dieu lui-même, qui a dicté cet écrit, pour rétablir l'ordre de la nature et fonder le bonheur de la société.» — « Ô mon Dieu, gémit-il encore, quand il voit Jean-Jacques défaillir, un pareil être sur la terre est ta plus parfaite image; pourquoi veux-tu nous l'enlever ? Pourquoi ne permets-tu pas que le nombre de ses jours égale celui de ses vertus ?» Mais l'heure dernière est arrivée. Entouré de ceux qu'il aime et de ceux qu'il a secourus, . . . Jean-Jacques s'éteint doucement sur une dernière

[1] Toutefois, il faut éviter tout dogmatisme; et il faut dire ici au moins ceci: On a attribué à Rousseau parfois, des théories révolutionnaires qu'il n'avait pas; parce qu'il avait certaines théories, on lui attribue volontiers toutes celles qu'on veut faire triompher. Ainsi, par exemple, celle du Tribunat de la Constitution du Directoire, en 1799, qui, sous apparence de démocratisme, devait favoriser les lois du Consulat. (Cf. Vaughan, p. lxxi.) Autre remarque: Parmi les idées proclamées par Rousseau avant la Révolution, il y en a parfois des plus importantes que Rousseau n'avait pas été le seul à avoir défendues; et alors il est difficile de déterminer la part de Rousseau et celle des autres. Ainsi les principes de la *Déclaration des Droits de l'Homme* (1791) eux-mêmes sont bien entièrement dans l'esprit de certaines pages du *Contrat Social*, mais ils sont aussi dans l'esprit de la *Déclaration d'Indépendance de l'Amérique* (1776). Pour la constitution civile du clergé, il en est de même; on peut bien y voir l'influence du chapitre de Rousseau sur la religion civile, mais Voltaire avait réclamé aussi l'emploi d'une religion sans dogmes pour policer au nom d'un Être absolu la vie privée des citoyens. Et la Constitution anglaise contenait déjà l'idée de la séparation des pouvoirs exécutif et législatif dont on fait souvent honneur à Rousseau. Bref, il y a en réalité deux Rousseau, le réel, et celui que la légende a créé; et c'est souvent celui de la légende qu'on appelle le Père de la Révolution

prière: « Que ce jour est pur et serein !   Oh ! Que la nature est
grande ! . . . Voyez-vous . . . voyez-vous cette lumière immense . . .
Voilà Dieu . . . Oui, Dieu lui-même qui m'ouvre son sein et m'invite
à aller gouter cette paix éternelle et inaltérable que j'avais tant
5 désirée.»   (Cité par Masson, *Religion de Rousseau*, III, p. 91–92.)

En 1799 Napoléon Bonaparte avait ramené extérieurement
l'ordre politique en France.   Mais ce fut au dépens de la discussion des idées de liberté.   Et lorsque, après près de vingt ans,
la discussion reprit, il s'était formé une sorte de corps de doctrines
10 démocratiques, opposé aux idées pré-révolutionnaires, mais formé
d'un amalgame de toutes les pensées progressistes et où il serait
difficile de démêler l'action spéciale de Rousseau.

Par contre, grâce à cet ordre rétabli, la discussion des idées de
Rousseau reprit dans le domaine moral et religieux.   Dans le
15 domaine moral, il faut citer avant tout le nom de Madame de
Staël.   Elle écrivit de grands romans sentimentaux du genre de
la *Nouvelle Héloïse*, et elle discute avec une ardeur révolutionnaire la question de l'amour et du mariage; elle est disposée à
croire à l'union de passion naturelle de Julie et de Saint-Preux,
20 plutôt qu'à celle du mariage raisonnable de Julie et de Wolmar.
George Sand devait continuer dans la même voie une génération
plus tard, quitte à revenir à la réserve et à la prudence de Rousseau
dans des romans écrits dans l'âge mûr.

Dans le domaine religieux la discussion fut plus générale.   En
25 réalité la tendance à s'éloigner de la « philosophie » pure, « déso-
lante », qui n'a des raisons « que pour détruire » avait commencé
dès 1762; après la Profession de Foi du Vicaire Savoyard on ne
pouvait plus parler de Jésus comme Voltaire l'avait fait.[1]   Grâce
à Rousseau, les vérités historiques et rationnelles du Christianisme
30 sont considérées comme secondaires, et la vérité morale seule est
essentielle; comme telle, la religion chrétienne est belle et utile.
A la veille de la Révolution, en 1788, Rivarol écrivait: « On ne
disputait autrefois que de la *vérité* de la religion; on ne dispute
aujourd'hui que de son *utilité* ».   (Cf. Masson, *op. cit.*, III, 136,
35 141, 157, 303, 308.)   En vérité, Ballanche (*Du Sentiment*, 1801)

---

[1] Mais il était temps.   Les prêtres même étaient atteints.   Sur quarante souscripteurs à l'*Encyclopédie*, en Dordogne, il y avait vingt-quatre
prêtres.

et Chateaubriand (*Le Génie du Christianisme*, 1802) donnent seulement une forme définitive à ce que, depuis Rousseau, on sentait de plus en plus.

M. Masson l'a fort bien dit: « S'il est vrai que Chateaubriand ait ‹ restauré la cathédrale gothique ›, c'est dans les démolitions 5 de ce temple de la ‹ Philosophie ›, irrémédiablement profané par Rousseau, qu'il en a pris les matériaux » (*op. cit.*, III, 342). Ailleurs: « Nous retrouvons, précisément dans le *Génie du Christianisme*, orchestrés par un maître qui ‹ a le secret des mots puissants ›, les appels les plus populaires de Jean-Jacques » (*ibid.* 329). Au 10 commencement du XIXme siècle ce qui est arrivé, c'est que « Provisoirement la Profession de Foi est incorporée au *Génie du Christianisme*, et disparaît dans son rayonnement » (*ibid.* 350). Chateaubriand lui-même n'a-t-il pas dit: « Peut-être n'y a-t-il dans le monde entier que cinq ouvrages à lire: L'*Émile* 15 en est un ».

La réforme du système d'éducation, telle que poussée par Rousseau, fut plus lente à venir.

L'idée de Rousseau, dans les *Considérations sur le Gouvernement de la Pologne* (chap. IV) qu'il convient d'arracher l'enfant 20 à ceux qui ne l'élèvent qu'en vue de la vie future, ou sans but particulier, et de l'élever en vue du rôle qu'il jouera comme citoyen, fut reprise par Napoléon I^e qui fonda l'Université de France.

Et l'importante idée d'*Émile*, qu'il faut élever l'enfant en 25 adaptant l'enseignement aux facultés de l'enfant et non à celles de l'homme fait, a gagné du terrain lentement peut-être, mais graduellement et avec persistance, depuis l'époque où Rousseau eut parlé. D'abord ce fut par des disciples immédiats, comme Pestalozzi (1746–1827) et le Père Girard (1750–1860), des compatriotes de 30 Rousseau; et dans les autres pays, en Allemagne par exemple, par des hommes comme Basedow (1723–1790), Frœbel (1782–1852), et Herbart (1776–1841).

Quant à l'idée enfin, qui est en quelque sorte à la base de la précédente, des droits de l'enfant — une idée qui est en même 35 temps une application spéciale des principes révolutionnaires, en général, les droits de l'individu — elle a été continuée en Angleterre, d'abord par Wordsworth, et puis par Dickens. En France, Victor Hugo entre autres s'en fit le porte-voix éloquent, et par lui vraiment l'idée devint européenne. Dès ses premières œuvres, par exemple son *Ode à Louis XVII*, et dans son *Derniers Jours d'un Condamné*, il avait affirmé le caractère sacré de l'enfance; il en était pénétré dans des œuvres aussi diverses que les beaux chants lyriques sur la mort de sa fille (les *Pauca Meae*), et son gigantesque roman des *Misérables*, où il a les deux délicieux types de Cosette et de Gavroche; dans sa vieillesse on retrouve cette préoccupation encore dans *l'Art d'être Grand-Père*, et dans cette puissante histoire *Quatre-Vingt-Treize*.

On penserait qu'à mesure que les idées de Rousseau devenaient plus familières au monde, on eut moins besoin de lire ses écrits. Ce n'est pas ce qui arriva cependant, puisqu'à la fin du XIXme siècle et au commencement du XXme encore, c'est très souvent autour du nom de Rousseau que se livrent les grandes batailles d'idées. C'est ainsi que Brunetière et Lemaître, Maurras et Seillière, et maint autres contemporains voient en Rousseau l'homme responsable des tendances qu'ils combattent. En Amérique même, plusieurs écrivains ont formulé leurs critiques sévères aux idées démocratiques en maudissant Rousseau. Rien ne montre mieux que ces faits l'importance de lire Rousseau. Voltaire et les autres auteurs du XVIIIme siècle, même Montesquieu et Buffon, sont morts, Rousseau seul semble demeurer vivant.

FIN

This book may be kept

FOURTEEN DAYS

A fine of FIVE CENTS will be charged for each
day the book is kept overtime.

Loaned	Returned	Loaned	Returned
FEB 22 1969			
APR 1 3 1970			
DEC 2 0 1971			